Conversations avec Dieu
un dialogue hors du commun

Conversations avec Dieu

○ un dialogue hors du commun ○

Tome 3

Neale Donald Walsch

Traduit de l'américain par Michel Saint-Germain

www.quebecloisirs.com

UNE ÉDITION DU CLUB QUÉBEC LOISIRS INC.
© Avec l'autorisation de Ariane Éditions inc.
© 1998 par Neale Donald Walsch
© 1999 Ariane Éditions inc., pour l'édition française
Dépôt légal — Bibliothèque nationale du Québec, 2003
ISBN 2-89430-614-8
(publié précédemment sous ISBN 2-920987-32-1)

Imprimé au Canada

À

NANCY FLEMING-WALSCH

Ma meilleure amie, ma chère compagne,

mon amante passionnée, mon épouse merveilleuse,

qui m'a donné et enseigné

plus que tout être humain sur Terre.

Ta présence me comble d'un bonheur

qui surpasse mes rêves les plus beaux.

Tu as fait chanter mon âme à nouveau.

Tu m'as montré l'amour

sous la forme d'un miracle.

Et tu m'as redonné

à moi-même.

Mon plus grand maître,

je te dédie humblement ce livre.

Remerciements

Comme toujours, je veux d'abord remercier mon meilleur ami, Dieu. J'espère qu'un jour tout le monde entretiendra une relation amicale avec Dieu.

Ensuite, je reconnais et remercie la merveilleuse partenaire de ma vie, Nancy, à qui ce livre est dédié. Quand je pense à elle, mes paroles de gratitude semblent faibles à côté de ses gestes et ne suffisent pas à exprimer à quel point elle est vraiment extraordinaire. Voilà tout ce que j'arrive à dire. En réalité, mon travail n'aurait pas été possible sans elle.

Je veux aussi remercier Robert S. Friedman, éditeur chez Hampton Roads, d'avoir eu le courage de publier ces pages une première fois, en 1995, et tous les volumes de la trilogie *Conversations avec Dieu*. En décidant d'accepter un manuscrit jusque-là rejeté par quatre autres éditeurs, il a changé la vie de plusieurs millions de personnes.

Et je ne peux laisser passer l'occasion que m'offre ce dernier volume de la trilogie *CAD* de reconnaître l'extraordinaire participation de Jonathan Friedman qui, par la clarté de sa vision, l'intensité de son intention, sa profondeur spirituelle, son enthousiasme et sa créativité monumentale, est dans une large mesure responsable du succès de librairie de *Conversations avec Dieu*. Cet homme a su reconnaître l'étendue et l'importance de ce message, a prédit que des millions de gens le liraient et qu'il deviendrait même un classique de la littérature spirituelle. Sa détermination a suscité la réalisation et la parution de *CAD*, et son inlassable application a largement contribué à rendre efficace sa distribution initiale. Tous les amis de *CAD* ont à jamais une dette envers Jonathan, et moi de même.

Je veux également remercier Matthew Friedman de sa participation constante depuis le début de ce projet. On ne saurait surestimer la valeur de ses efforts de cocréation dans la conception et la production de ces livres.

Enfin, je tiens à remercier certains des auteurs et enseignants dont la vie a vraiment affecté le paysage philosophique et spirituel de l'Amérique et du monde, et qui m'inspirent quotidiennement par leur engagement envers l'affirmation d'une grande vérité, en dépit des pressions et des tracas personnels que provoque une telle décision.

Je remercie Joan Borysenko, Deepak Chopra, le Dr Larry Dossey, le Dr Wayne Dyer, le Dr Elisabeth Kübler-Ross, Barbara Marx Hubbard, Stephen Levine, le Dr Raymond Moody, James Redfield, le Dr Bernie Siegel, le Dr Brian Weiss, Marianne Williamson et Gary Zukav – que j'ai tous rencontrés personnellement et pour lesquels j'ai un profond respect. Je leur transmets la reconnaissance du public de même que mon appréciation et mon admiration.

Voilà quelques-uns des individus qui montrent la voie aujourd'hui ; ce sont les éclaireurs. Et si j'ai pu entamer un cheminement personnel afin de déclarer une vérité éternelle, c'est parce que eux, comme d'autres que je n'ai pas rencontrés, l'ont rendu possible. Le travail de leur vie témoigne de l'extraordinaire vivacité de la lumière de toutes nos âmes. Ils ont démontré ce dont je me suis contenté de parler.

Introduction

Voici un livre remarquable. Je dis cela comme si j'avais eu très peu de liens avec son écriture. En fait, je n'ai eu qu'à me présenter, qu'à poser des questions, puis qu'à prendre une dictée.

C'est ce que j'ai fait depuis 1992, date à laquelle cette conversation avec Dieu a commencé. Cette année-là, angoissé et profondément déprimé, je me suis demandé : Que faire pour que la vie aille bien ? Et pourquoi cette vie de lutte continuelle ?

J'ai écrit ces questions sur un bloc-notes jaune de grand format : c'était une lettre de colère adressée à Dieu. À ma grande surprise, Dieu a répondu. La réponse est arrivée sous la forme de paroles murmurées dans ma tête par une *voix sans voix*. Heureusement, j'ai noté ces paroles.

Voilà ce que j'ai fait pendant six ans. Et lorsque j'ai appris que ce dialogue personnel deviendrait un jour un livre, j'ai envoyé la première tranche à des éditeurs à la fin de 1994. Sept mois plus tard, les ouvrages se retrouvaient dans les librairies. Au moment où j'écris ces lignes, ce livre fait partie, depuis quatre-vingt-onze semaines, des best-sellers relevés par le *New York Times*.

La seconde tranche du dialogue est également devenue un best-seller : pendant de nombreux mois, elle a aussi figuré dans la liste du *Times*. Et maintenant, voici la troisième et dernière tranche de cette incroyable conversation.

L'écriture de ce livre a duré quatre ans. Elle n'a pas été facile. Les creux entre les moments d'inspiration étaient énormes et, plus d'une fois, ils se sont étendus sur une période de six mois : à peu près le temps qu'il a fallu pour que se manifeste le contenu du premier livre. Mais ce dernier volume, j'ai dû l'écrire au moment où j'étais sous les projecteurs. Partout où je suis allé depuis 1996, on m'a demandé : « Quand le tome 3 va-t-il sortir ? », « Où est le tome 3 ? », « Quand faut-il s'attendre à recevoir le tome 3 ? »

Vous pouvez vous imaginer ce que cela m'a fait et les répercussions que cela a eues sur le processus de sa gestation. C'était comme si j'avais fait l'amour sur le monticule du lanceur au Yankee Stadium.

En fait, cet acte m'aurait accordé une plus grande discrétion. Au cours de l'écriture du tome 3, chaque fois que je prenais le stylo, j'avais l'impression que cinq millions de personnes m'observaient dans l'attente, suspendues à chaque mot.

Je ne dis pas cela pour me féliciter d'avoir achevé ce travail, mais uniquement pour expliquer pourquoi il a exigé autant de temps. Ces dernières années, mes instants de solitude mentale, spirituelle et physique ont été très rares et espacés.

J'ai commencé ce volume au printemps de 1994, et tout le début de la narration a été écrit durant cette période. La suite s'étale sur plusieurs mois, saute une année entière, pour finalement culminer avec l'écriture des derniers chapitres au printemps et à l'été de 1998.

Vous pouvez au moins être sûrs d'une chose : ce livre n'a nullement été bâclé. Ou bien l'inspiration venait clairement, ou bien je me contentais de déposer le stylo et refusais d'écrire – dans un cas, pendant plus de quatorze mois. J'étais déterminé à ne produire aucun livre plutôt que de le faire pour respecter l'obligation que je m'étais donnée. Mon éditeur était quelque peu tendu, mais mon attitude m'a permis de travailler avec confiance, même s'il a fallu y mettre le temps. Je vous présente donc ce livre en étant tout à fait rassuré. Il résume les enseignements des deux premières tranches de cette trilogie et les amène à leur conclusion logique et renversante.

Si vous avez lu la préface de l'un des deux premiers tomes, vous savez que dans chaque cas je ressentais une certaine appréhension. En fait, je craignais l'éventuelle réaction que provoqueraient ces écrits. Je n'ai plus cette peur. Je n'ai aucune inquiétude en ce qui concerne le tome 3. Je sais que sa profondeur et sa vérité, sa chaleur et son amour toucheront un grand nombre de lecteurs.

Pour moi, c'est là un ouvrage spirituel et sacré. Je m'aperçois que c'est vrai de la trilogie entière, et ces livres seront lus et étudiés pendant des décennies, par des générations entières. Pendant des siècles, peut-être. Dans sa totalité, la trilogie couvre une gamme étonnante de sujets, passant des relations personnelles à la nature de la réalité ultime et à la cosmologie universelle. Elle nous livre des observations sur la vie, la mort, l'amour, le mariage, le sexe, le fait d'être parent, la santé, l'éducation, l'économie, la politique, la spiritualité et la religion, le travail et la façon juste de vivre, la physique, le temps, les mœurs et coutumes sociales, le processus de la création, notre relation avec Dieu, l'écologie, le crime et le châtiment, la vie dans les sociétés hautement évoluées du cosmos, le bien et le mal, les mythes culturels et l'éthique culturelle, l'âme, les âmes sœurs, la nature de l'amour authentique et l'expression glorieuse de cette part de nous-même qui sait que la Divinité est notre héritage naturel.

Puissiez-vous tirer des bienfaits de ce travail.

Soyez bénis.

Neale Donald Walsch
Ashland, en Oregon
Septembre 1998

1

Nous sommes le dimanche de Pâques 1994, et me voici, stylo à la main, selon les instructions. J'attends Dieu. Il a promis de se présenter, comme Elle l'a fait les deux derniers dimanches de Pâques, pour commencer une autre conversation d'un an. La troisième et dernière – jusqu'ici.

Ce processus – cette communication extraordinaire – a commencé en 1992. Il sera terminé à Pâques 1995. Trois ans, trois livres. Le premier traitait de sujets largement personnels : comment entretenir nos relations amoureuses, comment trouver le travail qui nous convient, comment gérer les puissantes énergies de l'argent, de l'amour, du sexe et de Dieu, et comment les intégrer à notre vie quotidienne. Le deuxième élargissait cette thématique, allant jusqu'à des considérations géopolitiques majeures : la nature des gouvernements, la création d'un monde sans guerre, la base d'une société internationale unifiée. Cette troisième et dernière partie de la trilogie fera le point, me dit-on, sur les questions les plus grandes auxquelles l'homme est confronté : les autres mondes, les autres dimensions, et la façon dont s'accorde ce complexe entrelacement.

La progression a été la suivante :

• vérités individuelles,
• vérités planétaires,
• vérités universelles.

Comme c'était le cas dans les deux premiers manuscrits, je ne sais absolument pas où tout cela mène. Le processus est simple. Je place le stylo sur le papier, je pose une question... et j'observe les pensées qui me viennent à l'esprit. S'il n'y a rien, si on ne me transmet aucune parole, je dépose le tout jusqu'à un autre jour. Le processus entier a duré environ un an dans le cas du premier livre, plus d'un an pour le second. (Ce deuxième livre est encore en cours de processus au moment où celui-ci commence.)

Je m'attends à ce que celui-ci soit le plus important des trois. Pour la première fois depuis le début, ce processus me gêne beaucoup. Deux mois se sont écoulés depuis que j'ai écrit ces quatre ou cinq premiers paragraphes. Deux mois depuis Pâques, et rien n'est venu : uniquement que de la gêne.

J'ai passé des semaines à réviser et à corriger les épreuves du premier livre de cette trilogie – et cette semaine, je viens tout juste de recevoir la version finale du Tome 1, que j'ai dû renvoyer à la typographie, avec quarante-trois erreurs distinctes à corriger. Entre-temps, le deuxième livre, encore sous forme manuscrite, n'a été achevé que la semaine dernière – après deux mois de retard au « calendrier ». (Il était censé être prêt avant Pâques 1994.) Ce livre-ci, commencé le dimanche de Pâques en dépit du fait que le tome 2 n'était pas terminé, a langui depuis lors dans sa chemise : depuis que le tome 2 est terminé, il réclame de l'attention.

Mais pour la première fois depuis 1992, année à laquelle tout cela a commencé, j'ai l'impression de résister à ce processus, d'en être presque contrarié. Je me sens piégé par cette mission et je n'ai jamais aimé agir par obligation. De plus, ayant distribué à quelques personnes des exemplaires non corrigés du premier manuscrit et ayant entendu leurs réactions, je suis convaincu, à présent, que ces trois livres seront lus par un large public, examinés à fond, analysés d'après leur pertinence théologique et soumis à des débats passionnés pendant des décennies.

C'est donc à grand-peine que je suis arrivé à cette page-ci ; j'ai beaucoup de difficulté à considérer ce stylo comme mon ami – car même si je sais qu'il faut transmettre cette matière, je sais aussi que je m'expose aux attaques les plus virulentes, au ridicule, et peut-être même à la haine de bien des gens pour avoir osé publier cette information – et beaucoup moins pour avoir osé annoncer qu'elle me vient directement de Dieu.

Ma grande peur est de m'avérer inadéquat et impropre en tant que « porte-parole » de Dieu, étant donné la série apparemment interminable d'erreurs et de fautes qui ont marqué ma vie et caractérisé mon comportement.

Ceux qui m'ont connu dans le passé – y compris mes ex-épouses et mes propres enfants – auraient tous les droits d'intervenir pour dénoncer ces écrits, en invoquant ma piètre performance, en tant qu'être humain, dans les fonctions simples et rudimentaires d'époux et de père. J'ai misérablement échoué dans ces domaines et dans d'autres aspects de la vie, comme l'amitié et l'intégrité, l'application et la responsabilité.

Bref, je suis profondément conscient de ne pas être digne de me présenter à nouveau en tant qu'homme de Dieu ou messager de la vérité. Je devrais être la dernière personne à assumer ce rôle ou même à se l'octroyer. Je commets une injustice en me permettant de parler de vérité, alors que toute ma vie témoigne de mes faiblesses.

Pour ces raisons, Dieu, je te demande de me décharger de mes obligations de scribe et de trouver quelqu'un qui soit digne d'un tel honneur, en raison de la vie qu'il a menée.

J'aimerais terminer ce que nous avons commencé ici – même si tu n'es pas tenu de le faire. Tu n'as aucune obligation envers moi ni envers qui que ce soit, mais Je vois que tu es néanmoins convaincu du contraire et que cette idée t'a donné un grand sentiment de culpabilité.

J'ai abandonné des gens, y compris mes propres enfants.

Tout ce qui est arrivé dans ta vie l'a été d'une manière parfaite, comme il se devait pour que tu grandisses exactement selon tes besoins et ta volonté – ainsi que pour toutes les âmes engagées avec toi.

C'est l'excuse habituelle qu'inventent tous les gens du Nouvel Âge pour fuir la responsabilité de leurs gestes et éviter tout résultat désagréable.

Je sens que j'ai été égoïste – incroyablement égoïste. Pendant la plus grande part de ma vie, j'ai fait ce qui me plaisait, sans penser aux autres.

Il n'y a rien de mal à faire ce qui te plaît...

Mais tant de gens ont été blessés, abandonnés...

La seule question qui importe, c'est : Qu'est-ce qui te plaît le plus ?
Tu sembles dire que ce qui te plaît le plus, à présent, ce sont des
comportements qui font peu de tort, ou n'en font aucun, aux autres.

C'est le moins qu'on puisse dire.

Je l'ai fait exprès. Tu dois apprendre à être bienveillant envers
toi-même. Et à cesser de te juger.

C'est difficile – surtout quand les autres sont si enclins à juger.
J'ai l'impression que je vais te porter atteinte, à toi et à la vérité ;
que si j'insiste pour achever et publier cette trilogie, je serai un si
piètre ambassadeur de ton message que je le discréditerai.

Tu ne peux discréditer la vérité. La vérité, c'est la vérité, et elle ne
peut être ni confirmée ni infirmée. Elle est, tout simplement.

La merveille et la beauté de mon message ne peuvent être affectées
par ce que les gens pensent de toi et ne le seront pas.

En effet, tu es l'un des meilleurs ambassadeurs, car tu as vécu ta vie
d'une façon que tu trouves imparfaite.

Les gens peuvent te comprendre – même s'ils te jugent. Et s'ils
voient que tu es vraiment sincère, ils peuvent même te pardonner ton
« passé sordide ».

Et pourtant, Je te dis ceci : Tant que tu t'inquiéteras de ce que les
autres pensent de toi, tu seras en leur pouvoir.

Ce n'est que lorsque tu n'auras plus besoin de l'approbation de
personne que tu pourras assumer ton propre pouvoir.

Je m'inquiétais davantage du message que de moi. Je
m'inquiétais du fait que le message soit terni.

Si tu es inquiet à propos du message, alors publie-le. Ne te demande pas si tu le ternis. Le message parlera de lui-même.

Rappelle-toi ce que Je t'ai enseigné. L'important n'est pas tellement la façon dont un message est reçu que celle dont il est transmis.

Rappelle-toi également ceci : Tu enseignes ce que tu as à apprendre.

Il n'est pas nécessaire d'avoir atteint la perfection pour parler de celle-ci.

Il n'est pas nécessaire d'avoir atteint la maîtrise pour parler de celle-ci.

Il n'est pas nécessaire d'avoir atteint le niveau le plus élevé de l'évolution pour parler de celle-ci.

Ne cherche qu'une chose : l'authenticité. Cherche à être sincère. Si tu veux défaire tout le « tort » que tu t'imagines avoir fait, démontre-le par tes gestes. Fais ce que tu peux. Puis, laisse reposer les choses.

C'est plus facile à dire qu'à faire. Parfois, je me sens tellement coupable.

La peur et la culpabilité sont les seuls ennemis de l'homme.

La culpabilité est importante. Elle nous indique que nous avons mal agi.

Il n'y a rien de « mal ». Il n'y a que ce qui ne te sert pas ; ce qui ne dit pas la vérité à propos de qui tu es et de qui tu choisis d'être.

La culpabilité est le sentiment qui te tient englué dans qui tu n'es pas.

Mais la culpabilité est le sentiment qui, au moins, nous permet de remarquer que nous nous sommes égarés.

C'est de la conscience que tu parles, et non de la culpabilité.

Je te dis ceci : La culpabilité est une plaie – c'est le poison qui tue la plante.

Dans la culpabilité, tu ne grandiras pas – tu ne feras que t'étioler et mourir.

La conscience, voilà ce que tu recherches. Mais la conscience n'est pas la culpabilité, et l'amour n'est pas la peur.

La peur et la culpabilité, Je te le redis, sont tes seuls ennemis. L'amour et la conscience sont tes véritables amis. Mais ne les confonds pas, car les unes te tueront, tandis que les autres te donneront vie.

Alors, je ne dois me sentir « coupable » de rien ?

Jamais, au grand jamais. À quoi bon ? Cela te permet seulement de ne pas t'aimer – et cela élimine toutes tes chances de pouvoir aimer quelqu'un d'autre.

Et je ne dois avoir peur de rien ?

La peur et la prudence sont deux choses différentes. Sois prudent – sois conscient – mais ne sois pas craintif. Car la peur ne fait que paralyser, tandis que la conscience mobilise.

Sois mobilisé, et non paralysé.

On m'a toujours enseigné à craindre Dieu.

Je sais. Et depuis lors, tu as été paralysé dans tes relations avec moi.

Ce n'est que lorsque tu as cessé de me craindre que tu as pu créer une quelconque relation profonde avec moi.

Si Je pouvais t'offrir un cadeau, une grâce particulière, qui te permettrait de me trouver, ce serait le courage.

Bénis soient les courageux, car ils connaîtront Dieu.

Cela signifie que tu dois avoir le courage d'abandonner ce que tu crois savoir à propos de Dieu.

Tu dois avoir le courage de t'éloigner de ce que les autres t'ont dit à propos de Dieu.

Tu dois avoir le courage et l'audace de faire ta propre expérience de Dieu.

Et alors, tu ne dois pas t'en sentir coupable. Lorsque ta propre expérience déroge de ce que tu croyais savoir et de ce que tous les autres t'ont dit à propos de Dieu, tu ne dois pas t'en sentir coupable. La peur et la culpabilité sont les seuls ennemis de Dieu.

Mais certains disent que suivre ta suggestion, c'est pactiser avec le diable ; que seul le diable suggérerait une telle chose.

Le diable n'existe pas.

Voilà aussi une chose que le diable dirait.

Le diable dirait tout ce que dit Dieu, est-ce bien cela ?

Il le dirait d'une façon plus habile, c'est tout.

Le diable est plus habile que Dieu ?

Plus rusé, disons.

Ainsi, le diable « manigance » en disant ce que Dieu dirait ?

Avec juste une petite distorsion – juste assez grande pour induire quelqu'un en erreur, pour le faire s'égarer.

Je crois que nous avons quelques mots à nous dire à propos du « diable ».

Eh bien, nous en avons beaucoup parlé dans le tome 1.

Pas assez, semble-t-il. Et puis, il y en a peut-être qui n'ont pas lu le tome 1. Ni le tome 2, d'ailleurs. Alors, je crois qu'on pourrait commencer par résumer quelques-unes des vérités qui se trouvent dans ces livres. Cela préparera le terrain pour introduire les vérités plus grandes, universelles, de ce troisième livre. Et avant cela, nous reparlerons aussi du diable. Je veux que tu saches comment, et pourquoi, une telle entité a été « inventée ».

D'accord, tu gagnes. Je suis déjà dans le dialogue : apparemment, ça va donc continuer. Mais il faut dire une chose aux lecteurs avant d'entamer cette troisième conversation : il s'est écoulé six mois depuis que j'ai écrit ces premiers mots. Nous sommes le 25 novembre 1994 – le lendemain de l'Action de grâces. Il a fallu vingt-cinq semaines pour arriver ici ; vingt-cinq semaines entre le dernier paragraphe et celui-ci. Il s'est passé bien des choses, au cours de ces vingt-cinq semaines, sauf que ce livre n'a pas progressé d'un pouce. Pourquoi est-ce si long ?

Vois-tu de quelle façon tu peux te mettre en échec ? Vois-tu de quelle façon tu peux te saboter ? Vois-tu de quelle façon tu peux t'arrêter en chemin au moment même où tu arrives à quelque chose de bon ? Tu as fait cela toute ta vie.

Hé ! Minute ! Ce n'est pas moi qui ai empêché ce projet d'évoluer. Je ne peux rien faire – je ne peux pas écrire un seul mot – à moins de m'y sentir poussé, à moins de sentir... Je déteste ce mot, mais j'imagine qu'il me faut... assez d'inspiration pour prendre ce bloc-notes jaune et continuer. Et l'inspiration, c'est ton rayon, pas le mien !

Je vois. Alors, tu crois que c'est moi qui ai traîné, et pas toi.

Quelque chose comme ça, oui.

Mon merveilleux ami, ça te ressemble tellement – à toi et à d'autres humains. Tu restes à ne rien faire pendant six mois, à ne rien faire à propos de ton bien le plus élevé, à le repousser, en fait, puis tu blâmes quelqu'un ou quelque chose d'extérieur à toi parce que tu n'aboutis nulle part. Décèles-tu un pattern ?

Eh bien...

Je te dis ceci : Il n'y a pas un seul instant pendant lequel Je ne suis pas avec toi ; jamais un moment où Je ne suis pas « prêt ».
Ne t'ai-je pas déjà dit cela ?

Eh bien, oui, mais...

Je serai toujours avec toi, jusqu'à la fin des temps.

Mais Je ne t'imposerai jamais ma volonté.

Je choisis ce qui est pour toi le plus grand bien, mais aussi, ce que tu veux te donner. Et c'est la mesure la plus certaine de l'amour.

Lorsque Je veux pour toi ce que tu veux te donner, alors Je t'aime vraiment. Lorsque Je veux pour toi ce que Je veux pour toi, alors Je m'aime, à travers toi.

Ainsi, à la même aune, tu pourras déterminer si les autres t'aiment et si tu les aimes vraiment. Car l'amoureux ne choisit rien pour lui-même ; il ne cherche qu'à rendre possibles les choix du bien-aimé.

Cela semble tout à fait contredire ce que tu as affirmé dans le tome 1, à savoir que l'amoureux ne se préoccupe pas du tout de ce que l'autre est, fait et a, mais seulement de ce que le Soi est, fait et a.

Cela soulève également d'autres questions, comme... Que dire du parent qui crie à l'enfant : « Sors de la rue ! » ou, mieux encore, qui risque sa propre vie pour s'élancer dans le tourbillon de la circulation et saisir l'enfant ? Que dire de cette mère ? Est-ce qu'elle n'aime pas son enfant ? Pourtant elle lui impose sa volonté. Rappelle-toi ! L'enfant se trouvait dans la rue parce qu'il *voulait y être.*

Comment expliques-tu ces contradictions ?

Il n'y en a aucune. Mais tu ne peux pas voir l'harmonie. Et tu ne comprendras cette divine doctrine de l'amour que lorsque tu auras compris que mon choix le plus élevé, en ce qui me concerne, est également ton choix le plus élevé en ce qui te concerne. Et c'est parce que toi et moi ne faisons qu'un.

Vois-tu, la divine doctrine est aussi une divine dichotomie, et c'est parce que la vie même est une dichotomie – une expérience au sein de laquelle deux vérités apparemment contradictoires peuvent coexister en un même lieu et en même temps.

Dans ce cas-ci, les vérités en apparence contradictoires sont les suivantes : toi et moi sommes séparés, et toi et moi ne faisons qu'un. La même contradiction apparente se manifeste dans ta relation avec tout le reste.

Je maintiens ce que J'ai dit dans le *tome 1* : la plus grave erreur, dans les relations humaines, consiste à se soucier de ce que l'autre veut, est, fait ou a. Ne vous souciez que du Soi. Qu'est-ce que le Soi est, fait ou a ? Qu'est-ce que le Soi veut, nécessite, choisit ? Quel est le choix le plus élevé pour le Soi ?

Je maintiens également une autre affirmation faite dans ce livre : le choix le plus élevé pour le Soi devient le choix le plus élevé pour un autre lorsque le Soi réalise qu'il n'y a personne d'autre.

Par conséquent, l'erreur n'est pas de *choisir* ce qu'il y a de mieux pour toi, mais plutôt de ne pas *savoir* ce qu'il y a de mieux. Cela provient du fait que tu ne sais pas *qui tu es vraiment*, encore moins *qui tu cherches à être*.

Je ne comprends pas.

Eh bien, permets-moi de te donner un exemple. Si tu cherches à remporter l'Indianapolis 500, conduire à 240 km/h est peut-être ce qu'il y a de mieux pour toi. Par contre, si tu veux arriver à l'épicerie en sécurité, ce n'est peut-être pas le cas.

Tu dis que tout est affaire de contexte.

Oui. Toute la *vie*. Ce qu'il y a de « mieux » dépend de qui tu es et qui tu cherches à être. Tu ne peux pas choisir intelligemment ce qu'il y a de mieux pour toi à moins de décider de la même manière qui tu es et ce que tu es.

En tant que Dieu, Je *sais* ce que j'essaie d'être. Par conséquent, Je sais ce qu'il y a de « mieux » pour moi.

Et qu'est-ce que c'est ? Dis-moi ce qu'il y a de « mieux » pour Dieu. Ça devrait être intéressant...

Ce qu'il y a de mieux pour moi, c'est de te donner ce qu'il y a de *mieux pour toi, selon toi.* Car ce que Je tente d'être, c'est l'expression de moi-même. Et c'est par ton intermédiaire que Je le suis.

Me suis-tu ?

Oui, crois-le ou non, je te suis.

Bien. À présent, Je te dirai quelque chose que tu trouveras peut-être difficile à croire.

Je t'accorde toujours ce qu'il y a de mieux pour toi... même si j'admets que tu ne le sais peut-être pas toujours.

Ce mystère se dissipe quelque peu, maintenant que tu as commencé à comprendre où je veux en venir.

Je suis Dieu.

Je suis la Déesse.

Je suis l'Être suprême. Le Tout de chaque chose. Le commencement et la fin. L'alpha et l'oméga.

Je suis la somme et la substance. La question et la réponse. Le haut et le bas. La gauche et la droite, l'ici et le maintenant, l'avant et l'après.

Je suis la lumière, et Je suis l'obscurité qui crée la lumière et la rend possible. Je suis la bonté infinie, et la « méchanceté » qui fait que la « bonté » est bonne. Je suis toutes ces choses – le Tout de chaque chose – et Je ne peux faire l'expérience d'aucune partie de moi-même sans faire l'expérience de tout moi-même.

Voilà ce que tu ne comprends pas à mon sujet. Tu veux faire de moi l'un, et non l'autre. Le haut et non le bas. Le bon et non le mauvais. Mais en niant la moitié de moi, tu nies la moitié de ton Soi. Ce faisant, tu ne peux jamais être qui tu es vraiment.

Je suis le Tout magnifique, et ce que Je cherche, c'est de me connaître d'une façon expérientielle. Je fais cela à travers toi, et à travers tout ce qui existe. Et Je fais l'expérience de moi-même comme d'un être magnifique par les choix que Je fais. Car chaque choix crée le Soi. Chaque choix est définitif. Chaque choix me représente – c'est-à-dire qu'il me re-présente – comme étant qui Je choisis d'être maintenant.

Je ne peux pas choisir d'être magnifique *si je n'ai aucun choix*. Il faut qu'une partie de moi soit moins magnifique pour que Je choisisse la partie de moi qui *est* magnifique.

Il en va de même pour toi.

Je suis Dieu, plongé dans l'acte de création de moi-même.

Et il en va ainsi pour toi.

C'est ce que ton âme se languit de faire. C'est ce dont ton âme a faim.

Si Je t'empêchais d'avoir ce que tu choisis, Je m'empêcherais moi-même d'avoir ce que Je choisis. Car mon plus grand désir est de faire l'expérience de moi-même en tant que ce que Je suis. Et, comme Je l'ai soigneusement et méticuleusement expliqué dans le tome 1, Je ne peux le faire que dans l'espace de ce que Je ne suis pas.

Ainsi, J'ai soigneusement créé ce que Je ne suis pas, afin de faire l'expérience de ce que Je suis.

Mais Je Suis *tout* ce que Je crée – donc Je Suis, en un sens, ce que Je ne suis *pas.*

Comment quelqu'un peut-il être ce qu'il n'est pas ?

Facile. C'est ce que tu fais sans cesse. Observe ton comportement.

Essaie de comprendre ceci. Il n'y a *rien* que Je ne sois pas. Donc, Je suis ce que Je suis, et Je suis ce que Je ne suis pas.

C'EST LA DIVINE DICHOTOMIE.

C'est le divin mystère que, jusqu'à présent, seuls les esprits les plus sublimes ont pu comprendre. Je te l'ai révélé ici de façon qu'un plus grand nombre de gens puissent comprendre.

C'était le message du tome 1, et cette vérité fondamentale, tu dois la comprendre – tu dois la connaître profondément – si tu veux comprendre et connaître les vérités encore plus sublimes à venir, ici, dans le tome 3.

Mais à présent, permets-moi d'arriver à l'une de ces vérités plus sublimes – car elle est contenue dans la réponse à la seconde partie de ta question.

J'espérais qu'on revienne à cette partie de ma question. Comment le parent aime-t-il l'enfant s'il dit ou fait ce qu'il y a de mieux pour l'enfant, même s'il doit contrarier le désir de celui-ci pour le faire ? Où le parent fait-il montre de l'amour le plus sincère en laissant l'enfant jouer dans le trafic ?

Voilà une question merveilleuse. Et c'est la question que pose chaque parent, d'une façon ou d'une autre, depuis que les parents existent. La réponse est la même pour toi en tant que parent, que pour moi en tant que Dieu.

Alors, *quelle est la réponse* ?

Patience, mon fils, patience. « Tout vient à point à qui sait attendre. » As-tu jamais entendu cela ?

Ouais, mon père me le disait, et je détestais ça.

Je comprends. Mais sois patient avec toi-même, surtout si tes choix ne t'apportent pas ce que tu crois vouloir. I a réponse à la seconde partie de ta question, par exemple.

Tu sais que tu veux la réponse, mais tu ne la choisis pas. Tu sais que tu ne la choisis pas parce que tu ne fais pas l'expérience de l'avoir. En vérité, tu as la réponse et tu l'as toujours eue. Seulement, tu ne la choisis pas. Tu choisis de croire que tu ne connais pas la réponse – donc, tu ne la connais pas.

Oui, tu as parlé de cela, aussi, dans le tome 1. J'ai tout ce que je choisis d'avoir maintenant – y compris une idée complète de Dieu – mais je ne ferai pas l'*expérience* du fait que je l'ai à moins de *savoir* que je l'ai.

Précisément ! Tu l'énonces parfaitement.

Mais comment puis-je *savoir* ce que je fais avant d'avoir fait *l'expérience* du fait que je le fais ? Comment puis-je savoir une chose dont je n'ai pas fait l'expérience ? N'est-ce pas un grand esprit qui a dit : « Tout savoir est une expérience. » ?

Il s'est trompé.
Le savoir ne suit pas l'expérience – il la précède.
Là-dessus, la moitié du monde pense à rebours.

Alors, tu veux dire que j'ai la réponse à la seconde partie de ma question, mais que je ne *sais* pas que je l'ai ?

Exactement.

Mais si je ne sais pas que je l'ai, alors je ne l'ai pas.

Voilà le paradoxe, oui.

Je ne comprends pas... sauf que je comprends.

En effet.

Alors, comment puis-je arriver à « savoir que je sais » quelque chose si je ne « sais pas que je le sais » ?

Pour « savoir que tu le sais, agis comme si tu le savais ».

Tu as dit quelque chose là-dessus dans le tome 1, aussi.

Oui. Un bon point de départ consisterait à récapituler l'enseignement précédent. Et tu poses « justement » les bonnes questions en me permettant de résumer brièvement au début de ce livre l'information dont nous avons discuté en détail dans les volumes précédents.
Donc, dans le tome 1, il a été question du paradigme Être-Faire-Avoir et de la façon dont les individus le conçoivent à rebours.
La plupart des gens croient que s'ils « ont » quelque chose (plus de temps, de l'argent, de l'amour – peu importe), ils pourront enfin « faire » quelque chose (écrire un livre, développer un passe-temps, partir en vacances, acheter une maison, entreprendre une relation), ce qui leur

permettra d'« être » quelque chose (heureux, en paix, contents, ou en amour).

En réalité, ils renversent le paradigme Être-Faire-Avoir. Dans l'univers tel qu'il est réellement (par opposition à l'idée que vous vous en faites), le « fait d'avoir » ne produit pas le « fait d'être » : c'est plutôt l'inverse.

D'abord, vous « êtes » la chose appelée « heureux » (ou « informé » ou « sage » ou « compatissant », peu importe), puis vous commencez à « faire » des choses à partir de ce lieu de votre état d'être et, bientôt, vous découvrez que ce que vous faites vous apporte ce que vous avez toujours voulu « avoir ».

La façon de lancer ce processus créatif (et c'est cela... le processus de la création), c'est d'examiner ce que vous voulez « avoir », de vous demander ce que, selon vous, vous « seriez » si vous l'« aviez », puis directement de l'*être*.

Ainsi, vous inversez la façon dont vous avez utilisé le paradigme Être-Faire-Avoir – en réalité, vous le remettez en place – et vous travaillez avec, plutôt que contre, le pouvoir créateur de l'univers.

Voici un résumé de ce principe :

Dans la vie, vous n'avez pas à *faire quoi que ce soit*.

Tout ce qui compte, c'est ce que vous *êtes*.

Voilà l'un des trois messages auxquels Je reviendrai à la fin de notre dialogue. Je l'utiliserai pour terminer le livre.

Pour l'instant, et afin d'illustrer cela, pense à quelqu'un qui sait seulement que s'il pouvait avoir juste un peu plus de temps, un peu plus d'argent, ou un peu plus d'amour, il serait véritablement heureux.

Il ne fait pas le lien entre le fait de « ne pas être très heureux » maintenant et le fait de ne pas avoir le temps, l'argent ou l'amour qu'il veut.

C'est cela. Par ailleurs, la personne qui « est » heureuse semble avoir le temps de faire tout ce qui compte vraiment, avoir l'argent nécessaire et assez d'amour pour la vie entière.

Elle trouve qu'elle a tout ce qu'il lui faut pour « être heureuse »... en « étant d'abord heureuse » !

Exactement. Le fait de décider à l'avance ce que vous choisissez d'être *provoque cet état dans votre expérience.*

« Être ou ne pas être. Voilà la question. »

***Précisément*. Le bonheur est un état d'esprit. Et comme tous les états d'esprit, il se reproduit sous forme physique.**
Voici une phrase à afficher sur la porte du frigo :
« Tous les états d'esprit se reproduisent. »

Mais comment peut-on « être » heureux d'abord, ou « être » ce qu'on cherche à être, *peu importe ce que c'est* – plus prospère, par exemple, ou plus aimé –, si on n'a pas ce dont on pense avoir besoin pour « être » cela ?

Fais comme si tu l'étais, et tu l'attireras à toi.
Tu deviens ce que tu prétends être.

Autrement dit : « Fais semblant jusqu'à ce que tu y arrives. »

Quelque chose comme ça, oui. Sauf que tu ne peux pas vraiment « faire semblant ». Tes gestes doivent être sincères.
Tout ce que tu fais, fais-le sincèrement, sinon le bienfait de l'action se perdra.
Ce n'est pas parce que je ne te « récompenserai » pas. Dieu ne donne ni « récompenses » ni « punitions », comme tu le sais. Mais la loi naturelle exige que le corps, l'esprit et l'âme soient unis dans la pensée, la parole et l'action pour que le processus de la création fonctionne.
Tu ne peux pas tromper ton esprit. Si tu manques de sincérité, ton esprit le sait, et c'est fini. Tu viens de mettre fin à toute chance que ton esprit puisse t'aider dans le processus créatif.
Bien sûr, tu peux créer sans ton esprit – seulement, c'est beaucoup

plus difficile. Tu peux demander à ton corps de faire une chose à laquelle ton esprit ne croit pas et si ton corps le fait suffisamment longtemps, ton esprit commencera à abandonner sa pensée antérieure et à créer une nouvelle pensée. Lorsque tu as une nouvelle pensée à propos d'une chose, tu es en bonne voie de la créer en tant qu'aspect permanent de ton être et non comme une chose avec laquelle tu te contentes de jouer.

C'est une voie difficile, et même dans un tel cas, l'action doit être authentique. On peut manipuler les gens, mais on ne peut manipuler l'univers.

Alors, nous voici en présence d'un équilibre très délicat. Le corps fait une chose à laquelle l'esprit ne croit pas, mais pour que l'action du corps fonctionne, l'esprit doit y ajouter l'élément sincérité.

Comment l'esprit peut-il ajouter la sincérité lorsqu'il ne « croit » pas à ce que fait le corps ?

En retirant l'élément égoïste du gain personnel.

Comment ?

L'esprit n'est peut-être pas capable d'admettre sincèrement que les gestes du corps puissent t'apporter ce que tu choisis, mais il semble savoir très clairement que Dieu apportera de bonnes choses à quelqu'un d'autre, par ton intermédiaire.

Par conséquent, tout ce que tu choisis pour toi-même, offre-le à un autre.

Voudrais-tu répéter, s'il te plaît ?

Bien sûr.
Tout ce que tu choisis pour toi-même, offre-le à un autre.
Si tu choisis d'être heureux, fais en sorte qu'un autre soit heureux.
Si tu choisis d'être prospère, fais en sorte qu'un autre le soit.
Si tu choisis d'avoir plus d'amour dans ta vie, fais en sorte qu'un autre ait plus d'amour dans la sienne.

Fais-le sincèrement – non pas parce que tu recherches le gain personnel, mais parce que tu veux vraiment que l'autre personne ait cela – et toutes les choses que tu donneras te reviendront.

Pourquoi est-ce ainsi ? Comment tout cela fonctionne-t-il ?

L'acte même de donner quelque chose t'amène à faire l'expérience de *l'avoir* afin de le donner. Comme tu ne peux pas offrir à un autre une chose que tu n'as pas maintenant, ton esprit en arrive à une nouvelle conclusion, à une nouvelle pensée à ton propos – à savoir que tu dois avoir cela, *sinon tu ne pourrais pas le donner.*

Cette nouvelle pensée devient alors ton expérience. Tu commences à « être » cela. Et une fois que tu as commencé à « être » une chose, tu as engagé les rouages de la plus puissante machine à créer de l'univers – ton Soi divin.

Tout ce que tu es, tu le crées.

Le cercle est complet, et tu créeras de plus en plus de cette chose dans ta vie. Elle se manifestera dans ton expérience physique.

Voilà le plus grand secret de la vie. C'est ce que les tomes 1 et 2 ont servi à te dire. Tout était là, d'une façon beaucoup plus détaillée.

S'il te plaît, explique-moi pourquoi la sincérité est si importante lorsqu'on offre à un autre ce qu'on choisit pour soi-même.

Si tu donnes à un autre d'une manière artificielle, pour le manipuler afin d'obtenir quelque chose, ton esprit le sait. Tu viens de lui signaler que *tu n'as pas cette chose-là, maintenant*. Et puisque l'univers n'est rien d'autre qu'une immense photocopieuse qui reproduit tes pensées sous une forme physique, *cela deviendra ton expérience*. En d'autres termes, tu continueras à faire l'expérience de « ne pas l'avoir » – peu importe ce que tu fais !

De plus, ce sera l'expérience de la personne à qui tu essaies de le donner. Et celle-ci verra que tu cherches uniquement à obtenir quelque chose, que tu n'as rien, en réalité, à offrir, et que le fait de le donner constituera un geste vide dont on verra toute la superficialité égoïste dont il émane.

Ainsi, la chose même que tu as cherché à attirer, tu la repousseras.
Mais lorsque tu donnes quelque chose à un autre avec la pureté du
coeur – parce que tu vois qu'il en veut, qu'il en a besoin, et qu'il devrait
l'avoir –, tu découvres alors que tu l'as, puisque tu la donnes. Et c'est là
une grande découverte.

C'est vrai ! Ça marche *vraiment* ainsi ! Je me souviens d'un
moment dans ma vie où les choses n'allaient pas tellement bien. Je
prenais ma tête entre mes mains en me disant que je n'avais plus
d'argent, que j'avais très peu de nourriture et que je ne savais pas
où j'allais prendre mon prochain repas complet ni comment je
pourrais payer mon loyer. Ce soir-là, j'ai rencontré un jeune couple
au terminus d'autobus. J'y étais pour prendre un paquet et je
voyais ces jeunes, blottis sur un banc, qui utilisaient leurs man-
teaux pour se couvrir.

Je les ai vus, et mon cœur a bondi vers eux. Je me suis rappelé
ma jeunesse, comment c'était quand on était jeunes, à survivre à
peine et toujours entre deux endroits, comme ça. Je suis allé les
trouver et je leur ai demandé s'ils aimeraient venir chez moi et
s'asseoir près d'un bon feu, boire un peu de chocolat chaud et
profiter d'une bonne nuit de repos sur un sofa-lit. Ils ont levé vers
moi des yeux tout grands, tels des enfants un matin de Noël.

Eh bien, nous sommes arrivés à la maison, et je leur ai préparé
un repas. Nous avons tous mangé mieux, ce soir-là, qu'aucun de
nous ne l'avait fait depuis un bon moment déjà. La nourriture avait
toujours été là. Le réfrigérateur était plein. Je n'avais qu'à tendre
le bras vers l'arrière et à saisir tout ce que j'avais repoussé vers le
fond. J'ai fait un sauté de « tout-ce-qui-reste-dans-le-frigo », et
c'était formidable ! Je me rappelle m'être demandé : d'où provenait toute cette nourriture.

Le lendemain matin, j'ai même préparé le petit-déjeuner aux
deux jeunes et je les ai ramenés sur leur route. En les déposant au
terminus d'autobus, j'ai fouillé dans ma poche et leur ai donné un
billet de vingt dollars en leur disant : « Ça pourra peut-être vous
aider ». Puis, je leur ai donné une accolade et je suis parti sur la
route. Toute la journée, je me sentais mieux à propos de ma

situation. Je dirais même, *toute la semaine* ! Et cette expérience, que je n'ai jamais oubliée, a produit un profond changement dans mon regard et dans ma compréhension de la vie.

Dès lors, les choses se sont améliorées, et en me regardant dans la glace ce matin, j'ai remarqué une chose très importante. *Je suis encore là.*

Voilà une belle histoire. Et tu as raison. *C'est exactement ainsi que ça fonctionne.* Alors, quand tu veux une chose, donne-la. Ainsi, tu ne te trouveras plus à la « vouloir ». Tu feras immédiatement l'expérience de l'« avoir ». À partir de là, ce n'est qu'une question de degré. Psychologiquement, tu trouveras beaucoup plus facile d'« ajouter » que de créer à partir de rien.

J'ai le sentiment d'avoir entendu quelque chose de très profond, là. À présent, peux-tu relier cela à la seconde partie de ma question ? Y a-t-il un lien ?

Ce que je propose, vois-tu, c'est que tu *as* déjà la réponse à cette question. Maintenant, tu vis la pensée que tu n'as pas la réponse ; que si tu l'avais, tu aurais la sagesse. Alors, tu viens à moi pour obtenir la sagesse. Mais Je te le dis : *Sois* la sagesse, et tu l'auras.

Et quelle est la manière la plus rapide d'« être » la sagesse ? De faire en sorte qu'un autre soit sage.

Choisis-tu d'avoir la réponse à cette question ? *Donne la réponse à* un autre.

Alors, maintenant, je vais te poser une question. Je ferai semblant de « ne pas savoir » et tu me donneras la réponse.

Comment le parent qui retire un enfant au milieu de la circulation peut-il vraiment aimer cet enfant, si l'amour signifie qu'on veut pour l'autre ce qu'il veut pour lui ?

Je ne sais pas.

Je sais que tu ne sais pas. Mais si tu pensais que tu le sais, quelle serait ta réponse ?

Eh bien, je dirais que le parent *désire vraiment* pour l'enfant ce que veut ce dernier – c'est-à-dire *rester en vie*. Je dirais que l'enfant ne veut pas mourir, mais ne sait tout simplement pas que le fait d'errer dans le trafic pourrait provoquer cela. Alors, en courant attraper l'enfant, le parent ne le prive aucunement de l'occasion d'exercer sa volonté – mais entre en contact avec le choix véritable de l'enfant, avec son plus profond désir.

Ce serait une très bonne réponse.

Si cela est vrai, alors toi, en tant que Dieu, tu ne devrais rien faire d'autre que de nous empêcher de nous blesser, car nous ne pouvons désirer profondément nous faire du tort, même si nous le faisons tout le temps. Pourtant, tu te contentes de rester là à nous regarder.

Je suis sans cesse en contact avec votre plus profond désir, et c'est toujours ce que Je vous donne.

Même quand vous faites quelque chose qui vous amènerait à mourir – si c'est votre plus profond désir, c'est ce que vous obtenez : l'expérience de la « mort ».

Je n'interfère jamais, jamais, avec votre plus profond désir.

Veux-tu dire que lorsque nous nous faisons mal à nous-mêmes, c'est ce que nous *voulons* faire ? C'est là *notre plus* profond désir ?

Vous ne pouvez pas vous « faire mal » à vous-mêmes. Vous êtes incapables de vous faire mal. Le « mal » est une réaction subjective et non un phénomène objectif. Vous pouvez choisir de vous faire « mal » à partir de n'importe quelle rencontre ou de n'importe quel phénomène, mais ce sera votre entière décision.

Dans le contexte de cette vérité, la réponse à ta question est oui. Quand tu t'es « fait mal », c'est parce que tu le voulais. Mais Je te dis cela dans un contexte supérieur, ésotérique, et ce n'est pas vraiment de là qu'« origine » ta question.

Au sens où tu l'entends, comme une question de choix conscient, Je

dirais que non, que chaque fois que tu fais quelque chose qui te fait mal, ce n'est pas parce que tu le « voulais ».

L'enfant qui se fait heurter par une voiture parce qu'il déambulait en pleine rue ne « voulait » pas (ce n'était pas un désir, une recherche, un choix conscients) l'être.

L'homme qui épouse à maintes reprises le même type de femme – celle qui ne lui convient vraiment pas – emballé sous différentes formes, ne « veut » pas (ce n'est ni un désir, ni une quête, ni un choix conscients) continuer à créer de mauvais mariages.

On ne peut affirmer que la personne qui écrase son pouce avec un marteau a « voulu » vivre cette expérience. Ce n'était ni un désir, ni une quête, ni un choix conscients.

Mais tous les phénomènes objectifs sont attirés vers toi par le biais du subconscient ; tous les événements sont créés par toi d'une façon inconsciente ; chaque personne, endroit ou chose de ta vie ont été attirés vers toi, par toi – ont été créés par le Soi, si tu veux – pour te fournir les conditions exactes et appropriées, l'occasion parfaite, de vivre ce que tu voulais vivre ensuite dans ton projet d'évolution.

Rien ne peut arriver – Je te le dis, rien ne peut survenir – dans ta vie qui ne soit pas une occasion précisément parfaite, pour toi, de guérir, de créer, ou de vivre ce que tu voulais guérir, créer ou vivre afin d'être *qui tu es vraiment*.

Et qui suis-je, en réalité ?

Tout ce que tu choisis d'être, l'aspect de la divinité que tu veux être – voilà *ce que tu es*. Cela peut se transformer à tout moment. En effet, cela change fréquemment, d'un instant à l'autre. Mais si tu veux que ta vie se pose, si tu veux cesser de t'attirer une aussi grande variété d'expériences, il y a un moyen. Cesse tout simplement de changer d'idée aussi souvent à propos de *qui tu es* et de *qui tu choisis d'être*.

C'est plus facile à dire qu'à faire !

Ce que je vois, c'est que tu prends ces décisions à plusieurs niveaux différents. L'enfant qui décide d'aller dans la rue pour jouer dans le trafic ne fait pas le choix de mourir. Il fait peut-être un certain nombre d'autres choix, mais mourir n'en fait pas partie. La mère sait cela.

Le problème, ici, n'est pas que l'enfant ait choisi de mourir, mais qu'il ait fait des choix qui pourraient mener à plus d'un résultat, y compris sa mort. Ce fait n'est pas clair pour lui ; il lui est inconnu. En fait, l'information qui lui manque empêche l'enfant de faire un choix éclairé, un meilleur choix.

Alors, tu vois, tu as tout analysé parfaitement.

Eh bien, moi, en tant que Dieu, Je n'interférerai jamais avec tes choix – mais Je saurai toujours ce qu'ils sont.

Par conséquent, tu tiens peut-être pour acquis que si une chose t'arrive, c'est parfait ainsi – car rien n'échappe à la perfection dans le monde de Dieu.

La trame de ta vie – les gens, les endroits et les événements qui y figurent – a été parfaitement créée par le parfait créateur de la perfection même : toi. Et moi... en toi, en tant que toi, et grâce à toi.

Alors, nous pouvons travailler ensemble, dans ce processus de cocréation, d'une façon consciente ou inconsciente. Tu peux vivre ta vie d'une façon consciente ou inconsciente. Tu peux suivre ta voie endormi ou éveillé.

À toi de choisir.

Attends ! Revenons à ce commentaire sur le fait de prendre des décisions à plusieurs niveaux. Tu disais que si je voulais que la vie soit plus calme, je devais cesser de changer d'idée à propos de qui je suis et de qui je veux être. Quand j'ai dit que ce n'était peut-être pas facile, tu as fait remarquer que nous faisions tous nos choix à plusieurs niveaux. Peux-tu élaborer ? Qu'est-ce que cela signifie ? Quelles en sont les implications ?

Si tes désirs correspondaient à ceux de ton âme, tout serait très simple. Si tu écoutais la partie de toi qui est âme pure, toutes tes

décisions seraient faciles et tous les résultats, joyeux. C'est parce que...
... les choix de l'esprit sont toujours les plus élevés.

Il n'est pas essentiel de les comprendre après coup. Il n'est pas nécessaire de les analyser ni de les évaluer. Il suffit de les suivre, d'agir en fonction d'eux.

Mais tu n'es pas seulement une âme. Tu es un être en trois parties, fait d'un corps, d'un esprit et d'une âme. C'est à la fois ta gloire et ton prodige. Car tu prends souvent des décisions et tu effectues des choix aux trois niveaux simultanément *qui ne coïncident pas toujours.*

Il n'est pas rare que ton corps veuille une chose, tandis que ton esprit en cherche une autre et que ton âme en désire une troisième. C'est vrai, en particulier, des enfants, qui, souvent, n'ont pas encore suffisamment de maturité pour faire des distinctions entre ce qui paraît « amusant » pour le corps et ce qui a du sens pour l'esprit – encore moins pour ce qui est en résonance avec l'âme. Par conséquent, l'enfant va se dandiner dans la rue.

Alors, en tant que Dieu, Je suis conscient de tous vos choix – même de ceux que vous faites d'une façon subconsciente. Je n'interférerai jamais avec eux, bien au contraire. Ma tâche consiste à faire en sorte que vos choix se réalisent. (En vérité, c'est vous qui vous les accordez. Je n'ai fait que mettre en place un système qui vous le permet, soit le processus de création, et il est expliqué en détail dans le tome 1.)

Lorsque vos choix se trouvent en conflit – quand le corps, l'esprit et l'âme n'agissent pas d'une façon unifiée – le processus de création fonctionne sur tous les plans, en produisant des résultats mitigés. Si, par contre, votre être est en harmonie et que vos choix sont unifiés, des choses étonnantes peuvent se produire.

Vos jeunes gens ont une expression – « s'organiser » – qui pourrait décrire l'état unifié de l'être.

Dans votre prise de décision, il y a également des niveaux à l'intérieur de niveaux. C'est particulièrement vrai au sujet de l'esprit.

Votre esprit peut, et il le fait, prendre des décisions et faire des choix à partir de l'un des trois niveaux intérieurs : la logique, l'intuition, l'émotion – et parfois des trois – en produisant le potentiel de conflits intérieurs supplémentaires.

Et au sein de l'un de ces plans – l'émotion –, il y a cinq autres niveaux. Ce sont les *cinq émotions naturelles* : la peine, la colère, l'envie, la peur et l'amour.

Et à l'intérieur de celles-ci, il y a aussi deux derniers niveaux : l'amour et la peur.

Les cinq émotions naturelles comprennent l'amour et la peur, qui sont la base de toutes les émotions. Les trois autres sont des excroissances de ces deux-là.

En définitive, toutes les pensées sont parrainées par l'amour ou la peur. C'est la grande polarité. C'est la dualité primale. Tout, en fait, revient à l'une ou l'autre des deux émotions. Les pensées, les idées, les concepts, les façons de comprendre, les décisions, les choix et les actions sont fondés sur l'une d'elles.

Et à la fin, il n'y en a vraiment qu'une : *l'amour.*

En vérité, il n'y a que l'amour. Même la peur est une excroissance de l'amour, et quand on l'utilise efficacement, elle exprime l'amour.

La peur exprime l'amour ?

Sous sa forme la plus élevée, oui. Tout exprime l'amour, quand l'expression est sous sa forme la plus élevée.

Le parent qui sauve l'enfant de la mort dans la rue exprime-t-il la peur ou l'amour ?

Eh bien, les deux, je suppose. La peur pour la vie de l'enfant, et l'amour – assez pour risquer sa vie afin de sauver l'enfant.

Précisément. Ainsi, nous voyons que la peur, sous sa forme la plus élevée, devient de l'amour... *est* de l'amour... exprimé en tant que peur.

De même, en remontant l'échelle des émotions naturelles, la peine, la colère et l'envie sont toutes des formes de la peur, qui, en retour, est une forme de l'amour.

Une chose mène à une autre. Vois-tu ?

Le problème survient lorsque l'une ou l'autre des cinq émotions naturelles devient faussée. Alors, elles deviennent toutes grotesques et ne sont pas du tout reconnaissables en tant qu'excroissances de l'amour, encore moins en tant que Dieu, qui est l'Amour absolu.

J'ai déjà entendu parler des cinq émotions naturelles à partir de ma merveilleuse association avec le Dr Elisabeth Kübler-Ross. Elle m'a enseigné à ce sujet.

En effet. Et c'est moi qui lui ai donné l'inspiration d'enseigner à ce sujet.

Alors, je constate que lorsque je fais des choix, bien des choses dépendent de « l'espace d'où je viens », et que ce « d'où je viens » pourrait avoir plusieurs couches.

Oui, c'est bien cela.

S'il te plaît, dis-moi tout sur les cinq émotions naturelles. J'aimerais l'entendre encore, car j'ai oublié une grande partie de ce que Elisabeth m'a enseigné.

La peine est une émotion naturelle. C'est la part de toi qui te permet de dire adieu quand tu ne veux pas ; d'exprimer – de pousser, de propulser – la tristesse en toi lorsque tu éprouves une forme quelconque de perte. Ce peut être aussi bien la perte d'un être aimé, que la perte d'un verre de contact.

Lorsqu'on vous permet d'exprimer votre peine, vous vous en débarrassez. Les enfants à qui on permet d'être tristes lorsqu'ils le sont arrivent à l'âge adulte en ayant une attitude très saine envers la tristesse et, par conséquent, passent très rapidement à travers elle.

Les enfants auxquels on dit : « Voyons, voyons, ne pleure pas », ont de la difficulté à pleurer une fois devenus adultes. Après tout, on leur a appris toute leur vie à ne pas le faire. Pourtant, ils répriment leur peine.

La peine continuellement réprimée devient donc dépression chronique, une émotion qui n'est pas du tout naturelle.

À cause de cette dépression chronique, des gens ont même tué. Des guerres ont éclaté, des pays se sont effondrés.

La colère est une émotion naturelle. C'est l'outil qui vous permet de dire : « Non, merci. » Elle n'a pas à être offensante et ne doit jamais nuire à personne.

Lorsqu'on permet aux enfants d'exprimer leur colère, ils arrivent à l'âge adulte en ayant une attitude très saine à cet égard et dépassent donc habituellement très vite leur colère.

Les enfants à qui on fait sentir que la colère n'est pas correcte – qu'il est mauvais de l'exprimer, et qu'en fait, ils ne devraient même pas la ressentir – auront de la difficulté, devenus adultes, à être en contact avec leur colère d'une façon appropriée.

La colère sans cesse réprimée devient de la rage, une émotion qui n'est aucunement naturelle.

À cause de la rage, des gens ont tué. Des guerres ont éclaté, des pays se sont effondrés.

L'envie est une émotion naturelle. C'est l'émotion qui fait qu'un enfant de cinq ans souhaite pouvoir atteindre la poignée de porte comme le fait sa soeur – ou monter sur sa bicyclette. L'envie est l'émotion naturelle qui vous amène à vouloir refaire une chose ; à fournir plus d'effort ; à continuer à lutter jusqu'à ce que vous y arriviez. Il est très sain et très naturel d'être envieux. Lorsqu'on permet aux enfants d'exprimer leur envie, ils arrivent à l'âge adulte en ayant une attitude très saine à cet égard et dépassent très rapidement leur envie.

Les enfants auxquels on fait sentir que l'envie n'est pas correcte – qu'il est mal de l'exprimer, et qu'en réalité, ils ne devraient même pas la ressentir – auront de la difficulté, une fois devenus adultes, à être en contact avec leur envie d'une façon juste.

L'envie continuellement réprimée devient de la jalousie, une émotion qui n'est pas du tout naturelle.

À cause de la jalousie, des gens ont tué. Des guerres ont éclaté, des pays sont tombés.

La peur est une émotion naturelle. Tous les bébés naissent avec seulement deux peurs : la peur de tomber et la peur des bruits forts. Toutes les autres peurs sont des réactions acquises par l'enfant, dans son entourage et, développées par ses parents. Le but de la peur naturelle est de permettre à l'individu d'intégrer un peu de prudence. La prudence est un outil qui aide à garder le corps en vie. C'est une excroissance de l'amour. L'amour du Soi.

Les enfants à qui on fait sentir que la peur n'est pas correcte – qu'il est mal de l'exprimer, et qu'en réalité, ils ne devraient même pas la ressentir – auront de la difficulté, une fois devenus adultes, à être en contact avec leur peur de façon appropriée.

La peur continuellement réprimée devient de la panique, une émotion qui n'est pas du tout naturelle.

À cause de la panique, des gens ont tué. Des guerres ont éclaté, des pays se sont effondrés.

L'amour est une émotion naturelle. Lorsqu'on laisse un enfant l'exprimer et le recevoir normalement et naturellement, sans limites ni condition, sans inhibition ni gêne, il n'exige rien d'autre. Car la joie de l'amour exprimé et reçu de cette façon se suffit à elle-même. Mais l'amour conditionné, limité, faussé par les règles et les règlements, les rituels et les restrictions, maîtrisé, manipulé et retenu, n'est plus du tout naturel.

Les enfants auxquels on fait sentir que leur amour naturel n'est pas correct – qu'il est mal de l'exprimer, et qu'en réalité, ils ne devraient même pas le ressentir – auront de la difficulté, une fois devenus adultes, à être en contact avec l'amour de façon juste.

L'amour sans cesse réprimé devient de la possessivité, une émotion qui n'est aucunement naturelle.

À cause de la possessivité, des gens ont tué. Des guerres ont éclaté, des pays se sont effondrés.

Ainsi, les émotions naturelles, lorsqu'elles sont réprimées, produisent des réactions et des réponses qui ne sont pas naturelles. Et chez la plupart des gens, l'ensemble des émotions naturelles sont réprimées.

Pourtant, ce sont vos amies. Ce sont vos dons. Ce sont les outils divins avec lesquels vous façonnez votre expérience.

Vous recevez ces outils à la naissance. Ils sont là pour vous aider à négocier la vie.

Pourquoi ces émotions sont-elles réprimées chez la plupart des gens ?

Parce qu'on leur a enseigné à le faire.

Qui le leur a dit ?

Leurs parents. Ceux qui les ont élevés.

Pourquoi ? Pourquoi font-ils cela ?

Parce qu'ils l'ont appris eux-mêmes de leurs parents et que leurs parents l'ont appris des leurs.

Oui, oui. Mais *pourquoi* ? Qu'est-ce qui se passe ?

Ce qui se passe, c'est que ce sont les mauvaises personnes qui s'occupent des enfants.

Que veux-tu dire ? Qui sont ces « mauvaises personnes » ?

La mère et le père.

La mère et le père sont les mauvaises personnes pour élever les enfants ?

Lorsque les parents sont jeunes, oui. Dans la plupart des cas, oui. En fait, c'est un miracle qu'un si grand nombre d'entre eux s'en occupent aussi bien.

Personne n'est plus mal nanti pour élever des enfants que les jeunes parents. D'ailleurs, personne ne le sait mieux qu'eux-mêmes.

La plupart des parents doivent assumer cette tâche en ayant très peu d'expérience de la vie. Ils viennent à peine de finir d'être élevés eux-mêmes. Ils cherchent encore des réponses, des indications.

Ils ne se sont même pas encore découverts eux-mêmes et essaient de guider et de nourrir la découverte chez d'autres, encore plus vulnérables qu'eux. Ils ne se sont même pas définis et se jettent dans l'acte de définir les autres. Ils essaient encore de surmonter la fausse définition que leur ont donnée leurs parents.

Ils n'ont même pas encore découvert qui ils sont et ils tentent de vous dire qui vous êtes. Et la pression est très forte pour qu'ils le fassent bien – mais ils ne peuvent même pas s'occuper correctement de leur vie. Alors, ils se trompent sur toute la ligne : leur vie et celle de leurs enfants.

Avec de la chance, le tort qu'ils auront fait à leurs enfants ne sera pas trop grand. Les enfants le dépasseront – mais probablement pas avant de l'avoir transmis à leurs propres enfants.

La plupart d'entre vous développerez la sagesse, la patience, la compréhension et l'amour nécessaires pour être de merveilleux parents *après la fin des années pendant lesquelles vous avez élevé des enfants*.

Pourquoi donc ? Je ne comprends pas. Je constate que tes observations sont correctes dans bien des cas, mais pourquoi est-ce ainsi ?

Parce que les jeunes gens qui font des enfants n'ont jamais été destinés à les élever. Les années pendant lesquelles vous élevez des enfants devraient vraiment commencer au moment où cette étape est terminée.

Je me sens encore un peu perdu, ici.

Du point de vue biologique, les êtres humains sont capables de créer des enfants alors qu'ils sont eux-mêmes des enfants – et cela étonnera peut-être la plupart d'entre vous, mais ils le sont pendant quarante ou cinquante ans.

Les humains sont « eux-mêmes des enfants » *pendant quarante ou cinquante ans* ?

D'un certain point de vue, oui. Je sais que c'est difficile à croire, mais regarde autour de toi. Les comportements de ta race vont peut-être m'aider à faire ma démonstration.

La difficulté réside dans le fait que, dans votre société, on vous dit d'être « adulte » et prêt pour le monde dès l'âge de vingt et un ans. Ajoutez à cela le fait que nombre d'entre vous ont été élevés par des mères et des pères *qui, eux-mêmes, avaient à peine plus de vingt et un ans* lorsqu'ils ont commencé à vous élever, et vous commencerez à saisir le problème.

Si ceux qui font des enfants étaient destinés à les élever, enfanter ne serait pas possible à moins d'avoir cinquante ans !

Enfanter était une activité destinée aux jeunes, dont les corps sont forts et bien développés. *Élever* des enfants était une activité destinée aux aînés, dont l'esprit est fort et bien développé.

Dans votre société, vous avez insisté pour donner à ceux qui engendrent les enfants la responsabilité de les élever. Par conséquent, non seulement vous avez rendu très difficile le processus d'élever des enfants, mais vous avez détourné un grand nombre des énergies entourant l'acte sexuel.

Euh... pourrais-tu expliquer ?

Oui.

Bien des humains ont observé ce que Je viens de soulever. C'est-à-dire qu'un grand nombre d'entre eux – la plupart, peut-être – ne sont pas véritablement en mesure d'élever des enfants au moment où ils sont à même de les avoir. Cependant, ayant découvert cela, les humains ont instauré exactement la mauvaise solution.

Plutôt que de permettre aux jeunes de goûter aux joies du sexe, et s'il produit des enfants, de les faire élever par les aînés, vous leur dites de ne pas s'adonner au sexe *jusqu'à ce qu'ils soient prêts à assumer la responsabilité d'élever les enfants*. Vous avez fait en sorte qu'il était « mal » pour eux d'avoir des expériences sexuelles avant cette période, et ainsi, vous avez créé un tabou autour de ce qui était censé être l'une des plus joyeuses célébrations de la vie.

Bien sûr, c'est un tabou auquel la progéniture accordera peu d'attention – et pour une bonne raison : *il n'est absolument pas naturel de s'y soumettre.*

Les êtres humains désirent s'accoupler et copuler dès qu'ils sentent le signal interne leur indiquant qu'ils sont prêts. *Telle est la nature humaine.*

Mais leur conception de leur propre nature aura davantage à voir avec ce que vous, en tant que parents, leur avez dit, plutôt qu'avec ce qu'ils ressentent. Vos enfants vous demandent de leur dire ce qu'est la vie.

Ainsi, lorsqu'ils ressentent leur premier besoin de se regarder les uns les autres, de jouer innocemment les uns avec les autres, d'explorer leurs « différences » mutuelles, ils vous demandent des signes à cet égard. Cette partie de leur nature humaine est-elle « bonne » ? Est-elle « mauvaise » ? Reçoit-elle votre approbation? Doit-elle être étouffée ? Retenue ? Découragée ?

On observe que ce que bien des parents ont dit à leur progéniture à propos de cette partie de leur nature humaine trouve son origine dans toutes sortes de choses : ce qu'on leur a dit ; ce que défend leur *religion* ; ce que pense leur *société* – tout, sauf l'ordre naturel des choses.

Dans l'ordre naturel de votre espèce, la sexualité éclôt entre l'âge de neuf ans et de quatorze ans. À partir de l'âge de quinze ans, elle est très présente et s'exprime chez la plupart des humains. Ainsi commence une course contre le temps : les enfants se bousculent pour libérer à fond leur joyeuse énergie sexuelle, et les parents font de même pour les arrêter.

Dans cette lutte, les parents ont besoin de toute l'assistance et de toutes les alliances possibles, car, comme on l'a noté, ils demandent à leurs enfants *de ne pas faire une chose* qui fait pourtant partie intégrante de leur nature.

Ainsi, les adultes ont inventé toutes sortes de pressions, de restrictions et de limites familiales, culturelles, religieuses, sociales et économiques pour justifier les exigences artificielles qu'ils imposent à leurs enfants. Ce faisant, les enfants en sont venus à accepter que leur propre sexualité n'était *pas naturelle*. Comment une chose « naturelle » peut-elle être si couverte de honte, si systématiquement entravée, si contrôlée, tenue à l'écart, restreinte, dominée et niée ?

Eh bien, je pense que tu exagères un peu, ici. Ne le crois-tu pas ?

Vraiment ? Selon toi, qu'est-ce qu'un enfant de quatre ou cinq ans retient lorsque les parents n'utilisent même pas le *terme* exact désignant certaines des parties de son corps ? Dites-vous à l'enfant que vous êtes à l'aise à cet égard ? Lui dites-vous qu'il peut l'être ?

Euh...

Oui... « euh »... en effet.

Eh bien, « on n'utilise pas ces mots-là, c'est tout », disait ma grand-mère. Seulement « zizi » et « foufounes », c'est plus joli.

Et parce que vous avez un aussi grand « bagage » négatif rattaché aux noms réels de ces parties du corps, vous pouvez à peine utiliser les mots dans une conversation ordinaire.

En bas âge, bien entendu, les enfants ne savent pas pourquoi leurs parents pensent ainsi, mais on leur laisse l'impression que certaines parties du corps ne sont « pas correctes » et que tout ce qui s'y rapporte est gênant – sinon « mal ».

Lorsque les enfants grandissent et que survient l'adolescence, ils peuvent réaliser que cela n'est pas vrai. Mais alors, on leur explique en termes très clairs le rapport entre la grossesse et la sexualité et on leur rappelle qu'ils auront à élever les enfants qu'ils créent. Dès lors, ils ont une autre raison de croire que l'expression sexuelle est « mauvaise » – et la boucle est bouclée.

Ce que tout cela a provoqué dans votre société, ce sont de la confusion et des dégâts non négligeables – *résultats incontournables lorsqu'on fait des gaffes avec la nature.*

Vous avez créé la gêne, la répression et la honte vis-à-vis du sexe, ce qui a mené à l'inhibition, à la dysfonction et à la violence sexuelles.

En tant que société, vous avez toujours été inhibés devant ce qui vous gêne, toujours eu une dysfonction face à des comportements réprimés, et avez toujours agi d'une manière violente en guise de protestation contre le fait qu'on vous ait appris à avoir honte de choses dont vous n'auriez jamais dû avoir honte, d'après votre coeur.

Freud avait donc raison d'affirmer qu'une immense proportion de la colère de l'espèce humaine est peut-être reliée à la sexualité, là où une rage profonde découle du fait de devoir réprimer des instincts, des intérêts et des désirs physiques fondamentaux et naturels.

Nombre de vos psychiatres ont avancé cette idée. L'être humain est en colère parce qu'il sait qu'il ne devrait ressentir aucune honte à propos d'une chose qui donne autant de plaisir – et pourtant, il ressent de la honte et de la culpabilité.

Tout d'abord, l'être humain se met en colère contre le Soi parce qu'il a tellement de plaisir à propos d'une chose censée être si « mauvaise », de toute évidence.

Puis, lorsqu'ils se rendent compte qu'on les a dupés – que la sexualité est supposée être une part merveilleuse, honorable et splendide de l'expérience humaine –, les êtres humains se mettent en colère contre les autres. Contre les parents, qui les ont réprimés, contre la religion, qui leur a donné la honte, contre les membres du sexe opposé, qui les ont mis au défi, et contre la société entière, qui les a dominés.

Finalement, ils se mettent en colère contre eux-mêmes, s'en voulant d'avoir laissé tout cela les inhiber.

Une grande part de cette colère réprimée a été canalisée vers la construction de valeurs morales faussées et peu judicieuses dans une société qui glorifie et honore, avec monuments, statues, timbres commémoratifs, films, images et émissions de télévision, certains des actes de violence les plus laids du monde, mais qui cache – ou pire encore, qui déprécie – certains des actes d'amour les plus beaux.

Et tout cela – tout cela – a émergé d'une seule pensée : que ceux qui engendrent des enfants portent également la seule responsabilité de les élever.

Mais si les gens qui mettent des enfants au monde ne sont pas responsables de les élever, qui l'est ?

La communauté entière. En particulier les aînés.

Les aînés ?

Parmi les races et les sociétés les plus évoluées, les aînés élèvent, nourrissent, forment la progéniture et lui transmettent la sagesse, les enseignements et les traditions de leur espèce. J'y reviendrai plus tard, lorsque nous parlerons de certaines de ces civilisations avancées.

Dans toute société où la procréation à un jeune âge n'est pas considérée comme « mauvaise » – parce que les aînés de la tribu élèvent les enfants et qu'il n'y a, par conséquent, aucun sentiment de responsabilité et de fardeau écrasants –, la répression sexuelle est inconnue, ainsi que le viol, la déviance et la dysfonction sociosexuelle.

Y a-t-il de telles sociétés sur notre planète ?

Oui, bien qu'elles soient en train de disparaître. Vous avez tenté de les éradiquer, de les assimiler, parce que vous les avez prises pour des barbares. Dans ce que vous avez appelé vos sociétés non barbares, les enfants (de même que les conjoints, d'ailleurs) sont considérés comme une propriété, comme des biens personnels. Et par conséquent, ceux qui engendrent des enfants doivent devenir ceux qui les élèvent, parce qu'ils doivent prendre soin de ce qu'ils « possèdent ».

Une pensée racine se trouve à la base d'un grand nombre des problèmes de vos sociétés : l'idée selon laquelle les conjoints et les enfants sont des biens personnels, qu'ils sont « à vous ».

Nous examinerons plus tard cette question de la « propriété », en explorant et en discutant de la vie chez les êtres hautement évolués. Mais pour l'instant, songez seulement à ceci : Y a-t-il des gens vraiment prêts à élever des enfants à l'époque où ils sont physiquement prêts à les avoir ?

En vérité, la plupart des humains ne sont pas munis pour élever des enfants, même au cours de leur trentaine et de leur quarantaine – et il ne faut pas s'attendre à ce qu'ils le soient. Ils n'ont pas vraiment assez vécu en tant qu'adultes pour transmettre une sagesse profonde à leurs enfants.

J'ai déjà entendu cette réflexion. Mark Twain en a parlé. On rapporte qu'il a fait ce commentaire : « Quand j'avais dix-neuf ans, mon père ne savait rien. Mais quand j'ai eu 35 ans, j'ai été étonné de voir tout ce que le vieux avait appris. »

Il l'a parfaitement exprimé. Vos jeunes années n'ont jamais été faites pour l'enseignement de la vérité, mais pour la cueillette de la vérité. *Comment pouvez-vous enseigner aux enfants une vérité que vous n'avez pas encore trouvée ?*

Bien sûr, vous ne le pouvez pas. Alors, vous finissez par leur dire la seule vérité que vous connaissez – celle des autres. De votre père, de votre mère, de votre culture, de votre religion. Tout, absolument tout, sauf la vôtre. Vous êtes encore en train de la chercher.

Et vous allez chercher, expérimenter, trouver, échouer, former et reformer votre vérité, l'idée que vous vous faites de vous-même, jusqu'à ce que vous ayez atteint un demi-siècle sur cette planète, ou presque.

Puis, vous commencerez peut-être enfin à vous établir, et à vous installer, avec votre vérité. Et la vérité la plus grande à laquelle vous vous accorderez, probablement, c'est qu'il n'y a aucune vérité constante ; que la vérité, comme la vie même, est une chose changeante, une chose en croissance, une chose en évolution – et qu'au moment même où vous croyiez que ce processus d'évolution s'était arrêté, il ne s'est pas arrêté, il ne fait que commencer.

Oui, j'en suis déjà arrivé là. J'ai plus de cinquante ans, et c'est là que j'en suis.

Bien. À présent, tu es un homme plus sage. Un aîné. À présent, tu devrais élever des enfants. Mieux encore, dans dix ans. Ce sont les aînés qui devraient élever les enfants – et qui y étaient destinés.

Ce sont eux qui connaissent la vérité et la vie. Ce qui est important et ce qui ne l'est pas. Ce que veulent vraiment dire des termes comme intégrité, honnêteté, loyauté, amitié et amour.

Je vois l'argument que tu viens de soutenir. Il est difficile à accepter, mais nombre d'entre nous venons à peine de passer du statut d'enfant à celui d'étudiant lorsque nous avons des enfants à notre tour et avons l'impression de devoir commencer à leur enseigner. Alors, nous nous disons : Eh bien, je vais leur enseigner ce que mes parents m'ont enseigné.

C'est ainsi que les péchés du père sont transmis au fils, même jusqu'à la septième génération.

Comment pouvons-nous changer cela ? Comment pouvons-nous mettre fin au cycle ?

Faites élever vos enfants par vos aînés qui sont respectés. Les parents voient les enfants chaque fois qu'ils le veulent, vivent avec eux s'ils le veulent, mais ne sont pas les seuls responsables de leurs soins et de leur éducation. Les besoins physiques, sociaux et spirituels des enfants sont satisfaits par la communauté entière, et l'éducation et les valeurs sont offertes par les aînés.

Plus tard dans notre dialogue, lorsque nous parlerons des autres cultures dans l'univers, nous examinerons certains modèles de vie. Mais ces modèles ne s'accordent pas à la structure actuelle de votre vie.

Qu'entends-tu par là ?

Je veux dire que ce n'est pas seulement l'art d'élever des enfants qui correspond à un modèle inefficace, mais toute votre façon de vivre.

Encore une fois, que veux-tu dire ?

Vous vous êtes éloignés les uns des autres. Vous avez démembré vos familles, désassemblé vos petites communautés en faveur de villes immenses. Dans ces grandes villes, il y a plus de gens, mais moins de « tribus », de groupes ou de clans dont les membres savent que leur responsabilité inclut celle de l'ensemble. Alors, en effet, vous n'avez pas d'aînés. Aucun à portée de la main, en tout cas.

Vous avez fait pire que de vous éloigner de vos aînés : vous les avez repoussés. Vous les avez marginalisés. Vous leur avez enlevé leur pouvoir. Et vous avez même gardé de la rancune envers eux.

Oui, certains membres de votre société ont même de la rancune vis-à-vis des aînés parmi vous, prétendant qu'ils profitent du système, qu'ils exigent des avantages sociaux que les jeunes doivent payer dans une proportion de plus en plus grande de leurs revenus.

C'est vrai. À présent, certains sociologues prédisent une guerre des générations : on blâme les personnes âgées d'être de plus en plus exigeantes, tout en participant de moins en moins. Il y a tellement plus de citoyens âgés maintenant, les « *baby boomers* » arrivent à l'âge avancé, et les gens vivent en général plus longtemps.

Mais si vos aînés ne contribuent pas, c'est parce que vous ne leur avez pas permis de le faire. Vous avez exigé qu'ils se retirent de leur emploi au moment même où ils pouvaient vraiment profiter à la compagnie et qu'ils se retirent d'une participation plus active et plus significative à la vie au moment même où leur participation pouvait donner du sens aux débats.

Ce n'est pas seulement dans l'éducation des enfants, mais en politique, en économie et même dans le domaine de la religion, où les aînés avaient au moins un pied, que vous êtes devenus une société qui adore les jeunes et écarte les moins jeunes.

Votre société est également devenue singulière, plutôt que plurielle, soit une société composée d'individus plutôt que de groupes.

Comme vous avez centré votre société à la fois sur l'individualisme et la jeunesse, vous avez perdu une grande part de sa richesse et de ses ressources. À présent, ces deux dernières vous manquent, car trop d'entre vous vivent dans la pauvreté et l'épuisement émotionnels et psychologiques.

Encore une fois, y a-t-il un moyen de mettre fin à ce cycle ?

D'abord, observez et reconnaissez que tout cela est réel. Un si grand nombre d'entre vous vivent dans le déni ! Un si grand nombre d'entre vous font semblant de ne pas reconnaître ce qui existe ! Vous vous mentez à vous-mêmes et vous ne voulez pas entendre la vérité, encore moins la dire.

Cela aussi, nous en reparlerons lorsque nous jetterons un regard sur les civilisations hautement évoluées, car ce reniement, cet échec à observer et à reconnaître ce qui existe, ce n'est pas rien. Et si vous voulez vraiment changer les choses, j'espère que vous vous permettrez seulement de m'entendre.

Le temps est venu de dire la vérité, purement et simplement. Es-tu prêt ?

Je le suis. C'est pour cela que je me suis adressé à toi. C'est ainsi que toute cette conversation a commencé.

La vérité est souvent inconfortable. Elle ne réconforte que ceux et celles qui ne veulent pas l'ignorer. Pour eux, la vérité est plus que réconfortante : elle devient inspirante.

Tout ce dialogue en trois parties, je le trouve inspirant. Continue, s'il te plaît.

Il y a une bonne raison de se réjouir, de se sentir optimiste. Je vois que les choses commencent à changer. Plus que jamais au cours des dernières années, votre espèce met davantage l'accent sur la création d'une communauté et l'élaboration de familles élargies. De plus en plus, vous honorez vos aînés, en produisant du sens et de la valeur dans, et à partir de, leur vie. C'est là un grand pas dans une direction merveilleusement utile.

Alors, les choses « s'inversent ». Votre culture semble avoir entrepris cette étape. À présent, vous avancez à partir de là.

Vous ne pourrez effectuer ces changements en un jour. Vous ne pourrez, par exemple, transformer toute votre façon d'élever des enfants, le point de départ de cet enchaînement de pensée, d'une seule traite. Mais vous *pouvez* modifier votre avenir, étape par étape.

La lecture de ce livre constitue l'une de ces étapes. Avant de tirer à sa fin, ce dialogue reviendra sur bien des points importants. Cette répétition ne sera pas accidentelle, mais servira à insister sur certains points.

Alors, tu as demandé des idées pour la construction de ton avenir. Commençons par examiner ton passé.

2

Quel est le rapport entre le passé et l'avenir ?

Lorsque tu connais le passé, tu peux mieux connaître tous tes futurs possibles. Tu es venu me rencontrer en me demandant de mieux faire fonctionner ta vie. Il te serait utile de savoir comment tu es arrivé à ton état actuel.

Je te parlerai du pouvoir et de la force – et de la différence entre les deux. Et je t'entretiendrai de ce personnage de Satan que vous avez inventé, des raisons et de l'origine de son invention, et de la façon dont vous en êtes venus à croire que votre Dieu était masculin, et non féminin.

Je te parlerai de *qui Je suis vraiment*, plutôt que de la façon dont vous me décrivez dans vos mythologies. Je te parlerai de mon état d'Être d'une telle façon que tu remplaceras avec joie la mythologie par la cosmologie : la véritable cosmologie de l'univers, et sa relation avec moi. Je te ferai connaître la vie, comment elle fonctionne et pourquoi elle est ainsi. Ce chapitre concerne tout cela.

Lorsque tu connaîtras ces choses, tu pourras déterminer de quelles créations de ta race tu veux te débarrasser. Car cette troisième partie de notre conversation, ce troisième livre, se rapporte à la construction d'un nouveau monde, la création d'une autre réalité.

Vous avez vécu trop longtemps, mes enfants, dans une prison que vous avez vous-mêmes conçue. Il est temps de vous en libérer.

Vous avez emprisonné vos cinq émotions naturelles, les avez réprimées et changées en émotions non naturelles, ce qui a entraîné malheur, mort et destruction dans votre monde.

Depuis des siècles sur cette planète, le modèle de comportement est : ne «cède» pas à tes émotions. Si tu ressens de la peine, dépasse-la ;

si tu te sens en colère, refoule-la ; si tu ressens de l'envie, aies-en honte ; si tu ressens de la peur, passe par-dessus ; si tu ressens de l'amour, contrôle-le, limite-le, garde-le, fuis-le : fais tout ton possible pour cesser de l'exprimer, complètement, sur-le-champ, ici même.

Il est temps que tu te libères.

En vérité, tu as emprisonné ton Soi sacré. Et il est temps de libérer ton Soi.

Je commence à être fébrile, maintenant. Comment commençons-nous ? Où commençons-nous ?

Dans notre brève étude sur la façon dont tout cela s'est dessiné ainsi, retournons à l'époque où votre société s'est réorganisée. C'est alors que les hommes sont devenus l'espèce dominante, puis ont trouvé inconvenant d'exposer les émotions – ou même, dans certains cas, d'en avoir.

Qu'entends-tu par « lorsque la société s'est réorganisée » ? De quoi parle-t-on ici ?

À une époque antérieure de votre histoire, vous avez vécu dans une société matriarcale. Puis, à la suite d'un changement, le patriarcat a émergé. Lorsque vous avez effectué ce changement, vous vous êtes éloignés de l'expression de vos émotions. Vous avez traité de « faibles » ceux qui s'y adonnaient. C'est au cours de cette période que les mâles ont également inventé le diable et le Dieu masculin.

Les mâles ont inventé le diable ?

Oui. Satan est essentiellement une invention des hommes. En définitive, toute la société s'y est pliée, mais le fait de se détourner des émotions et d'inventer un « malin », faisait partie d'une rébellion masculine contre le matriarcat, cette période durant laquelle les femmes gouvernaient tout à partir de leurs émotions. Elles détenaient l'ensemble des postes gouvernementaux, toutes les positions ayant trait au pouvoir religieux, tous les lieux d'influence dans le commerce, la science, l'ensei-gnement supérieur et la guérison.

Quel pouvoir les hommes avaient-ils ?

Aucun. Les hommes devaient justifier leur existence, car ils avaient très peu d'importance au-delà de leur capacité de fertiliser des oeufs femelles et de déplacer des objets lourds. Ils étaient telles des fourmis et des abeilles ouvrières. Ils se chargeaient du lourd travail physique et faisaient en sorte que l'on produisait et que l'on protégeait les enfants.

Les hommes mirent des siècles à trouver et à se tailler une place importante dans le tissu de leur société. Des siècles s'écoulèrent avant même que l'on autorise les mâles à participer aux affaires de leur clan, à avoir une voix ou un vote dans les décisions communautaires. Les femmes ne les trouvaient pas suffisamment intelligents pour comprendre ces questions.

Dis donc ! il est difficile d'imaginer une société quelconque interdisant à toute une classe de gens de voter en se basant tout simplement sur son sexe.

J'aime ton sens de l'humour à ce propos. Je l'aime vraiment. Puis-je continuer ?

Je t'en prie.

D'autres siècles ont passé avant qu'ils puissent vraiment détenir les positions de leadership pour lesquelles ils eurent finalement la chance de voter. D'autres postes d'influence et de pouvoir au sein de leur culture leur étaient encore refusés.

Tout de même, accordons-leur une chose : lorsque les mâles ont enfin obtenu des positions d'autorité au sein de la société, lorsqu'au moins ils se sont élevés au-dessus de leur position antérieure de faiseurs de bébés et de quasi-esclaves physiques, ils ne se sont jamais vengés des femmes, mais leur ont toujours accordé le respect, le pouvoir et l'influence que tous les humains méritent, sans égard à leur sexe.

Voilà cet humour qui revient.

Oh, pardon ! Suis-je sur la bonne planète ?

Revenons à notre récit. Mais avant de passer à la création du « diable », parlons un peu du pouvoir. Car c'est, bien sûr, la source et le fondement de l'invention de Satan.

À présent, tu vas souligner le fait que tous les hommes ont tout le pouvoir dans la société actuelle, non ? Permets-moi de te devancer et de te dire pourquoi, selon moi, cela s'est produit.

Tu as dit qu'au cours de la période matriarcale, les hommes ressemblaient beaucoup à des abeilles ouvrières au service de la reine. Tu as dit aussi qu'ils se chargeaient du difficile travail physique et qu'ils faisaient en sorte que l'on produise et que l'on protège les enfants. Et j'ai eu envie d'ajouter : « Alors, qu'est-ce qui a changé ? Ce qu'ils font *maintenant* ! » Et je parie que bien des hommes diraient probablement que pas grand-chose n'a *vraiment* changé – sauf qu'ils ont exigé un prix pour le maintien de leur « rôle ingrat ». Ils ont vraiment plus de pouvoir.

En fait, la plus grande part du pouvoir.

D'accord, la plus grande part du pouvoir. Mais l'ironie que je constate ici est la suivante : l'homme, tout comme la femme, croit s'occuper des tâches ingrates alors que l'autre a tout le plaisir. Les hommes en veulent aux femmes qui tentent de reprendre une part de leur pouvoir, car ils croient être fichus s'ils font tout ce qu'ils font pour la culture sans avoir au moins *le pouvoir qu'il faut pour le faire*.

Quant aux femmes, elles en veulent aux hommes d'avoir gardé tout le pouvoir et se disent elles-mêmes fichues si elles continuent à faire ce qu'elles font pour la culture en restant privées de pouvoir.

Ton analyse est correcte. Les hommes, comme les femmes, sont condamnés à répéter leurs propres erreurs dans un cycle sans fin de misère qu'ils se sont infligée à eux-mêmes, jusqu'à ce que les uns et les autres comprennent que la vie n'a rien à voir avec le pouvoir, mais plutôt avec la force; qu'elle n'a rien à voir avec la séparation, mais plutôt avec l'unité. Car c'est dans *l'unité* qu'existe la force intérieure, et dans la séparation qu'elle se dissipe et laisse à chacun un sentiment de faiblesse et d'impuissance – et, par conséquent, d'être aux prises avec une lutte de pouvoir.

Je te dis ceci : Guérissez la faille qui vous sépare, mettez fin à cette illusion de la séparation, et vous reviendrez à la source de votre force intérieure. C'est là que vous trouverez le pouvoir véritable. Le pouvoir de faire quoi que ce soit. Le pouvoir d'être quoi que ce soit. Le pouvoir d'avoir quoi que ce soit. Car le pouvoir de créer provient de la force intérieure qui jaillit de l'unité.

Cela s'applique également à ta relation avec ton Dieu et avec ton prochain.

Cesse de te considérer comme séparé, et tout le pouvoir véritable qui origine de la force intérieure de l'unité sera à toi – en tant que société mondiale et en tant que partie de cet ensemble. Ainsi, tu pourras l'utiliser à ta volonté.

Mais rappelle-toi ceci :

Le pouvoir provient de la force intérieure. La force intérieure ne provient pas du pouvoir brut. Cela, la majeure partie de l'humanité le comprend à rebours.

Sans force intérieure, le pouvoir est une illusion. Sans unité, la force intérieure est un mensonge. Un mensonge qui n'a pas servi la race, mais qui s'est néanmoins incrusté dans votre conscience raciale. Car vous croyez que la force intérieure naît de l'individualité et de l'état de séparation, et ce n'est tout simplement pas le cas. La cause de votre dysfonction et de votre souffrance provient du fait que vous êtes séparés de Dieu et les uns des autres. Mais la séparation continue de passer pour la force, et votre politique, votre économie et même vos religions ont perpétué ce mensonge.

Ce mensonge est pourtant la genèse de toutes les guerres et de toutes les luttes de classes qui mènent à la guerre ; de toute l'animosité entre les races et entre les sexes, et de toutes les luttes de pouvoir qui mènent à l'animosité ; de toutes les épreuves et les tribulations personnelles, et de toutes les luttes internes qui mènent aux tribulations.

Mais vous vous accrochez d'une façon tenace à ce mensonge, même si vous savez où il vous mène – même s'il vous a mené, jusqu'ici, à votre propre destruction.

À présent, je te dis ceci : Connais la vérité, et la vérité te libérera.

Il n'y a aucune séparation. Ni les uns des autres, ni de Dieu, ni de quoi que ce soit.

Cette vérité, Je la répéterai à maintes reprises dans ces pages. Cette observation, Je la ferai à plusieurs reprises.

Agis comme si tu n'étais séparé de rien ni de personne, et tu guériras ton monde demain matin.

Voilà *le plus grand secret de tous les temps*. C'est la réponse que l'homme cherche depuis des millénaires. C'est la solution qu'il a cherchée, la révélation qu'il a appelée de ses prières.

Agissez comme si vous n'étiez séparé de rien et vous guérirez le monde.

Comprenez qu'il s'agit de pouvoir avec et non de pouvoir sur.

Merci. J'ai compris. Alors, pour récapituler, les femmes exerçaient d'abord le pouvoir sur les mâles, et maintenant, c'est le contraire. Et les mâles ont inventé le diable afin d'arracher ce pouvoir des « cheffes » de la tribu ou du clan ?

Oui. Ils ont utilisé la peur, leur seul outil.

Encore là, rien n'a vraiment changé. Les hommes perpétuent encore cela. Parfois, avant même de faire appel à la *raison*, ils utilisent la peur. Surtout les hommes grands et forts. (Ou le pays grand ou fort.) Parfois, ce comportement semble vraiment incrusté chez eux. Cela semble *génétique*. La raison du plus fort est toujours la meilleure. Le plus fort détient tout le pouvoir.

Oui. C'est ainsi depuis l'abolition du matriarcat.

Comment est-ce arrivé ?

C'est ce que raconte cette courte histoire.

Alors, poursuit, s'il te plaît.

Ce que les hommes ont eu à faire pour prendre le contrôle durant la période matriarcale, ce n'était pas de convaincre les femmes de leur accorder plus de pouvoir sur leurs vies, mais de convaincre d'autres hommes.

Après tout, la vie était douce, et les hommes auraient pu vivre un plus mauvais sort que de passer leur journée à se valoriser par le travail physique pour ensuite faire l'amour. Alors, il ne fut pas facile pour les hommes sans pouvoir d'en convaincre d'autres sans pouvoir d'acquérir du pouvoir. Jusqu'à ce qu'ils découvrent la peur.

La peur est la seule chose avec laquelle les femmes n'avaient pas compté.

Elle a commencé, cette peur, par des germes de doute semés par les plus mécontents parmi les mâles. C'étaient habituellement les moins « désirables » ; ceux qui n'étaient ni musclés ni parés – et par conséquent, ceux auxquels les femmes accordaient le moins d'attention.

Et je parie que, parce qu'il en était ainsi, leurs plaintes étaient considérées comme des cris de rage provenant de leur frustration sexuelle.

C'est juste. Mais les hommes mécontents durent utiliser le seul outil qu'ils connaissaient. Ils cherchèrent donc à cultiver la peur à partir des germes du doute. Et si les femmes avaient tort ? demandèrent-ils. Et si leur façon de diriger le monde n'était pas la meilleure ? Et si elles étaient en train de mener la société entière – toute la race – vers un anéantissement sûr et certain ?

Voilà une réalité que bien des hommes ne pouvaient imaginer. Après tout, les femmes n'étaient-elles pas en communication directe avec la déesse ? N'étaient-elles pas, en fait, des répliques physiques exactes de la déesse ? Et la déesse n'était-elle pas bonne ?

L'enseignement s'avérait si puissant, si étendu, que les hommes n'eurent d'autre choix que d'inventer un diable, un Satan, pour contrer la bonté illimitée de la Grande Mère imaginée et adorée par les adeptes du matriarcat.

Comment sont-ils arrivés à convaincre qui que ce soit de l'existence d'un « malin » ?

L'unique chose que toute leur société comprenait, c'était la théorie de la « pomme pourrie ». Même les femmes voyaient et savaient, par expérience, que certains enfants devenaient tout simplement « mauvais », peu importe ce qu'ils faisaient. Surtout, comme chacun le savait, les enfants mâles, tout simplement impossibles à maîtriser.

Alors, on a créé un mythe.

Un jour, disait le mythe, la Grande Mère, la déesse des déesses, a engendré un enfant qui se trouva *ne pas être bon*. Malgré toutes les tentatives de sa mère, l'enfant n'était pas bon. Finalement, il se battit contre sa mère pour lui arracher son trône.

C'en était trop, même pour une mère remplie d'amour et de pardon. Le garçon fut banni à jamais – mais continua d'apparaître sous d'habiles déguisements et costumes, se faisant même parfois passer pour la Grande Mère elle-même.

Ce mythe amena les hommes à se demander : « Comment savons-nous que la déesse que nous adorons est bel et bien une déesse ? C'est peut-être ce mauvais enfant, qui a maintenant grandi et qui veut nous tromper ! »

Par ce procédé, les hommes incitèrent d'autres hommes à s'inquiéter, puis à se mettre en colère du fait que les femmes ne prenaient pas leurs inquiétudes au sérieux et, enfin, à se rebeller

C'est ainsi que fut créé l'être qu'à présent vous appelez Satan. Il ne fut pas difficile d'élaborer un mythe autour d'un « mauvais enfant » ni de convaincre les femmes du clan de la possibilité de l'existence d'une telle créature. Il ne fut pas difficile, non plus, d'amener quiconque à accepter que le mauvais enfant était mâle. Les mâles n'étaient-ils pas du sexe inférieur ?

Ce stratagème fut utilisé pour créer une controverse mythologique. Si le « mauvais enfant » était mâle, si le « malin » était masculin, qui pourrait le vaincre ? Sûrement pas une déesse féminine. Car, dirent habilement les hommes, en matière de sagesse et d'intuition, de clarté et de compassion, de planification et de réflexion, personne ne doutait de la supériorité féminine. Mais en matière de force brute, n'avait-on pas besoin d'un mâle ?

Auparavant, selon la mythologie de la déesse, les mâles n'étaient que des consorts – des compagnons des femmes qui jouaient un rôle de serviteurs et comblaient le robuste appétit de célébration charnelle de leurs magnifiques déesses.

Mais à présent, il fallait un mâle qui pourrait faire davantage ; un mâle qui pourrait également protéger la déesse et défaire l'ennemi. Cette transformation ne se produisit pas du jour au lendemain, mais s'étala sur de nombreuses années. Graduellement, très graduellement, les sociétés commencèrent, dans leurs mythologies spirituelles, à considérer le consort mâle comme le protecteur mâle, car maintenant qu'il y avait quelqu'un pour protéger la déesse, un tel protecteur était clairement nécessaire.

Passer de mâle protecteur à mâle *partenaire égal* maintenant debout aux côtés de la déesse ne fut pas un saut majeur. Le *dieu mâle* fut créé et, pendant un certain temps, dieux et déesses gouvernèrent ensemble dans la mythologie.

Puis, graduellement encore, on accorda de plus grands rôles aux dieux. Le besoin de protection et de force, peu à peu remplaça le besoin de sagesse et d'amour. Une nouvelle sorte d'amour naquit dans ces mythologies. Un amour qui protégeait par la force brute. Mais cet amour convoitait également ce qu'il protégeait. Il était jaloux de ses déesses ; il ne servait plus seulement leurs appétits féminins, mais se battait et mourait pour elles.

Surgirent alors des mythes sur des dieux d'un pouvoir énorme, qui se querellaient, se battaient pour des déesses d'une indicible beauté. Ainsi naquit le dieu jaloux.

C'est fascinant.

Attends. Nous arrivons à la fin, mais reste un court passage.

Avant longtemps, la jalousie des dieux ne fut plus limitée aux déesses, mais s'étendit à toutes les créations de tous les mondes. Ces dieux jaloux exigeaient qu'on aime Dieu, et aucun autre, sinon !

Puisque les mâles étaient l'espèce la plus puissante et que les dieux étaient les plus puissants des mâles, cette nouvelle mythologie laissait peu de place à l'argumentation.

Surgirent des histoires sur des gens qui avaient discuté et perdu. Le Dieu courroucé était né.

Bientôt, toute l'idée de déité fut renversée. Au lieu d'être la source de tout amour, elle devint la source de toute peur.

Un modèle d'amour largement féminin – l'amour infiniment tolérant d'une mère pour son enfant et même l'amour d'une femme pour son homme pas très brillant mais, après tout, utile – fut remplacé par l'amour jaloux et courroucé d'un Dieu exigeant et intolérant qui ne consentit à aucune interférence, ne permit aucune insouciance, n'ignora aucune offense.

Le sourire amusé de la Déesse éprouvant l'amour sans limites et se soumettant doucement aux lois de la nature fut remplacé par la contenance pas très amusée du Dieu proclamant son pouvoir sur les lois de la nature et limitant à jamais l'amour.

Voilà le Dieu que vous adorez aujourd'hui, et c'est ainsi que vous en êtes arrivés là.

Étonnant. Intéressant et étonnant. Mais pourquoi me dis-tu tout cela ?

Il t'importe de savoir que *vous avez tout inventé*. L'idée selon laquelle « le pouvoir c'est le droit » ou « le pouvoir c'est la force » est née de tes mythes théologiques masculins de la création.

Le Dieu de la colère et de la jalousie était imaginaire. Mais comme vous l'avez imaginé pendant si longtemps, *il est devenu réel.* Encore aujourd'hui, certains d'entre vous le considèrent comme réel. Mais il n'a rien à voir avec l'ultime réalité ni avec ce qui se passe ici.

Et qu'est-ce que c'est ?

En fait, votre âme désire *l'expérience d'elle-même la plus élevée* qu'elle puisse imaginer. Elle est venue ici dans ce but – se réaliser (c'est-à-dire se rendre réelle) par son expérience.

Puis, elle a découvert les plaisirs de la chair – pas seulement le sexe, mais toutes les sortes de plaisirs – et, en goûtant ces plaisirs, elle a graduellement oublié ceux de l'esprit.

Ce sont également des plaisirs – des plaisirs plus grands que le corps ne pourrait jamais vous en donner. Mais l'âme a oublié cela.

D'accord, à présent, nous nous éloignons de toute cette histoire et nous revenons à une chose que tu as soulevée auparavant dans ce dialogue. Pourrais-tu y revenir ?

Eh bien, nous n'allons pas vraiment nous éloigner de cette histoire. Nous sommes en train de tout rassembler. Tu vois, c'est vraiment très simple. Le but de ton âme – sa raison d'intégrer le corps – est d'être et d'exprimer *qui tu es vraiment*. L'âme aspire à cela ; elle désire ardemment se connaître et connaître sa propre expérience.

Cette aspiration à connaître est la vie cherchant à être. C'est Dieu choisissant de s'exprimer. Le Dieu de vos récits n'est pas le Dieu véritable. Voilà l'essentiel. Votre âme est l'outil par l'intermédiaire duquel Je m'exprime et fais l'expérience de moi-même.

Cela ne *limite-t-il* pas un peu ton expérience ?

Oui, à moins que non. Ça dépend de toi. Tu en viens à être mon expression et mon expérience à quelque niveau que tu choisisses. Certains ont retenu des formes d'expression magnifiques. Aucun n'a dépassé Jésus, le Christ – bien que certains l'aient égalé.

Le Christ n'est pas l'exemple le plus élevé ? Il n'est pas Dieu fait homme ?

Le Christ est l'exemple le plus élevé. Mais il n'est pas le seul exemple à avoir atteint cet état le plus élevé. Le Christ est Dieu fait homme. Il n'est tout simplement pas le seul homme fait de Dieu.

Tout homme est « Dieu fait homme ». Tu es moi, s'exprimant sous ta forme actuelle. Mais ne t'inquiète pas de me limiter ; ne t'inquiète pas des limites que cela me donne. Car Je ne suis pas limité et ne l'ai jamais été. Crois-tu être la seule forme que J'ai choisie ? Croyez-vous être les
– seules créatures que j'ai imbues de mon essence ?

Je te le dis, Je suis dans chaque fleur, chaque arc-en-ciel, chaque étoile des cieux et dans chaque chose qui se trouve dans et sur chaque planète tournant autour de chaque étoile.

Je suis le murmure du vent, la chaleur de votre soleil, l'incroyable individualité et l'extraordinaire perfection de chaque flocon de neige.

Je suis la majesté du vol des aigles qui montent en flèche et l'innocence du cerf dans le champ ; le courage des lions, la sagesse des Anciens.

Et Je ne suis pas limité aux seuls modes d'expression que l'on voit sur votre planète. Tu ne sais pas qui Je suis, tu crois seulement que tu le sais. Mais ne pense pas que qui Je suis se limite à toi, ou que ma divine essence – ce très Saint-Esprit – t'a été donnée à toi seul. Ce serait là une pensée arrogante et mal informée.

Mon état d'être est en chaque chose. *Chaque chose*. La totalité est mon expression. L'intégralité est ma nature. Il n'y a rien que Je ne sois, et une chose que Je ne suis pas ne peut exister.

Mon but, en vous créant, mes créatures bénies, consistait à pouvoir avoir une expérience de moi-même en tant que Créateur de ma propre expérience.

Certaines personnes ne comprennent pas. Aide-nous à saisir le sens de ces paroles.

L'aspect de Dieu que seule une créature très particulière pouvait créer était l'aspect de moi-même en tant que Créateur.

Je ne suis ni le Dieu de vos mythologies ni la Déesse. Je suis Le Créateur – celui qui crée. Mais Je choisis de me connaître dans ma propre expérience.

Tout comme Je connais la perfection de mon dessin par l'intermédiaire d'un flocon de neige, mon incroyable beauté par celui d'une rose, ainsi, aussi, Je connais mon pouvoir créateur – par ton intermédiaire.

À toi, J'ai donné la capacité de créer consciemment ton expérience, qui est la capacité que J'ai.

Par ton entremise, Je peux connaître chaque aspect de moi. La perfection du flocon de neige, l'incroyable beauté de la rose, le courage des lions, la majesté des aigles, tout réside en toi. En toi, J'ai placé toutes ces choses et une de plus : la conscience de cela.

Ainsi êtes-vous devenus conscients du Soi. Ainsi avez-vous reçu le plus grand cadeau, car vous avez été conscients d'être vous-mêmes – ce qui est exactement ce que Je suis.

Je suis moi-même, conscient de moi-même étant *moi-même*.

C'est ce que signifie l'énoncé : *Je suis ce que je suis.*

Tu es cette part de moi qui est la conscience en pleine expérience.

Et ce dont tu fais l'expérience (et ce dont Je fais l'expérience par ton intermédiaire), c'est moi, en train de me créer.

Je suis dans l'acte continuel de me créer.

Cela veut-il dire que Dieu n'est pas une constante ? Que tu ne sais pas ce *que tu seras* à l'instant suivant ?

Comment puis-je le savoir ? Tu ne l'as pas encore décidé !

Attends, il faut que je comprenne. C'est *moi* qui décide tout cela ?

Oui. Tu es moi choisissant d'être moi.

Tu es moi, choisissant d'être ce que Je suis – et choisissant ce que Je serai.

Vous tous, collectivement, êtes en train de créer cela. Vous le faites individuellement, à mesure que vous décidez qui vous êtes et en faites l'expérience, collectivement, en tant que collectif de cocréation.

Je suis l'expérience collective de vous tous !

Et tu ne sais vraiment pas qui tu seras à l'instant suivant ?

Je plaisantais. Bien sûr, que Je sais. Comme je connais déjà toutes vos décisions, Je sais qui Je suis, qui J'ai toujours été et qui Je serai toujours.

Comment peux-tu savoir ce que je vais choisir d'être, de faire et d'avoir à l'instant suivant et ce que toute la race humaine choisira ?

C'est simple. Tu as déjà choisi. Tout ce que tu seras jamais, feras ou auras, tu l'as déjà fait. Tu es en train de le faire, maintenant !

Vois-tu ? Le temps n'existe pas.

Ça aussi, on en a déjà parlé.

Il vaut la peine d'y revenir ici.

Oui. Explique-moi encore comment ça marche.

Le passé, le présent et le futur sont des concepts que vous avez construits, des réalités que vous avez inventées, afin de créer un contexte dans lequel encadrer votre expérience présente. Autrement, toutes vos (nos) expériences se superposeraient

En réalité, elles se superposent – c'est-à-dire qu'elles arrivent en même « temps » – mais vous ne le savez pas. Vous vous êtes placés dans un cadre perceptuel qui obstrue la réalité totale.

J'ai expliqué cela en détail dans le tome 2. Il serait bon que tu relises ce contenu afin de replacer dans son contexte ce qui est dit ici.

Ce que j'avance, c'est que tout arrive en même temps. Tout. Alors oui, Je sais vraiment ce que Je « vais faire », ce que Je « suis » et ce que J'« étais ». Je sais toujours cela... et de toutes les manières.

Ainsi, vois-tu, il t'est impossible de me surprendre.

Ton histoire – le drame terrestre – a été créée afin que tu puisses savoir *qui tu es* dans ta propre expérience. Elle a également été conçue pour t'aider à oublier *qui tu es*, afin que tu puisses te rappeler une fois de plus *qui tu es*, et le créer.

Car je ne peux *créer* qui je suis si je fais déjà l'expérience de qui je suis. Je ne peux créer le fait de mesurer un mètre quatre-vingt-cinq si je mesure déjà un mètre quatre-vingt-cinq. Il faudrait que je mesure moins d'un mètre quatre-vingt-cinq – ou du moins que je le croie.

Exactement. Tu comprends parfaitement. Et puisque c'est le plus grand désir de l'âme (Dieu) de faire l'expérience d'elle-même en tant que Créateur, et puisque tout a déjà été créé, nous n'avions d'autre choix que de trouver une façon de tout oublier de notre création.

Je suis étonné que nous ayons trouvé une façon. Essayer d'« oublier » que nous ne faisons tous qu'Un, et que cet Un que nous sommes est Dieu, c'est comme essayer d'oublier qu'il y a un éléphant rose dans la pièce. Comment pouvions-nous être hypnotisés à ce point ?

Eh bien, tu viens de mettre le doigt sur la raison secrète de toute vie physique. C'est la vie sous la forme physique qui t'a hypnotisé à ce point – et à raison, car après tout, c'est une aventure extraordinaire !

Ce que nous avons utilisé ici pour nous aider à oublier, c'est ce que certains d'entre vous qualifieraient de principe du plaisir.

La nature la plus élevée de tout plaisir, c'est l'aspect du plaisir qui te pousse à créer qui tu es vraiment dans ton expérience ici et maintenant, en ce moment même – et de recréer sans cesse à nouveau qui tu es au niveau de magnificence suivant. C'est le plus grand plaisir de Dieu.

La nature inférieure de tout plaisir constitue cette part du plaisir qui te pousse à oublier qui tu es vraiment. Ne condamne pas la nature inférieure, car sans elle, tu ne pourrais faire l'expérience de la nature supérieure.

Un peu comme si les plaisirs charnels nous poussaient au départ à oublier qui nous sommes, puis devenaient la voie même qui nous amène à nous rappeler !

Tu y es. Tu l'as dit. Et pour utiliser le plaisir physique en tant que voie afin de te rappeler qui tu es, il faut élever, par l'intermédiaire du corps, l'énergie de base de toute vie.

C'est l'énergie que vous appelez parfois « énergie sexuelle », et elle s'élève le long de la colonne « intérieure » de votre être, jusqu'à ce qu'elle atteigne la zone que vous appelez le troisième oeil. C'est la zone qui se trouve juste derrière le front, entre les yeux, légèrement au-dessus. À mesure que vous élevez l'énergie, vous la poussez à circuler dans votre corps. Tel un orgasme interne.

Comment cela se fait-il ? Comment y arrive-t-on ?

Tu l'inventes par la pensée. C'est bien ce que je veux dire, tel que Je l'ai dit. Par la pensée, tu « inventes » littéralement la voie interne de ce que vous avez appelé vos « chakras ». Lorsqu'on élève l'énergie vitale à maintes reprises, on acquiert un goût pour cette expérience, tout comme l'appétit sexuel se développe.

L'expérience de l'élévation de l'énergie est fort sublime. Elle devient rapidement l'expérience la plus désirée. Mais vous ne perdez jamais complètement votre appétit pour la descente de l'énergie – pour les passions fondamentales – et vous ne devriez pas non plus essayer. Car dans votre expérience, le supérieur ne peut exister sans l'inférieur – comme Je te l'ai fait remarquer à maintes reprises. Une fois en haut, tu dois redescendre en bas afin d'expérimenter à nouveau la remontée.

C'est le rythme sacré de toute vie. Tu n'y arrives pas seulement en faisant circuler l'énergie dans ton corps. Tu y arrives aussi en faisant circuler la grande énergie dans le corps de Dieu.

Vous vous incarnez en tant que formes inférieures, puis évoluez vers des états supérieurs de conscience. Vous élevez tout simplement l'énergie dans le corps de Dieu. Vous *êtes* cette énergie. Et lorsque vous arrivez à l'état le plus élevé, vous en faites pleinement l'expérience, puis vous décidez ce que vous choisirez ensuite de vivre, et où, dans le royaume de la relativité, vous choisirez d'aller afin d'en faire l'expérience.

Vous pourriez souhaiter refaire l'expérience de devenir vous-même – c'est là une expérience grandiose, en effet – et ainsi, recommencer à nouveau dans la Roue cosmique.

S'agit-il ici de la « roue karmique » ?

Non. Il n'y a pas de « roue karmique ». Pas celle que vous avez imaginée. Nombre d'entre vous ont imaginé qu'ils sont non pas sur une roue, mais sur un *tapis de jogging* où ils règlent activement les dettes de leurs actions passées et tentent vaillamment de ne pas en encourir de nouvelles. C'est ce que certains d'entre vous ont appelé la « roue karmique ». Elle n'est pas tellement différente de certaines de vos théologies occidentales, car dans les deux paradigmes, on vous considère comme un pécheur indigne cherchant à gagner la pureté afin de passer au niveau spirituel suivant.

L'expérience que j'ai décrite ici, par contre, je l'appelle la Roue *cosmique*, car elle ne comporte ni indignité, ni remboursement de dettes, ni punition, ni « purification ». La Roue cosmique décrit tout simplement la réalité ultime, ou ce qu'on pourrait appeler la cosmologie de l'univers.

C'est le cycle de la vie, ou ce que j'appelle parfois « le processus ».

C'est une image de style qui décrit la nature sans-commencement-ni-fin des choses ; la voie continue qui aboutit à l'ensemble et en provient, et sur laquelle l'âme voyage joyeusement tout au long de l'éternité.

C'est le rythme sacré de toute vie par lequel vous faites circuler l'énergie de Dieu.

Terrible! On ne m'a jamais expliqué tout cela aussi simplement! Je ne crois pas avoir jamais compris cela aussi clairement.

Eh bien, la clarté est ce dont tu es venu faire l'expérience ici. C'est le but de ce dialogue. Alors Je suis heureux que tu y arrives.

En vérité, sur la Roue cosmique, il n'y a aucun endroit « inférieur » ou « supérieur ». Comment pourrait-il y en avoir, puisqu'il s'agit d'une *roue*, et non d'une *échelle* ?

C'est une excellente image et un parfait concept. Par conséquent, ne condamne pas ce que tu appelles les instincts inférieurs, fondamentaux, animaux de l'homme, mais bénis-les, honore-les, car ils sont la voie par l'intermédiaire de laquelle tu retrouves ton chemin.

Cela soulagerait bien des gens d'une masse de culpabilité rattachée au sexe.

C'est pourquoi J'ai dit : « Jouez, jouez, *jouez* avec le sexe – et avec toute la vie ! »

Mélangez ce que vous nommez le sacré avec le sacrilège, car jusqu'à ce que vous considériez vos autels comme le lieu ultime de l'amour, et vos chambres à coucher comme le lieu ultime de la vénération, vous ne verrez rien du tout.

Vous croyez que le « sexe » est séparé de Dieu ? Je vous dis ceci : « Tous les soirs, je suis dans votre chambre à coucher ! »

Alors, allez-y ! Fusionnez ce que vous appelez le profane avec le profond – afin que vous puissiez voir qu'il n'y a aucune différence – et faites l'expérience du Tout en tant qu'Un. Puis, à mesure que vous évoluerez, vous n'abandonnerez pas le sexe, mais l'apprécierez tout simplement à un niveau supérieur. Car toute la vie est SEXE (Synergie d'échange extraordinaire de l'énergie).

Et si vous comprenez cela à propos du sexe, vous saisirez cela à propos de toute la vie. Même en ce qui concerne la fin de la vie – ce que vous appelez la mort. À l'instant de votre mort, vous ne vous verrez pas abandonner la vie, mais tout simplement y goûter à un niveau supérieur.

Lorsque, enfin, vous verrez qu'il n'y a aucune séparation dans le Monde de Dieu – c'est-à-dire rien qui ne soit Dieu –, alors, enfin, vous abandonnerez cette invention de l'homme que vous avez nommée Satan.

Si Satan existe, c'est sous la forme de chaque pensée que vous avez jamais eue d'être séparé de moi. Vous ne pouvez être séparé de moi, car Je suis tout ce qui est.

Les hommes ont conçu le diable pour effrayer les gens afin de les amener à faire ce qu'ils voulaient, sous la menace de la séparation de Dieu s'ils n'acceptaient pas. La condamnation, le fait d'être jeté dans le feu éternel de l'enfer, fut *l'ultime tactique de peur*. Mais à présent, vous n'avez plus rien à craindre. Car rien ne peut, ni ne va jamais, vous séparer de moi.

Toi et moi ne faisons qu'Un. Nous ne pouvons être rien d'autre si Je suis ce que Je suis : Tout ce qui est.

Pourquoi, alors, me condamnerais-Je ? Et comment le ferais-Je ? Comment pourrais-Je me séparer de moi-même alors que mon Soi est Tout ce qui est et qu'il n'y a rien d'autre ?

Mon but est l'évolution, et non la condamnation ; la croissance, et non la mort; la création d'expériences, et non leur négation. Mon but est d'Être, et non de cesser d'Être.

Je n'ai aucun moyen de me séparer de vous – ni de quoi que ce soit. « L'enfer », c'est tout simplement ne pas savoir cela. Le salut, c'est de le savoir et de le comprendre complètement. Vous êtes maintenant sauvés. Vous n'avez plus besoin de vous inquiéter de ce qui vous arrivera « après la mort ».

3

Pouvons-nous parler de la mort un instant ? Tu as dit que ce troisième livre allait se rapporter à des vérités supérieures, universelles. Eh bien, au cours de notre conversation, nous n'avons pas tellement parlé de la mort et de ce qui se passe par la suite. Parlons-en. Venons-y.

Très bien. Que veux-tu savoir ?

Que se passe-t-il quand on meurt ?

Que choisis-tu de faire arriver ?

Tu veux dire que ce qui survient, c'est tout ce que nous choisissons de faire arriver ?

Crois-tu que du seul fait d'être mort, tu cesses de créer ?

Je ne sais pas. C'est pour ça que je te le demande.

Bien. (Tu le sais, incidemment, mais Je vois que tu as oublié – c'est merveilleux. Tout se déroule selon le plan.)
Quand tu meurs, tu n'arrêtes pas de créer pour autant. Est-ce assez certain pour toi ?

Oui.

Bien.
À présent, la raison pour laquelle tu ne cesses de créer quand tu meurs, c'est qu'en fait tu ne meurs jamais. Tu ne le peux pas. Car tu es la vie même. Et la vie ne peut pas *ne pas* être la vie. Par conséquent, tu ne peux mourir.

Alors... tu continues de vivre.

Voilà pourquoi tant de gens qui sont « morts » ne le croient pas – car ils n'ont pas fait l'expérience de la mort. Au contraire, ils se sentent très vivants (car ils le sont). Il y a donc une confusion.

Le Soi peut voir le corps étendu là, recroquevillé, immobile, mais le Soi bouge soudainement dans toute la pièce. Il vole littéralement dans toute la pièce – puis se retrouve partout dans l'espace, en même temps. Et lorsqu'il désire un point de vue particulier, il se trouve soudainement à en faire l'expérience.

Si l'âme (le nom que nous donnerons maintenant au Soi) se demande : « Eh, pourquoi mon corps ne bouge-t-il pas ? » elle se trouve exactement là, planant au-dessus du corps, en train d'en observer l'immobilité avec une grande curiosité.

Si quelqu'un entre dans la pièce et que l'âme pense : « Qui est-ce ? » immédiatement, l'âme est devant ou à côté de cette personne.

Ainsi, en un très court laps de temps, l'âme apprend qu'elle peut aller n'importe où – à la vitesse de sa pensée.

Un incroyable sentiment de liberté et de légèreté s'empare de l'âme, et il faut habituellement un certain temps à l'entité pour « s'habituer » à tout ce rebondissement à chaque pensée.

Si la personne avait des enfants, et qu'elle pense à eux, l'âme se trouve immédiatement en présence de ces enfants, où qu'ils soient. Ainsi, l'âme apprend que non seulement elle peut être partout où elle le veut à la vitesse de sa pensée, mais qu'elle peut aussi être à deux endroits en même temps. Ou trois. Ou cinq.

Elle peut exister, observer et mener dans ces lieux des activités simultanées, sans difficulté ni confusion. Puis elle peut se « rassembler », revenir en un même endroit, tout simplement en refaisant le point.

L'âme se rappelle dans l'autre vie ce qu'elle aurait mieux fait de se rappeler dans celle-ci – que tout effet est créé par la pensée et que la manifestation est un résultat de l'intention.

Ce sur quoi je fais le point en tant qu'intention devient ma réalité.

Exactement. La seule différence est la vitesse à laquelle tu expérimentes le résultat. Dans la vie physique, il peut y avoir un délai entre la pensée et l'expérience. Dans le royaume de l'âme, il n'y a aucun délai ; les résultats sont instantanés.

Par conséquent, les âmes qui viennent de partir apprennent à surveiller très attentivement leurs pensées, car elles font l'expérience de tout ce à quoi elles pensent.

J'utilise ici le terme « apprendre » d'une façon très large, plus comme une figure de style que comme une description réelle. L'expression « se rappeler » serait plus précise.

Si les âmes matérialisées apprenaient à maîtriser leurs pensées aussi rapidement et aussi efficacement que les âmes spiritualisées, toute leur vie changerait.

Dans la création de la réalité individuelle, tout est dans la maîtrise de la pensée, ce que certains appelleraient la prière.

La prière ?

La maîtrise de la pensée est la forme la plus élevée de la prière. Par conséquent, ne pense qu'à de bonnes choses, qu'à des choses justes. Ne t'arrête pas à la négativité et à l'obscurité. Et même dans les moments où les événements se présentent plutôt mal – surtout dans ces moments-là –, ne vois que la perfection, n'exprime que la gratitude et n'imagine que la manifestation de la perfection que tu choisis ensuite.

Dans cette voie se trouve la tranquillité. Dans ce processus réside la paix. Dans cette conscience existe la joie.

Voilà une information extraordinaire. Merci de la transmettre par mon intermédiaire.

Merci de la laisser passer. À certains moments, tu es plus « dégagé » qu'à d'autres. Tu es plus ouvert – telle une passoire rincée qui devient plus « ouverte », qui laisse voir plus.

Voilà une bonne image pour exprimer ce concept.

Je fais de mon mieux.

Alors, pour récapituler, disons ceci : les âmes rapidement libérées du corps se souviennent de surveiller et de maîtriser très soigneusement leurs pensées, car tout ce à quoi elles pensent, elles le créent et en font l'expérience.

Je le redis, il en va de même pour les âmes qui résident encore dans un corps, sauf qu'en général, les résultats ne sont pas aussi immédiats. Et c'est le délai entre la pensée et la création – qui peut s'étaler sur des jours, des semaines, des mois ou même des années – qui crée l'illusion que les choses t'arrivent, et non que c'est toi qui les *fais* survenir. *C'est une illusion* qui te pousse à *oublier que tu es en cause* dans ce cheminement.

Comme je l'ai décrit plusieurs fois, cet oubli est « intégré au système ». Il fait partie du processus. Car tu ne peux créer qui tu es à moins d'oublier qui tu es. Ainsi, l'illusion qui provoque l'oubli est un effet délibérément créé.

Lorsque tu quitteras ton corps, ce sera donc pour toi une grande surprise que de voir le lien instantané et évident entre tes pensées et tes créations. La surprise sera d'abord bouleversante, puis très agréable, lorsque tu commenceras à te rappeler que tu es en cause dans la création de ton expérience et non le simple récepteur des effets.

Pourquoi ce délai entre la pensée et la création *avant* notre mort, et aucun délai après ?

Parce que tu gardes l'illusion du temps. S'il n'y a aucun délai entre la pensée et la création lorsque tu es hors du corps, c'est que tu es également hors du paramètre du temps.

En d'autres termes, comme tu l'as si souvent dit, le temps n'existe pas.

Pas au sens où tu l'entends. Le phénomène du « temps » se résume vraiment à une question de perspective.

Pourquoi existe-t-il alors que nous sommes dans le corps ?

Tu as provoqué son existence en entrant dans ta perspective actuelle et en l'assumant. Tu utilises cette perspective comme un outil pour explorer et examiner à fond tes expériences une à une plutôt que d'un seul coup.

La vie est un seul et même événement, un événement cosmique qui est en train d'arriver *maintenant*. Tout cela est en train d'arriver. Partout.

Il n'y a d'autre « temps » que maintenant. Il n'y a d'autre « lieu » qu'ici.

Ici et maintenant se trouve *tout ce qui existe.*

Mais tu as choisi de faire l'expérience, dans ses moindres détails, de la magnificence de l'ici-et-maintenant et de ton Soi divin en tant que créateur, ici-et-maintenant, de cette réalité. Il n'y avait que deux façons – deux champs d'expérience – à partir desquelles tu pouvais le faire : le temps et l'espace.

Si magnifique était cette pensée, que tu as littéralement explosé de délice !

Dans cette explosion de délice fut créé l'espace entre les parties de toi et le temps qu'il fallait pour passer d'une partie de toi-même à une autre.

Ainsi, tu t'es littéralement *éclaté* pour te voir en morceaux. On peut dire que tu étais si heureux que tu as *éclaté en morceaux.*

Et depuis lors, tu les ramasses.

C'est l'histoire de toute ma vie ! Je ne fais que rassembler les pièces en essayant de voir si elles se complètent.

Et c'est par l'intermédiaire du stratagème appelé temps que tu as réussi à séparer les morceaux, à diviser l'indivisible et, ainsi, à le voir et à en faire une expérience plus complète, à mesure que tu la crées.

Même lorsque tu regardes un objet solide au microscope et que tu vois qu'il n'est pas du tout solide, mais qu'il s'agit en fait de l'agglomération d'un million d'effets différents – de choses diverses qui arrivent en même temps et créent ainsi le grand effet –, ainsi utilises-tu le temps en tant que microscope de ton âme.

Considère la parabole de la Roche.

Il était une fois une Roche pleine d'innombrables atomes, protons, neutrons et particules de matière subatomiques. Ces particules circulaient continuellement, en formant un pattern, chaque particule allant d'« ici » à « là » en prenant le « temps », mais si rapidement, que la Roche même semblait ne pas bouger du tout. Elle se contentait d'être. Elle était posée là, buvant le soleil, s'imbibant de la pluie, sans bouger.

« Qu'est-ce qui bouge à l'intérieur de moi ? » demanda la Roche.

« C'est toi », dit une voix lointaine.

« Moi ? » s'exclama la Roche. « Mais c'est impossible. Je ne bouge pas du tout. Tout le monde peut le constater. »

« Oui, de loin, admit la voix. De loin, d'ici, tu parais vraiment solide, fixe, immobile. Mais quand je me rapproche – quand je regarde très attentivement ce qui se passe réellement –, je vois que tout ce qui comprend ce que tu es *bouge*. Cela bouge à une vitesse incroyable, dans le temps et l'espace, en un pattern particulier qui te *crée* sous la forme de cette chose appelée "Roche". Alors, tu parais magique ! Tu bouges et tu es immobile en même temps. »

« Mais, demanda la Roche, où est l'illusion ? L'unité, l'immobilité, de la roche, ou la séparation et le mouvement de ses parties ? »

Ce à quoi la voix lointaine répondit : « Alors, quelle est l'illusion ? L'unité, l'immobilité de Dieu ? Ou la séparation et le mouvement de ses parties ? »

Et Je te dis ceci : Sur cette pierre, Je bâtirai mon église. Car c'est la pierre de l'éternité. C'est la vérité éternelle qui ne laisse aucune pierre en place. Je t'ai déjà expliqué tout cela, dans cette petite histoire. C'est la cosmologie.

La vie est une série de mouvements infinitésimaux d'une rapidité incroyable. Ces mouvements n'affectent aucunement l'immobilité et *l'état d'être de tout ce qui est*. Cependant, comme pour les atomes de la pierre, c'est le mouvement qui crée l'immobilité, sous ton regard même.

À cette distance, il n'y a aucune séparation. Il ne peut y en avoir, car *tout ce qui est* est *tout ce qu'il y a*, et *il n'y a rien d'autre*. Je suis celui qui bouge sans bouger.

De la perspective limitée à partir de laquelle tu vois *tout ce qui est*, tu te vois comme séparé et à part, non pas comme un même être impossible à bouger, mais comme un grand nombre d'êtres en mouvement constant.

Les deux observations sont justes. Les deux réalités sont « réelles ».

Et quand je « meurs », je ne meurs pas du tout : je ne fais que me glisser dans la conscience du macrocosme – où il n'y a ni « temps » ni « espace », ici et là, avant et après.

Précisément. Tu saisis.

Voyons si je peux te le répéter. Voyons si je peux le décrire.

Vas-y.

D'une macroperspective, aucune séparation n'existe et de « loin là-bas », toutes les particules de tout ressemblent tout simplement au Tout.

En regardant la pierre à nos pieds, on voit la pierre, ici même et tout de suite, entière, complète et parfaite. Mais même dans la fraction d'instant où l'on entretient cette pierre dans notre conscience, bien des choses se passent à l'intérieur de cette pierre – ses particules bougent à une vitesse incroyable. Et que font ces particules ? Elles font de cette pierre ce qu'elle est.

Lorsqu'on observe cette pierre, on ne voit pas ce processus. Même si on en est conscients du point de vue conceptuel, pour nous, tout cela arrive « maintenant ». La pierre n'est pas *en train de devenir* une pierre ; c'est une pierre, ici-et-maintenant.

Mais si l'on était la conscience de l'une des particules submoléculaires à l'intérieur de cette pierre, on ferait l'expérience de bouger à une vitesse folle, d'abord « ici », puis « là ». Et si une voix, à l'extérieur de la pierre, nous disait : « Tout cela se passe en même temps », on la croirait celle d'un menteur ou d'un charlatan.

Mais, dans la perspective d'une distance par rapport à la pierre, l'idée que n'importe quelle partie de la pierre soit séparée d'une autre, et, en plus, se déplace à une vitesse folle, apparaîtrait comme un mensonge. À cette distance, on pourrait voir ce qu'on ne pourrait pas remarquer de près – que tout ne fait qu'Un et que ce mouvement *n'a rien déplacé.*

Tu as bien compris. Tu en as une idée. Selon tes propos – et tu as raison –, toute la vie est une question de perspective. Si tu continues à voir cette vérité, tu commenceras à comprendre la macroréalité de Dieu. Et tu auras déverrouillé un secret de tout l'univers : *tout cela est la même chose.*

L'univers est une molécule du corps de Dieu !

En fait, ce n'est pas si loin de la réalité.

Et c'est à la macroréalité que nous retournons dans la conscience lorsque nous faisons l'acte de « mourir » ?

Oui. Mais même la macroréalité à laquelle on retourne n'est qu'une *microréalité* d'une *macroréalité encore plus grande,* qui est une petite partie d'une réalité encore plus grande – et ainsi de suite, sans fin, pour toujours et encore toujours, dans les siècles des siècles.

Nous sommes Dieu – le « Ça qui est » – constamment en train de créer notre Soi, constamment en train d'être ce que nous sommes maintenant... jusqu'à ce que nous ne soyons plus cela, mais que nous devenions autre chose.

Même la pierre ne sera pas éternellement une pierre : elle n'en sera une que pour ce qui « paraît une éternité ». Avant d'être une pierre, c'était autre chose qui s'est fossilisé dans cette pierre, à travers un processus exigeant des centaines de milliers d'années. Cela avait déjà été autre chose, et ce sera autre chose encore.

Il en va de même pour toi. Tu n'as pas toujours été celui que tu es maintenant. Tu étais autre. Et aujourd'hui, tel que tu es, dans ton extrême magnificence, tu es vraiment... « autre chose à nouveau ».

Terrible ! Étonnant ! En fait, c'est absolument *étonnant* ! Je n'ai jamais rien entendu de semblable. Tu as pris toute la cosmologie de la vie et tu l'as exprimée dans des termes que je peux saisir. C'est fabuleux.

Eh bien, merci. J'apprécie. Je fais de mon mieux.

Tu travailles diablement bien !

Ce n'est sans doute pas l'expression que tu aurais dû choisir ici.

Houp !

Je plaisantais. Pour alléger les choses. Pour qu'on s'amuse un peu. En fait, Je ne peux pas être « offensé ». Mais tes semblables humains se permettent souvent de l'être en mon nom.

Oui, j'ai remarqué. Mais, pour revenir sur nos propos, je crois que je viens de saisir quelque chose.

Qu'est-ce que c'est ?

Toute l'explication s'est déroulée à partir d'une seule question : « Comment se fait-il que le "temps" existe alors que nous sommes dans le corps, et non quand l'âme est libérée ? » Et tu sembles affirmer, que le « temps » est en fait une *perspective* ; qu'il n'« existe » pas ni ne « cesse d'exister », mais que lorsque l'âme change de perspective, nous faisons l'expérience de l'ultime réalité de façons différentes.

C'est exactement ce que Je dis ! Tu as bien saisi !

Et tu soulignais un point plus considérable : dans le macrocosme, l'âme est consciente de la *relation directe* entre la pensée et la création, entre les idées et l'expérience.

Oui, au macroniveau, c'est comme la différence entre voir la roche et y voir le mouvement à l'intérieur. Il n'y a pas de « temps » entre le mouvement des atomes et l'apparition de la roche qu'il crée. La roche « est », alors même que les mouvements ont lieu. En effet, parce que les mouvements ont lieu. Cette relation de cause à effet est instantanée. Le mouvement se produit, et la pierre est « en train d'être », tout en « même temps ».

C'est ce que réalise l'âme au moment de ce que vous appelez la « mort». C'est un simple changement de perspective. Comme tu vois davantage, tu comprends davantage.

Après la mort, tu n'es plus limité à ta compréhension. Tu vois la roche, et tu vois dans la roche. Tu regarderas ce qui semble être à présent les aspects les plus complexes de la vie et tu diras : « Bien sûr ». Tout sera très clair pour toi.

Puis, de nouveaux mystères s'offriront à ta contemplation. À mesure que tu te déplaceras sur la Roue cosmique, il y aura des réalités de plus en plus grandes – des vérités de plus en plus grandes.

Mais si tu peux te rappeler cette vérité – selon laquelle ta perspective crée tes pensées, et que tes pensées créent tout, et si tu peux te la rappeler *avant de quitter ton corps*, et non après, *toute ta vie changera*.

Et la façon de maîtriser les pensées, c'est de changer de point de vue.

Exactement. Adopte une nouvelle perspective et tout te paraîtra différent. Ainsi, tu auras appris à maîtriser ta pensée : pour la création de ton expérience, tout est dans la maîtrise de cette pensée.

Certaines personnes appellent cela la prière constante.

Tu as déjà dit cela, mais je ne crois pas avoir songé à la prière de ce point de vue.

Pourquoi n'examines-tu pas ce qui se passerait si tu le faisais ? Si tu imaginais que le fait de maîtriser et de diriger tes pensées est la forme la plus élevée de la prière, tu ne penserais qu'à de bonnes choses, qu'à des choses justes. Tu ne t'enfoncerais pas dans la négativité et l'obscurité, bien que tu puisses t'y baigner. Et lorsque les choses se présentent plutôt mal – peut-être surtout dans ces moments-là –, tu ne verrais que la perfection.

Tu es revenu là-dessus à maintes reprises.

Je te donne des outils. Avec ces outils, tu pourras transformer ta vie. Je répète les plus importants d'entre eux. Je les répète souvent, car la répétition engendrera la re-connaissance – « le fait de connaître à nouveau » – lorsque tu en auras le plus grand besoin.

Tout ce qui se produit – tout ce qui s'est produit, se produit et se produira jamais – est la manifestation physique extérieure de tes pensées, de tes choix, de tes idées et de tes déterminations les plus intimes concernant qui tu es et qui tu choisis d'être. Par conséquent, ne condamne pas les aspects de la vie avec lesquels tu es en désaccord. Cherche plutôt à les changer, ainsi que les conditions qui les ont rendus possibles.

Regarde l'obscurité, mais ne la maudis pas. Éclaire-la plutôt, et ainsi, transforme-la. Laisse luire ta lumière devant les hommes afin que ceux qui se tiennent dans l'obscurité soient illuminés par la lumière de ton être et que vous tous voyiez, enfin, *qui vous êtes vraiment*.

Sois un Messager de la Lumière. Car ta lumière peut éclairer davantage que ton propre chemin. Elle peut vraiment éclairer le monde.

Continue de briller, alors, ô luminaire ! Continue de briller ! Que le moment de ta plus grande obscurité puisse devenir ton plus grand cadeau. Et alors même que tu reçois un cadeau, ainsi, offre-le aux autres pour leur donner un trésor indicible : eux-mêmes.

Que ce soit ta tâche, que ce soit ta plus grande joie : redonner les gens à eux-mêmes. Même à l'heure la plus sombre. Surtout à cette heure-là.

Le monde t'attend. Guéris-le. Maintenant. Là où tu te trouves. Ton action peut être considérable.

Car mes brebis sont perdues, et il faut maintenant les retrouver. Soyez donc de bons bergers et ramenez-les-moi.

4

Merci. Merci pour cet appel et ce défi. Merci d'avoir placé cet objectif devant moi. Merci de toujours me garder dans la direction que, tu le sais, je veux vraiment prendre. C'est pour cela que je viens vers toi. C'est pourquoi j'aime et bénis ce dialogue. Car c'est en conversant avec toi que je trouve le Divin en moi et que je commence à le voir chez les autres.

Mon très cher, les cieux se réjouissent lorsque tu exprimes cela. C'est la raison même pour laquelle Je suis venu vers toi et viendrai vers quiconque m'appellera. Tout comme Je suis venu vers ceux qui lisent maintenant ces lignes. Car cette conversation n'a jamais été destinée à toi seul ; elle s'adressait à des millions de gens dans le monde. Et elle a été placée entre les mains de chacun, au moment exact où il le fallait, parfois de la façon la plus miraculeuse. Elle les a amenés vers la sagesse qu'eux-mêmes ont invoquée, parfaitement adaptée à cet instant de leur vie.

Voilà le miracle de ce qui se manifeste ici : le fait que chacun de vous arrive à ce résultat. Comme si quelqu'un d'autre vous avait offert ce livre, vous avait mené vers cette conversation, vous avait ouvert à ce dialogue. Et pourtant, c'est *vous qui vous êtes amené ici.*

Alors, explorons maintenant les autres questions que tu gardes encore dans ton coeur.

Pouvons-nous, s'il te plaît, reparler de la vie après la mort ? Comme tu étais en train d'expliquer ce qui survient à l'âme après la mort, je veux en savoir autant que possible là-dessus.

Soit. Nous en parlerons jusqu'à ce que ton désir ait été satisfait. J'ai déjà dit que ce qui arrivait, c'était ce que tu voulais voir arriver.

J'étais sérieux. Tu crées ta propre réalité, non seulement lorsque tu es dans ton corps, mais aussi, lorsque tu en es détaché.

Au début, tu ne le réalises peut-être pas et, par conséquent, tu ne crées peut-être pas consciemment ta réalité. Ton expérience sera alors créée par l'une ou l'autre de ces énergies : tes pensées non maîtrisées ou la conscience collective.

Si tes pensées non maîtrisées sont plus fortes que la conscience collective, elles deviendront ton expérience de la réalité. Par contre, si la conscience collective est acceptée, absorbée et intériorisée, c'est *elle* qui deviendra ton expérience de la réalité.

C'est exactement de la même façon que tu crées ce que tu nommes réalité dans la vie présente.

À tout moment, dans la vie, tu te trouves devant trois choix :

1. Tu peux laisser tes pensées non maîtrisées créer l'instant.
2. Tu peux laisser ta conscience créative créer l'instant.
3. Tu peux laisser la conscience collective créer l'instant.

Voici l'ironie de la chose : dans ta vie présente, tu trouves difficile de créer consciemment à partir de ta conscience individuelle et tu tiens souvent pour acquis que tes notions personnelles sont fausses, étant donné tout ce que tu vois autour de toi. Par conséquent, tu abdiques devant la conscience collective, que cela te serve ou non.

Par contre, dès tes premiers instants dans ce que tu appelles l'au-delà, tu trouveras peut-être difficile d'abdiquer devant la conscience collective, étant donné tout ce que tu verras autour de toi (et qui te semblera peut-être incroyable) : tu seras donc tenté de t'accrocher à tes propres vues, qu'elles te servent ou non.

Je te rappelle ceci : Lorsque tu t'entoures d'une conscience inférieure, tu tires le plus grand avantage du fait de garder tes propres vues ; quand tu t'entoures d'une conscience supérieure, tu tires le plus grand avantage de l'abdication.

Par conséquent, il est peut-être sage de chercher des êtres d'une conscience supérieure. Je ne peux trop insister sur l'importance de la compagnie que tu choisis.

Dans ce que tu appelles l'au-delà, tu n'as pas à t'inquiéter à ce propos, car tu seras instantanément et automatiquement entouré d'êtres à la conscience élevée – et de cette conscience élevée elle-même.

Cependant, tu ne sauras peut-être pas que tu es enveloppé aussi affectueusement ; tu ne comprendras peut-être pas immédiatement. Par conséquent, il te semblera peut-être que les choses t'« arrivent » ; que tu es à la merci des hasards qui fonctionneront à cet instant. En vérité, tu feras alors l'expérience de la conscience dans laquelle tu meurs.

Certains d'entre vous ont des attentes sans même le savoir. Toute votre vie, vous pensez à ce qui se produit après la mort, et lorsque vous « mourez », ces pensées se manifestent, et soudainement, vous réalisez (vous rendez réel) ce à quoi vous aviez pensé. Et ce sont vos pensées les plus fortes, celles que vous avez entretenues avec le plus de ferveur qui, comme toujours dans la vie, prévaudront.

Ainsi, une personne *pourrait* aller en enfer. Si des gens ont cru toute leur vie que l'enfer existe vraiment, que Dieu jugera « les vivants et les morts », qu'il séparera « le bon grain de l'ivraie » et les « chèvres des brebis », et qu'immanquablement ils « iront en enfer » étant donné toutes leurs offenses envers Dieu, alors ils iront en enfer ! Ils brûleront dans les flammes éternelles de la damnation! Comment pourraient-ils y échapper ? Tu as répété, tout au long de ce dialogue, que l'enfer n'existait pas. Mais tu as dit, également, que nous créons notre propre réalité et que nous avons le pouvoir de créer toute réalité, à partir de nos pensées. Alors, le feu de l'enfer et la damnation pourraient exister et *existent vraiment pour ceux qui y croient.*

Dans l'ultime réalité, rien n'existe, sinon *ce qui est.* Tu as raison de souligner que l'on peut créer la réalité que l'on choisit – y compris l'expérience de l'enfer telle que tu la décris. Je n'ai jamais affirmé, à aucun moment de tout ce dialogue, qu'on ne pouvait pas faire l'expérience de l'enfer ; J'ai simplement dit que l'enfer n'existait pas. *La plus grande partie de ce dont vous faites l'expérience n'existe pas, mais cela ne vous empêche pas d'en faire l'expérience.*

C'est incroyable ! Un ami à moi, Barnet Bain, vient de produire un film là-dessus. *Exactement* là-dessus. Au moment où j'écris ces lignes, nous sommes le 7 août 1998. J'insère ceci dans le dialogue, dans le texte d'une discussion qui date de deux ans, ce que je n'ai jamais fait auparavant. Mais juste avant d'envoyer ce manuscrit à l'éditeur, au moment où j'étais en train de le relire une dernière fois, j'ai pris conscience que Robin Williams venait de tourner dans un film qui traite *exactement* de ce dont nous parlons ici. Ce film s'intitule *What Dreams May Come (Au-delà de nos rêves)* et décrit de manière renversante, par le biais du cinéma, ce que tu viens de dire.

Je le connais.

Tu le connais ? *Dieu va au cinéma ?*

Dieu fait des films.

Génial !

Oui. Tu n'as jamais vu *Oh, God* ?

Oui, bien sûr, mais...

Et quoi, tu crois que Dieu se contente d'écrire des livres ?

Alors, le film avec Robin Williams est-il à prendre au pied de la lettre ? Je veux dire : cela se passe-t-il de la sorte ?

Non. Aucun film, aucun livre ni aucune autre explication humaine du Divin n'est à prendre au pied de la lettre.

Pas même la Bible ? La Bible n'est pas à prendre au pied de la lettre ?

Non. Tu le sais, Je crois.

Eh bien, et ce livre-ci ? Ce livre-ci est sûrement à prendre au pied de la lettre !

Non. Je n'aime pas te le dire, mais tu transmets ceci à travers ton filtre personnel. Bon, d'accord : ton filtre est plus mince, plus fin. Tu es devenu un très bon filtre. Mais tu es tout de même un filtre.

Je sais. Je voulais seulement que cela soit dit une fois de plus, ici, car certaines personnes prennent les livres comme celui-ci et les films comme *Au-delà de nos rêves*, au pied de la lettre. Et j'aimerais qu'ils cessent de le faire.

Les scénaristes et les producteurs de ce film ont transmis une très grande vérité à travers un filtre imparfait. L'argument qu'ils ont cherché à défendre est le suivant : après la mort, tu feras exactement l'expérience de ce à quoi tu t'attends, de ce dont tu choisis de faire l'expérience. Ils ont défendu cet argument d'une façon très efficace.
Bon, revenons à notre discussion.

Oui. J'aimerais savoir précisément ce que je voulais savoir en regardant ce film. S'il n'y a pas d'enfer, mais que je fais l'expérience de l'enfer, *quelle est la différence, bon Dieu* ?

Il n'y en a aucune, aussi longtemps que tu demeures dans la réalité que tu as créée. Mais tu ne créeras pas une telle réalité pour toujours. Certains d'entre vous n'en feront pas l'expérience plus longtemps que ce qu'ils appelleraient une « nanoseconde ». Par conséquent, vous ne ferez pas l'expérience, pas même en imagination, d'un endroit de tristesse ou de souffrance.

Qu'est-ce qui m'empêcherait de créer un tel endroit pour l'éternité, si j'ai cru toute ma vie qu'il existe et que l'un de mes gestes me l'a fait mériter ?

Ta connaissance et ta compréhension.

Tout comme, dans cette vie, ton prochain instant sera créé à partir des notions nouvelles que tu as acquises de ton dernier instant, dans ce que tu appelles l'au-delà, tu créeras un nouvel instant à partir de ce que tu es arrivé à savoir et à comprendre dans l'instant précédent.

Et l'une des choses que tu arriveras à connaître et à saisir très rapidement est celle-ci : tu peux toujours choisir ton expérience. Car dans l'au-delà, les résultats sont instantanés, et tu ne manqueras pas d'établir le lien entre tes pensées et l'expérience qu'elles créent.

Tu comprendras que tu crées ta propre réalité.

Cela expliquerait pourquoi certains ont une expérience heureuse, et d'autres, une expérience effrayante ; pourquoi certains ont une expérience profonde, tandis que d'autres n'en ont quasiment aucune; et pourquoi il existe tant de récits divers sur ce qui se passe dans les instants qui suivent la mort.

Certains reviennent d'expériences du seuil de la mort remplis de paix et d'amour, et n'ont plus jamais peur de la mort, tandis que d'autres en reviennent très effrayés, convaincus d'avoir rencontré des forces obscures et maléfiques.

L'âme réagit à – et recrée – la suggestion la plus forte de l'esprit et la reproduit dans son expérience.

Certaines âmes demeurent quelque temps dans cette expérience, en la rendant très réelle – tout comme elles demeuraient dans leurs expériences lorsqu'elles étaient dans le corps, même si elles étaient tout aussi irréelles et fugitives. D'autres âmes s'ajustent rapidement, prennent l'expérience pour ce qu'elle est, commencent à produire de nouvelles pensées et passent immédiatement à d'autres expériences.

Tu veux dire que dans l'au-delà, les choses ne se *passent* pas d'une façon particulière ? Et qu'il n'existe pas de vérités éternelles à l'extérieur de notre esprit ? Après notre mort, continuons-nous de créer des mythes, des légendes et des expériences factices jusque dans la réalité suivante ? Quand sommes-nous libérés de ces attaches ? Quand en arrivons-nous à connaître la vérité ?

Quand vous choisissez de le faire. C'était ce que voulait dire le film avec Robin Williams. C'est l'argument avancé ici. Si votre seul désir est de connaître l'éternelle vérité de *tout ce qui est*, de comprendre les grands mystères, de faire l'expérience de la réalité la plus grande, vous y arriverez.

Oui, il y existe une unique grande vérité ; il existe une réalité finale. Mais vous recevrez toujours ce que vous choisissez, sans égard à cette réalité – précisément parce qu'en réalité, vous êtes une créature divine, créant divinement votre réalité au moment même où vous en faites l'expérience.

Mais si vous choisissez de cesser de créer votre propre réalité individuelle et commencez à comprendre et à faire l'expérience d'une réalité plus vaste, unifiée, vous aurez une occasion immédiate de le faire.

Ceux qui « meurent » dans l'état de ce choix, de ce désir, de cette volonté et de cette connaissance, passent immédiatement à l'expérience de l'unité. Les autres n'en font l'expérience que s'ils le désirent, comme ils le veulent et quand ils le veulent.

Il en va précisément de même lorsque l'âme est avec le corps.

Tout est question de désir, de choix, de création et, en définitive, de création de « l'incréable » ; c'est-à-dire que vous faites ainsi l'expérience de ce qui a *déjà été créé*.

C'est le créateur créé. Celui qui bouge sans bouger. C'est l'alpha et l'oméga, l'avant et l'après, l'aspect maintenant-alors-toujours de tout, que vous appelez Dieu.

Je ne t'abandonnerai pas, mais Je ne m'imposerai pas à toi. Je ne l'ai jamais fait et ne le ferai jamais. Tu me reviendras chaque fois que tu le voudras. À présent, tandis que tu es avec ton corps, ou après que tu l'auras quitté. Chaque fois qu'il te plaira, tu pourras retourner à l'Un et faire l'expérience de la perte de ton être individuel. Tu pourras également recréer l'expérience de ton Soi individuel.

Tu peux faire l'expérience, comme il te plaira, de n'importe quel aspect de *tout ce qui est*, dans une proportion infime ou grandiose. Tu peux faire l'expérience du microcosme ou du macrocosme.

Je peux faire l'expérience de la particule ou de la pierre.

Oui. Bien. Tu comprends.

Quand tu résides dans le corps humain, tu fais l'expérience d'une portion inférieure au tout, c'est-à-dire d'une portion du microcosme (bien que ce n'en soit aucunement la plus petite). Lorsque tu résideras hors du corps (dans ce que certains appelleraient le « monde des esprits »), tu auras élargi ta perspective par sauts quantiques. Tu auras l'impression soudaine de tout connaître, et il t'apparaîtra clairement que *tout ce qui est* est encore plus grand que la réalité dont tu feras alors l'expérience. Cela te remplira immédiatement d'étonnement et d'anticipation, d'émerveillement et d'excitation, de joie et d'hilarité, car alors, tu sauras et comprendras ce que Je sais et comprends : que le jeu ne finit jamais.

Arriverai-je un jour à un espace de sagesse véritable ?

Durant la période qui suivra ta « mort », tu pourras choisir de recevoir une réponse à chaque question que tu t'es jamais posée – et de t'ouvrir à de nouvelles questions dont tu n'as jamais rêvé l'existence. Tu pourras choisir de faire l'expérience de l'unité avec *tout ce qui existe.* Et tu auras une chance de décider de ce que tu veux être, faire et avoir ensuite.

Choisis-tu de retourner à ton corps le plus récent ? Choisis-tu de refaire l'expérience de la vie sous une forme humaine, ou sous une autre ?

Choisis-tu de rester où tu es, dans le « monde des esprits », au niveau dont tu feras alors l'expérience ? Choisis-tu de continuer, d'aller plus loin, dans ta connaissance et ton expérience ? Choisis-tu de « perdre ton identité » complètement et de faire partie de l'Un ?

Que choisis-tu ? Que choisis-tu ? Que *choisis*-tu ?

Toujours, voilà la question que Je te poserai. Toujours, voilà l'interrogation de l'univers. Car l'univers ne sait rien d'autre que de t'accorder ton souhait le plus cher, ton désir le plus grand. En effet, il fait cela à chaque instant, chaque jour. La différence entre toi et moi, c'est que tu n'en es pas conscient.

Moi, je le suis.

Dis-moi... ma famille, les êtres qui me sont chers, me rencontreront-ils après ma mort et m'aideront-ils à comprendre ce qui se passe, comme certaines gens disent qu'ils le feront ? Retrouverai-je « ceux qui sont partis avant moi » ? Serons-nous capables de passer l'éternité ensemble ?

Que choisis-tu ? Choisis-tu que ces choses arrivent ? Alors elles arriveront.

D'accord, je suis confus. Es-tu en train de dire que nous profitons tous du libre arbitre et que ce libre arbitre s'étend même au-delà de notre mort ?

Oui, c'est bien ce que Je dis.

Si telle est la vérité, le libre arbitre des gens qui me sont chers devrait coïncider avec le mien – ces individus devraient avoir la même pensée et un désir identique au mien, au même moment –, sinon ils ne seraient pas là à l'instant de ma mort. Et si je voulais passer le reste de l'éternité avec eux, mais que certains d'entre eux voulaient passer à autre chose ? Peut-être que l'un d'entre eux voudrait monter toujours plus haut, dans cette expérience de réunification avec l'un, comme tu l'exprimes. Que se passerait-il, alors ?

Aucune contradiction n'existe dans l'univers. Il y a des choses qui ressemblent à des contradictions, mais en fait, il n'y en a aucune. S'il se produisait une situation semblable à celle que tu décris (d'ailleurs, c'est une très bonne question), vous seriez tous capables de recevoir ce que vous auriez choisi.

Tous ?

Tous.

Puis-je te demander comment ?

Tu peux.

D'accord. Comment...

Quelle idée te fais-tu de Dieu ? Crois-tu que Je n'existe qu'en un seul endroit ?

Non. Je crois que tu existes partout en même temps. Je crois que Dieu est omniprésent.

Eh bien, tu as raison là-dessus. Il n'est aucun endroit où Je ne sois pas. Comprends-tu cela ?

Je crois bien.

Bien. Alors, qu'est-ce qui te fait croire que ce soit différent dans ton cas ?

Parce que tu es Dieu et que je ne suis qu'un simple mortel.

Je vois. Nous voilà encore aux prises avec cette histoire de « simple mortel »...

D'accord, d'accord... supposons que je tienne pour acquis, aux fins de cette discussion, que moi aussi, je suis Dieu – ou du moins, que je suis fait de la même étoffe que Dieu. Alors, es-tu en train de dire que je peux aussi être partout, tout le temps ?

Tout ce qui compte, c'est ce que la conscience choisit d'entretenir dans sa réalité. Dans ce que tu appellerais le « monde des esprits », ce que tu peux imaginer, tu peux l'expérimenter. Si tu veux donc faire l'expérience de n'être qu'une seule âme, en un seul endroit, en un seul « temps », tu peux le faire. Mais si tu veux faire l'expérience du fait que ton esprit est plus grand que cela, qu'il se trouve à plus d'un endroit en même « temps », tu *peux également le faire*. En effet, tu pourras faire l'expérience que ton âme se trouve *partout où tu le voudras*, n'importe « quand ». Car en vérité, il n'y a qu'un seul « temps » et un seul « lieu », et tu t'y trouves partout, toujours. Tu pourras ainsi faire l'expérience de toute partie, ou toutes les parties que tu veux, chaque fois que tu le choisiras.

Et si je veux que les membres de ma famille soient avec moi, mais que l'un d'entre eux veut faire « partie du Tout » qui est ailleurs ? Que se passera-t-il, alors ?

Il est possible que ta famille et toi ne vouliez pas la même chose. Toi et moi, et ta famille et moi – nous tous – ne formons qu'un seul et même être.

Quand tu désires une chose, c'est moi qui désire une chose, puisque tu es tout simplement moi en train de jouer l'expérience appelée *désir*. En somme, ton désir est aussi le mien.

Ta famille et moi ne faisons qu'un, également. Par conséquent, leur désir est aussi le mien et il s'ensuit que tes désirs sont aussi ceux de ta famille.

Sur Terre, il est également vrai que vous désirez tous les mêmes choses. Vous désirez la paix, la prospérité, la joie et l'accomplissement. Vous désirez la satisfaction et l'expression de soi dans votre travail, l'amour dans votre vie, la santé dans votre corps. Vous désirez tous les mêmes choses.

Crois-tu que ce soit une coïncidence ? Non. *C'est ainsi que fonctionne la vie*. C'est ce que je suis en train de t'expliquer.

La seule chose qui soit différente, sur Terre, de la façon dont les choses se déroulent dans ce que vous appelez le monde des esprits, est la suivante : sur Terre, alors que vous désirez tous la même chose, vous avez des idées différentes sur la façon d'y arriver. Ainsi, vous allez tous dans des directions diverses, pour, en fait, chercher la même chose !

Ce sont ces idées différentes qui produisent des résultats autres. Ces idées, on pourrait les appeler vos pensées racines. Je t'en ai déjà parlé.

Oui, dans le tome 1.

Parmi ces pensées que partagent un grand nombre d'entre vous, il y a votre idée d'insuffisance. Beaucoup d'entre vous croient au plus profond de leur être qu'il y a un *manque*. Un manque de *tout*.

Un manque d'amour, d'argent, de nourriture, un manque de vêtements, de logements, un manque de temps, de bonnes idées en circulation et, certainement, un manque de vous.

Cette pensée racine vous pousse à utiliser toutes sortes de stratégies et de tactiques pour chercher à acquérir ce qui, selon vous, « manque ». Ce sont des approches que vous abandonneriez immédiatement si vous saviez clairement qu'il y a assez, pour chacun, de tout ce que vous désirez.

Dans ce que vous appelez le « ciel », vos idées de « manque » disparaissent, car vous devenez conscient du fait qu'il n'y a aucune séparation entre vous et ce que vous désirez.

Vous avez conscience qu'une quantité plus que suffisante de vous s'y trouve. Vous avez conscience du fait que vous pouvez être à plus d'un endroit à n'importe quel « moment » donné : il n'y a donc aucune raison de ne pas vouloir ce que veut votre frère, de ne pas choisir ce que choisit votre soeur. S'ils vous veulent dans leur espace au moment de leur mort, le seul fait qu'ils pensent à vous vous appelle vers eux – et vous n'avez aucune raison de ne pas courir vers eux, puisque le fait d'y aller n'enlève rien à tout ce que vous pouvez être en train de faire.

Cet état, celui de n'avoir aucune raison de dire non, c'est celui dans lequel Je réside à tout moment.

Tu l'as déjà entendu dire, et c'est vrai : Dieu ne dit jamais non.

Je te donnerai exactement tout ce que tu désires, toujours. Tout comme Je le fais depuis le début des temps.

Donnes-tu vraiment toujours à chacun exactement ce qu'il désire
à n'importe quel moment donné ?

Oui, mon bien-aimé, c'est bien ce que Je fais.

Ta vie est un reflet de ce que tu désires et de ce que tu crois pouvoir
obtenir de ce que tu désires. Je ne peux te donner ce que tu ne crois pas
pouvoir recevoir – peu importe à quel point tu le désires –, car Je ne
dérogerai pas de l'idée que tu t'en fais. Je ne peux pas. C'est la loi
cosmique.

Croire qu'on ne peut avoir quelque chose, c'est comme ne pas la
désirer, car cela produit le même résultat.

Mais sur Terre, nous ne pouvons avoir *tout* ce que nous désirons.
Nous ne pouvons nous trouver à deux endroits en même temps, par
exemple. Et il y a bien d'autres choses que nous pouvons désirer
sans pouvoir les obtenir puisque, sur la Terre, nous sommes tous
limités.

Je sais que tu vois les choses ainsi et que, par conséquent, cela se
passe ainsi pour vous, car une chose demeure éternellement vraie : vous
recevez toujours l'expérience que vous croyez devoir recevoir.

Ainsi, si vous dites que vous ne pouvez vous trouver à deux endroits
en même temps, vous ne pourrez y être. Mais si vous affirmez que vous
pouvez être partout où vous le voulez, à la vitesse de votre pensée, et que
vous pouvez même vous manifester sous la forme physique à plus d'un
endroit à n'importe quel moment donné, alors vous pourrez le faire.

Là je ne te suis plus. Je veux bien croire que cette information
provient directement de Dieu, mais quand tu tiens des propos semblables, ça m'énerve parce que je ne peux pas y adhérer. Je ne pense
pas que ce que tu viens de dire soit vrai. Rien, dans l'expérience
humaine, ne l'a démontré.

Au contraire. Des saints et des sages de toutes les religions ont déclaré avoir fait ces choses. Faut-il avoir un degré de foi très élevé ? Un degré de foi *extraordinaire* ? Le degré de foi atteint par un seul être en un millier d'années ? Oui. Cela veut-il dire que c'est impossible ? Non.

Comment puis-je produire cette foi ? Comment puis-je atteindre ce degré de foi ?

Tu ne peux pas y arriver. Tu ne peux qu'y *être*. Et Je n'essaie pas de jouer sur les mots. C'est exactement ce que Je veux dire. Ce genre de foi – que J'appellerais connaissance complète – n'est pas quelque chose qu'on essaie d'acquérir. En fait, si tu tentes de l'*acquérir*, tu ne peux pas l'avoir. C'est quelque chose qu'on *est*, tout simplement. Tu *es* tout simplement cette connaissance. Tu *es* cet être.

Un tel état d'être provient d'un état de *conscience totale*. Il ne peut provenir que d'un tel état. Si tu cherches à *devenir* conscient, tu ne peux l'être.

C'est comme essayer de « faire » un mètre quatre-vingt-cinq alors que tu mesures un mètre soixante. Tu « feras » un mètre quatre-vingt-cinq quand tu deviendras assez grand pour l'accepter. Quand tu seras d'un mètre quatre-vingt-cinq, tu seras alors capable de faire tout ce que peuvent faire les gens d'un mètre quatre-vingt-cinq. Et quand tu seras dans un état de conscience totale, tu seras à même de faire tout ce que peuvent faire les êtres dans un état de conscience totale.

Il est donc inutile d'« essayer de croire » que tu peux faire ces choses. Essaie plutôt de passer à un état de conscience totale. Ainsi, il ne sera plus nécessaire de croire. La connaissance complète accomplira ses merveilles.

Un jour, alors que je méditais, j'ai fait l'expérience de l'unité totale, de la conscience totale. C'était merveilleux. C'était l'extase. Depuis ce jour, je tente de revivre cette expérience. Je m'assois en position de méditation et j'essaie de retrouver cette conscience totale. Mais je n'en ai jamais été capable. Voilà la raison, n'est-ce pas ? Tant que je chercherai à obtenir une chose, je ne pourrai l'avoir, puisque le seul fait de la chercher, c'est affirmer que je ne l'ai pas. C'est la sagesse que tu m'as transmise tout au long de ce dialogue.

Oui, oui. Maintenant, tu comprends. Cela devient plus clair pour toi. C'est pourquoi nous continuons de tourner en rond, de répéter des choses et de revoir des choses. Tu saisis la troisième fois, la quatrième, peut-être la cinquième.

Bon, je suis heureux d'avoir posé la question, car ça peut être dangereux, cette histoire de « pouvoir être à deux endroits en même temps », ou de « pouvoir faire tout ce qu'on veut ». C'est le genre de chose qui pousse des gens à sauter du haut de l'Empire State Building en criant : « Je suis Dieu ! Regardez-moi ! Je peux voler ! »

Avant de faire cela, mieux vaut se trouver dans un état de conscience totale. Si tu essaies de prouver que tu es Dieu en en faisant la démonstration aux autres, alors tu ne sais pas que tu l'es, et cette « inconnaissance » s'exprimera dans ta réalité. Bref, tu tomberas de haut.

Dieu ne cherche pas à prouver quoi que ce soit, car Dieu n'a pas besoin de le faire. Dieu Est, et c'est ce qui est. Ceux qui savent qu'ils sont en union avec Dieu, ou qui font l'expérience intérieure de Dieu, n'ont pas besoin et n'essaient pas de le prouver à qui que ce soit, surtout pas à eux-mêmes.

Et ainsi, lorsqu'ils le tentèrent en disant : « Si tu es le Fils de Dieu, descends de cette croix ! », l'homme appelé Jésus n'en fit rien.

Mais trois jours plus tard, calmement et discrètement, alors qu'il n'y avait ni témoins ni foules, ni personne à qui prouver quoi que ce soit, il fit une chose beaucoup plus étonnante – et depuis lors, le monde en parle.

Et dans ce miracle se trouve ton salut, car on t'a montré la vérité, non seulement celle de Jésus, mais celle de *Qui Tu Es*, et tu pourrais ainsi être sauvé du mensonge qu'on t'a raconté à propos de toi-même et que tu as pris pour ta vérité.

Dieu t'invite toujours à l'idée la plus élevée que tu te fais de toi-même.

Présentement, sur votre planète, des gens ont manifesté déjà un grand nombre de ces pensées élevées ; entre autres, ils ont fait apparaître et disparaître des objets matériels, eux-mêmes sont apparus et disparus, ils ont même « vécu à jamais » dans le corps, ou sont revenus au corps pour revivre – et tout cela a été rendu possible par leur foi. Par leur connaissance. Par leur immuable clarté quant à la nature et au sens des choses.

Par le passé, chaque fois que des gens ont fait cela sous leur forme terrestre, vous avez appelé ces événements des miracles et avez fait de ces gens des saints et des sauveurs ; pourtant, ils ne sont pas plus saints ni plus sauveurs que vous. Car vous êtes tous des saints et des sauveurs. *Et c'est le message même qu'ils vous ont apporté.*

Comment puis-je croire cela ? Je veux croire cela de tout mon cœur, mais je ne peux pas. Je ne peux tout simplement pas.

En réalité, tu ne peux pas le croire. Tu ne peux que le *savoir.*

Comment puis-je le savoir ? Comment puis-je en arriver là ?

Tout ce que tu choisis pour toi-même, donne-le à un autre. Si tu ne peux en arriver là, aide quelqu'un d'autre à en arriver là. Dis à quelqu'un d'autre qu'il y est déjà. Louange-le pour cela. Honore-le pour cela.

Voilà l'avantage d'avoir un gourou. Tout est là. En Occident, on a accolé beaucoup d'énergie négative au mot « gourou ». Il est quasiment devenu péjoratif. Être un « gourou », c'est être un charlatan... ou presque. Prêter allégeance à un gourou, c'est comme céder ton pouvoir.

Honorer ton gourou, ce n'est pas céder ton pouvoir. *C'est recevoir ton pouvoir.* Car lorsque tu honores le gourou, lorsque tu loues ton maître, ce que tu lui dis, c'est : « Je te vois. » Et ce que tu vois chez un autre, tu peux commencer à le voir en toi-même. C'est la preuve extérieure de ta réalité intérieure, de ta vérité intérieure, celle de ton être.

C'est la vérité transmise par toi dans les livres que tu écris.

Je ne considère pas que j'écris ces livres. C'est toi, Dieu, que je considère comme leur auteur, et je n'en suis que le scribe.

Dieu en est l'auteur... *et toi aussi*. Il n'y a aucune différence entre le fait que Je les écrive et le fait que tu les écrives. Tant que tu penseras le contraire, tu n'auras pas saisi le message même de ces écrits. Mais la plus grande partie de l'humanité n'a pas saisi cet enseignement. Ainsi, Je vous envoie de nouveaux maîtres, d'autres maîtres, tous avec le même message que les maîtres d'antan.

Je comprends ta résistance à accepter l'enseignement comme étant ta propre vérité. Si tu te promenais en prétendant, oralement ou par écrit, ne faire qu'Un avec Dieu – ou même avec une part de Dieu – le monde ne saurait que penser de toi.

Les gens peuvent croire tout ce qu'ils veulent sur moi. Je sais au moins ceci : je ne mérite pas d'être le récipiendaire de l'information donnée ici et dans les autres livres. Je ne me sens pas digne d'être le messager de cette vérité. Je travaille à ce troisième livre, mais je sais, avant même sa parution, qu'entre tous – à cause des erreurs que j'ai faites et des gestes égoïstes que j'ai commis – je ne suis tout simplement pas *digne* d'être le messager de cette merveilleuse vérité.

Mais cela, c'est peut-être le plus merveilleux message de cette trilogie : le fait que Dieu ne reste caché aux yeux de personne, mais s'adresse à tout le monde, même au moins digne d'entre nous. Car si Dieu me parle, Dieu s'adressera directement au cœur de chaque homme, femme et enfant qui cherche la vérité.

Ainsi donc, il y a de l'espoir pour nous tous. Aucun d'entre nous n'est horrible à un point tel que Dieu l'abandonnerait, ni si indigne du pardon à un point tel que Dieu se détournerait de lui.

Est-ce bien là ce que tu crois – tout ce que tu viens d'écrire ?

Oui.

Alors, ainsi soit-il, et ainsi en sera-t-il de toi.
Mais Je te dis ceci. Tu *es* digne. Comme tous les autres. L'indignité est la pire condamnation jamais adressée à la race humaine. Tu as fondé

ton sentiment de dignité sur le passé, tandis que je le fonde sur l'avenir.

L'avenir, l'avenir, toujours l'avenir! C'est là que se trouve ta vie, non pas dans le passé. C'est là que se trouve ta vérité, non pas dans le passé.

Ce que tu as fait n'a aucune importance en comparaison de ce que tu es sur le point de faire. L'étendue de ton erreur est insignifiante par rapport à la façon dont tu es sur le point de créer.

Je te pardonne tes erreurs. Toutes. Je pardonne tes passions déplacées. Toutes. Je pardonne tes conceptions erronées, tes notions peu judicieuses, tes gestes nuisibles, tes décisions égoïstes. Tout.

D'autres ne te pardonneront peut-être pas, mais moi, si. D'autres ne te déchargeront peut-être pas de ta culpabilité, mais moi, si. D'autres ne te laisseront peut-être pas oublier, continuer, devenir quelque chose de neuf, mais moi, si. Car Je sais que tu n'es pas ce que tu as été, mais que tu es et seras toujours ce que tu es maintenant.

En une minute, un pécheur peut devenir un saint. En une seconde. En un souffle.

En vérité, il n'y a pas de pécheur, car on ne peut pécher à l'endroit de personne – encore moins à mon endroit. Voilà pourquoi Je dis que Je te « pardonne ». J'utilise cette expression parce que tu sembles la comprendre.

En vérité, Je ne te pardonne pas et ne te pardonnerai *jamais quoi que ce soit*. Je n'ai pas à le faire. Il n'y a rien à pardonner. Mais Je peux te décharger. Et Je le fais à présent. Maintenant. Une fois de plus. Comme Je l'ai si souvent fait par le passé, à travers les enseignements de tant d'autres maîtres.

Pourquoi ne les avons-nous pas entendus ? Pourquoi n'avons-nous pas cru cela, ta plus grande promesse ?

Parce que vous ne pouvez croire en la bonté de Dieu. Alors, ne pensez plus à croire en ma bonté. Croyez plutôt en la simple logique.

La raison pour laquelle Je n'ai pas besoin de vous pardonner est la suivante : Vous ne pouvez ni m'offenser, ni me faire du tort, ni me détruire.

Mais vous vous croyez capables de m'offenser, et même de me blesser. Quelle illusion ! Quelle magnifique obsession !

Vous ne pouvez me blesser ni me faire de tort, d'aucune façon. Car Je suis l'inblessable. Et ce qu'on ne peut blesser ne peut et ne veut blesser personne.

Tu comprends, à présent, la logique derrière la vérité selon laquelle Je ne condamne pas, ni ne punis, ni n'ai besoin d'exiger un châtiment. Je n'ai aucun besoin, car Je n'ai jamais été, et ne pourrai jamais être, offensé ni détruit ni blessé d'aucune manière.

Parce que vous imaginez la destruction, vous exigez la revanche. Parce que vous faites l'expérience de la douleur, vous avez besoin qu'un autre en fasse l'expérience en guise de rétribution. Mais quelle justification peut-on avoir pour infliger de la douleur à un autre ? Parce que vous imaginez que quelqu'un vous a infligé une blessure, vous trouvez juste et convenable de lui en infliger une en retour ? Ce qui, selon vous, ne doit pas se faire entre humains, *vous* pouvez le faire, pourvu que vous en ayez la justification ?

C'est de la folie. Et ce que vous ne voyez pas dans cette folie, c'est que tous les gens qui infligent de la douleur à d'autres tiennent pour acquis qu'ils ont raison de le faire. Chaque geste posé par une personne *représente pour celle-ci le geste à poser*, compte tenu de ce qu'elle cherche et désire.

Et selon votre définition, c'est mal. Mais selon sa définition à elle, ce n'est pas le cas. Vous n'êtes peut-être pas d'accord avec son modèle du monde, avec ses constructions morales et éthiques, avec ses concepts théologiques, ou avec ses décisions, ses choix et ses gestes... mais ils s'accordent à elle et à ses valeurs.

Vous affirmez que ses valeurs sont « mauvaises ». Mais qui peut dire que vos valeurs sont « bonnes » ? Seulement vous. Vos valeurs sont « bonnes » parce que vous prétendez qu'elles le sont. Même cela pourrait avoir du sens si vous teniez parole à leur propos, mais vous-même changez constamment quant à ce que vous trouvez « bon » et « mauvais ». Vous le faites en tant qu'individu et comme société.

Ce que votre société trouvait « bon » il y a seulement quelques décennies, vous le trouvez « mauvais » aujourd'hui. Ce que vous considériez « mauvais » dans un passé pas très lointain, vous le trouvez maintenant « bon ». Qui peut faire la différence ? Comment pouvez-vous connaître les joueurs sans carte de pointage ?

Et pourtant, nous osons nous juger les uns les autres. Nous osons condamner parce qu'une autre personne n'a pas respecté nos propres idées changeantes à propos de ce qui est permis ou non. Ouf ! Nous sommes vraiment quelque chose. Nous ne pouvons même pas garder une notion constante de ce qui est correct et de ce qui ne l'est pas.

Là n'est pas le problème. Le problème, ce n'est pas le fait de changer d'idée sur le « bien » et le « mal ». Vous devez transformer ces idées, sinon vous n'évolueriez jamais. Le changement est un produit de l'évolution.

Le problème n'est pas que vous ayez changé ni que vos valeurs aient changé. C'est plutôt que vous soyez si nombreux à croire, avec insistance, que les valeurs que vous entretenez à présent sont bonnes et parfaites, et que tous les autres devraient y adhérer. Certains d'entre vous sont devenus autojustificateurs et satisfaits d'eux-mêmes.

Accrochez-vous à vos valeurs, si cela vous sert. Cramponnez-vous. N'abandonnez pas. Car vos idées du « bien » et du « mal » sont vos définitions de qui vous êtes. Mais n'exigez pas que d'autres se définissent selon vos termes. Et ne demeurez pas « collés » à vos croyances et coutumes actuelles au point d'arrêter le processus même de l'évolution.

En réalité, vous ne pourriez pas le faire, même si vous le vouliez, car la vie continue, avec ou sans vous. Rien ne reste identique, et rien ne peut demeurer inchangé. Rester tel quel, c'est ne pas bouger. Et ne pas bouger, c'est mourir.

Toute la vie est mouvement. Même les roches sont pleines de mouvement. Tout bouge. *Tout.* Il n'y a rien qui ne soit en mouvement. Par conséquent, en raison même du mouvement, rien n'est pareil d'un instant à l'autre. Rien.

Rester pareil, ou chercher à le faire, déroge aux lois de la vie. C'est stupide, car dans cette lutte, la vie gagne toujours.

Alors, transformez-vous ! Oui, changez vos idées à propos du bien et du mal. Changez vos notions à propos de ceci et de cela. Altérez vos structures, vos constructions, vos modèles, vos théories.

Laissez se modifier vos vérités les plus profondes. Modifiez-les vous-mêmes, pour l'amour de Dieu. Littéralement. Modifiez-les vous-mêmes, *pour l'amour de Dieu*. Car l'idée nouvelle que vous vous faites de qui vous êtes, voilà la direction dans laquelle il faut évoluer. L'idée nouvelle que vous vous faites de *ce qui est*, voilà où l'évolution s'accélère. L'idée nouvelle que vous vous faites de ces qui, quoi, où, quand, comment et pourquoi, voilà où le mystère se résout, où l'intrigue se dénoue, où l'histoire finit. Alors, vous pourrez commencer une nouvelle histoire, plus grandiose.

L'idée nouvelle que vous vous faites à propos de tout cela, voilà où se trouve la passion et la création, où Dieu-en-vous se manifeste et se réalise pleinement.

Même si vous croyez que les choses ont été « bonnes », elles peuvent être meilleures. Même si vous croyez que vos théologies, vos idéologies, vos cosmologies sont merveilleuses, elles peuvent se remplir de merveilles encore plus grandes. Car il y a « plus de choses dans le ciel et sur la terre que n'en ont rêvé vos philosophes ».

Par conséquent, soyez ouverts. Soyez OUVERTS. N'enfermez pas la possibilité d'une vérité nouvelle parce que jusqu'ici vous avez été à l'aise avec une vérité ancienne. La vie commence à la limite de votre zone de confort.

Mais ne vous empressez pas de juger les autres. Cherchez plutôt à éviter les jugements, car ce qui est « mal » pour un autre, c'est ce qui était « bien » pour vous hier ; les erreurs d'un autre individu sont vos propres gestes passés, à présent corrigés ; les choix et décisions d'une autre personne sont aussi blessants et nuisibles, aussi égoïstes et impardonnables que l'ont été un grand nombre des vôtres.

C'est lorsque vous « ne pouvez tout simplement pas imaginer » comment une autre personne a pu « faire une telle chose », que vous avez oublié d'où vous venez et où vous allez tous les deux.

Et à ceux d'entre vous qui se croient méchants, indignes et incurables, Je dis ceci : Aucun d'entre vous n'est perdu à jamais, et aucun ne le sera jamais. Car vous êtes tous, *tous*, dans le processus du devenir. Vous êtes tous, *tous*, en train de traverser l'expérience de l'évolution.

C'est ce que Je fais.

Par votre intermédiaire.

5

Je me rappelle une prière qu'on m'a apprise quand j'étais enfant. « Seigneur, je ne suis pas digne de te recevoir, mais dis une parole, et mon âme sera guérie. » Tu as prononcé ces paroles, et je me sens guéri. Je ne me sens plus indigne. Tu as une façon de faire en sorte que je me sente digne. Si je pouvais offrir un cadeau à tous les êtres humains, voilà ce que ce serait.

C'est le cadeau que tu leur as fait avec ce dialogue.

J'aimerais continuer, même une fois cette conversation terminée.

Cette conversation ne sera *jamais* terminée.

Eh bien, alors, lorsque cette trilogie sera complète.

Tu auras toujours des façons de le faire.

J'en suis très heureux, car tel est le cadeau que mon âme désire offrir. Nous avons tous un cadeau à offrir. J'aimerais que celui-ci soit le mien.

Alors, vas-y, et donne-le. Fais en sorte que tous ceux dont tu touches la vie se sentent dignes. Accorde à chacun le sentiment de sa propre dignité en tant que personne, le sentiment de la véritable merveille de sa nature. Offre ce cadeau, et tu guériras le monde.

Je te demande humblement ton aide.

Tu l'auras toujours. Nous sommes amis.

Entre-temps, j'adore ce dialogue et j'aimerais poser une question à propos d'une chose que tu as dite.

Je t'écoute.

Lorsque tu parlais de la vie « entre les vies », pour ainsi dire, tu as dit : « Vous pouvez recréer l'expérience de votre Soi individuel chaque fois que vous le choisissez. » Qu'est-ce que cela signifie ?

Simplement que tu peux émerger du Tout chaque fois que tu le désires, sous la forme d'un nouveau « Soi », ou sous la forme du même Soi qu'avant.

Tu veux dire que je peux retenir ma conscience individuelle, ma conscience de « moi », et y revenir ?

Oui. À tout moment, tu peux faire l'expérience que tu désires.

Ainsi, je peux revenir à cette vie – à la Terre – sous la forme de la personne que j'étais avant de « mourir » ?

Oui.

En chair et en os ?

As-tu entendu parler de Jésus ?

Oui, mais je ne suis pas Jésus et je ne prétendrai jamais lui ressembler.

N'a-t-il pas dit : « Ces choses, et d'autres encore, vous les ferez aussi » ?

Oui, mais il ne parlait pas de miracles comme celui-là, je ne pense pas.

Je suis désolé que tu ne le penses pas. Car Jésus n'est pas le seul ressuscité.

Ah non ? Il y en a d'autres ?

Oui.

Mon Dieu, c'est un blasphème.

C'est un blasphème que quelqu'un d'autre que le Christ ait ressuscité ?

Oui, certains le diraient.

Alors, ces gens n'ont jamais lu la Bible.

La Bible ? La Bible rapporte que d'autres gens que Jésus sont revenus dans leur corps après leur mort ?

As-tu entendu parler de Lazare ?

Oh, ce n'est pas juste. C'est grâce à la puissance du Christ qu'il a été ressuscité d'entre les morts.

Précisément. Et tu crois que la « puissance du Christ », comme tu l'appelles, n'était réservée qu'à Lazare ? Une seule personne, dans toute l'histoire du monde ?

Je n'y avais pas pensé de cette façon.

Je te dis ceci : Beaucoup ont ressuscité d'entre les « morts »

Plusieurs sont « revenus à la vie ». Cela se produit tous les jours, actuellement, dans vos hôpitaux.

Oh, allons ! Ce n'est pas juste, encore une fois. C'est de la médecine, pas de la théologie.

Oh, Je vois ! Dieu n'a rien à voir avec les miracles d'aujourd'hui, seulement avec ceux d'hier.

Hum... d'accord, je t'accorde ce point pour des raisons d'ordre technique. Mais *personne n'a ressuscité des morts de lui-même, comme Jésus l'a fait* ! Personne n'est revenu d'entre les « morts » de cette façon.

En es-tu certain ?

Eh bien... plutôt certain...

As-tu jamais entendu parler de Mahavatar Babaji ?

Je ne crois pas que nous devrions introduire des mystiques orientaux dans cette discussion. Trop de gens n'y croient pas.

Je vois. Alors, bien sûr, ils doivent avoir raison.

Dis-moi si je comprends. Es-tu en train de me dire que les âmes peuvent revenir d'entre les soi-disant « morts » sous forme d'esprits ou sous une forme physique, si tel est leur désir ?

Tu commences à comprendre, maintenant.

Très bien, alors pourquoi n'y a-t-il pas plus de gens à l'avoir fait ? Pourquoi n'en entendons-nous pas parler chaque jour ? Ce genre de chose ferait les manchettes internationales.

En réalité, plusieurs le font vraiment, sous forme d'esprits. Peu de gens, Je l'admets, choisissent de revenir au corps.

Ah ! Voilà ! Et toc ! Pourquoi pas ? Si c'est si facile, *pourquoi n'y a-t-il pas plus d'âmes qui le font* ?

Ce n'est pas une question de facilité, mais d'avantages.

C'est-à-dire ?

Très peu d'âmes désirent retourner au plan physique sous la même forme.

Si une âme choisit de revenir au corps, elle le fait presque toujours avec un autre corps ; un corps différent. Ainsi, elle commence un nouveau programme, fait l'expérience de nouveaux souvenirs, entreprend de nouvelles aventures.

Généralement, les âmes quittent le corps parce qu'elles en ont fini. Elle ont complété ce qu'elles avaient à faire en se joignant au corps. Elles ont expérimenté ce qu'elles cherchaient.

Et les gens qui meurent par accident ? Avaient-ils terminé leur expérience, ou a-t-elle été « coupée » ?

T'imagines-tu encore que les gens meurent par accident ?

Tu veux dire que tel n'est pas le cas ?

Rien dans cet univers n'arrive par accident. Il n'y a ni « accident » ni « coïncidence ».

Si je pouvais me convaincre que cela est vrai, je ne porterais plus jamais le deuil de ceux qui sont morts.

Porter le deuil pour eux, c'est la dernière chose qu'ils voudraient que tu fasses.

Si tu savais où ils sont et qu'ils sont là selon leur propre choix supérieur, tu *célébrerais* leur départ. Si, un seul instant, tu faisais l'expérience de ce que tu nommes l'au-delà, en y arrivant avec l'idée la plus grandiose que tu te fasses de toi-même et de Dieu, tu montrerais un large sourire lors des funérailles et tu laisserais ton coeur se remplir de joie.

Aux funérailles, nous pleurons notre perte. Nous sommes tristes de savoir que nous ne reverrons jamais cette personne, que nous ne la prendrons jamais plus dans nos bras. Que nous ne serrerons, ne toucherons ni ne rencontrerons plus quelqu'un que nous avons aimé.

Il est bon de pleurer, alors. Cela honore votre amour et votre bien-aimé. Mais même ce deuil serait court si vous saviez quelles réalités grandioses et quelles expériences merveilleuses attendent l'âme joyeuse qui quitte le corps.

À quoi ressemble l'au-delà ? Vraiment. Dis-moi tout.

Certaines choses ne peuvent être révélées. Non pas que Je choisis de ne pas le faire, mais parce que, dans votre état actuel, à votre niveau actuel de compréhension, vous seriez incapables de concevoir ce qu'on vous dit. Pourtant, d'autres choses peuvent être dites.

Comme nous en avons parlé plus tôt, vous pouvez faire trois choses dans ce que vous appelez l'au-delà, tout comme dans la vie dont vous faites actuellement l'expérience. Vous pouvez vous soumettre aux créations de vos pensées incontrôlées, vous pouvez créer votre expérience consciemment, par choix, ou vous pouvez faire l'expérience de la conscience collective de *tout ce qui est*. Cette dernière expérience s'appelle la réunification, ou le fait de rejoindre le Un.

Si vous empruntez la première voie, la plupart d'entre vous ne le feront pas très longtemps (à la différence de la façon dont vous vous comportez sur Terre). Car lorsque vous n'aimerez pas votre expérience, vous choisirez de créer une réalité nouvelle et plus agréable, en mettant tout simplement un frein à vos pensées négatives.

En raison de cela, vous ne ferez jamais l'expérience de l'« enfer » dont vous avez si peur, à moins de la choisir. Même dans ce cas, vous serez « heureux », puisque vous obtiendrez ce que vous voulez. (Plus de gens que vous ne le pensez sont « heureux » d'être « malheureux ».) Alors, vous continuerez d'en faire l'expérience jusqu'à ce que vous choisissiez autre chose.

La plupart d'entre vous, dès qu'ils commenceront à en faire l'expérience, s'en éloigneront afin de créer autre chose.

Exactement de la même façon, vous pouvez éliminer l'enfer de votre vie sur Terre.

Si vous empruntez la seconde voie et créez consciemment votre expérience, vous ferez sans aucun doute l'expérience d'aller « droit au ciel », car c'est ce que tous ceux qui choisissent librement, et qui croient au ciel, créeraient. Si vous ne croyez pas au ciel, vous ferez l'expérience de tout ce dont vous voulez faire l'expérience – et dès que vous comprendrez cela, vos voeux s'amélioreront sans cesse. Et alors, vous croirez vraiment au ciel !

Si vous empruntez la troisième voie et vous soumettez aux créations de la conscience collective, vous connaîtrez très rapidement l'accepta-tion totale, la paix totale, la joie totale, la conscience totale et l'amour total, car c'est là la conscience du collectif. Alors, vous ne ferez plus qu'un avec l'Unité, et il n'y aura rien d'autre que *ce que vous êtes* – qui est *tout ce qui a jamais été*, jusqu'à ce que vous décidiez autre chose. C'est le nirvana, l'expérience de « ne faire qu'un avec l'Unité », que nombre d'entre vous ont vécu très brièvement en méditation ; c'est une extase indescriptible.

Lorsque vous aurez fait l'expérience de l'Unité pendant un temps-non-temps infini, vous cesserez d'en faire l'expérience, car vous ne pouvez expérimenter l'Unité *en tant* qu'Unité à moins et jusqu'à ce qu'existe également *ce qui n'est pas un*. En comprenant cela, vous créerez, une fois de plus, l'idée et la pensée de la séparation, ou du manque d'unité.

Alors, vous continuerez de voyager sur la Roue cosmique, d'avancer, de faire le tour, d'être, toujours et à jamais, et même davantage.

Vous retournerez plusieurs fois à l'Unité – un nombre infini de fois et, chaque fois, pour une période infinie – et vous saurez que vous avez les outils nécessaires pour retourner à l'Unité à n'importe quel point de la Roue cosmique.

Vous pouvez le faire maintenant, au moment même où vous lisez ces lignes.

Vous pourrez le faire demain, au cours de votre méditation.

Vous pouvez le faire à tout moment.

Et tu as affirmé que nous n'avons pas à rester au niveau de conscience auquel nous sommes lorsque nous mourons ?

En effet. Vous pouvez passer à un autre seuil dès que vous le voulez. Ou prendre autant de « temps » que vous le voulez. Si vous « mourez » avec une perspective limitée et des pensées non maîtrisées, vous ferez l'expérience de tout ce que cet état vous apportera, jusqu'à ce que vous ne le vouliez plus. Alors, vous vous « réveillerez » – deviendrez conscient – et commencerez à faire l'expérience de vous-même en train de créer votre réalité.

Vous reverrez le premier stade et l'appellerez purgatoire. Le deuxième stade, où vous pouvez obtenir tout ce que vous voulez à la vitesse de votre pensée, vous le nommerez ciel. Le troisième stade, dans lequel vous ferez l'expérience de la félicité de l'Unité, vous l'appellerez nirvana.

À ce sujet, j'aimerais explorer autre chose. Non pas l'« après-mort », mais les expériences de décorporation. Peux-tu me les expliquer ? Que se passe-t-il, alors ?

L'essence de *qui vous êtes* a tout simplement quitté le corps physique. Cela peut se produire durant le rêve normal, souvent en état de méditation, et souvent encore de façon sublime, alors que le corps se trouve dans un sommeil profond.

Durant une telle « excursion », votre âme peut être partout où elle le veut. Souvent, la personne qui rapporte une telle expérience n'a aucun souvenir d'avoir pris des décisions volontaires à ce propos. Elle peut en tirer la simple expérience de « quelque chose qui m'est arrivé ». Cependant, aucune activité de l'âme n'est involontaire.

Au cours de ces expériences, comment pouvons-nous nous faire « montrer » des choses et comment des choses peuvent-elles nous être « révélées », si nous ne faisons que créer à mesure que nous avançons ? Ces choses ne pourraient-elles pas nous être révélées que si elles existaient en dehors de nous et non si elles faisaient partie de notre propre création. Explique-moi.

Rien n'existe en dehors de vous et rien n'est votre propre création. Même ton apparent manque de compréhension constitue ta propre création ; c'est littéralement une invention de ton imagination. Tu imagines ne pas connaître la réponse à cette question et, par conséquent, tu ne la connais pas. Mais dès que tu imagines le contraire, tu l'expérimentes.

Tu te permets ce genre de travail d'imagination afin que le processus puisse continuer.

Le processus ?

La vie. Le processus éternel.

Durant ces instants auxquels tu fais l'expérience de toi-même en train d'être « révélé » à toi-même – que ce soit ce que tu appelles des expériences hors du corps, des rêves ou des instants magiques d'éveil, tu es accueilli par une clarté cristalline –, tu as tout simplement glissé dans le « rappel ». Tu te rappelles ce que tu as déjà créé. Et ces rappels peuvent être très forts. Ils peuvent produire une épiphanie personnelle.

Lorsque tu as fait une expérience aussi magnifique, il peut être très difficile de revenir à la « vie réelle » d'une façon qui se mêle bien à ce que les autres nomment la réalité, puisque ta réalité a changé. Elle est devenue autre chose. Elle a pris de l'expansion, elle a grandi. Et elle ne peut rétrécir à nouveau. C'est comme essayer de ramener le génie dans la bouteille. C'est impossible.

Est-ce pour cette raison que bien des gens revenus d'expériences hors du corps, ou de prétendues expériences du « seuil de la mort », semblent parfois très différents ?

Exactement. Et ils *sont* différents depuis, car ils en savent tellement plus ! Mais il arrive fréquemment que plus ils s'éloignent de ces expériences, plus le temps s'écoule, plus ils retrouvent leurs comportements anciens, car ils ont à nouveau oublié ce qu'ils savent.

Y a-t-il une façon de « continuer à se rappeler » ?

Oui. Exprimez votre connaissance à chaque instant. Continuez d'agir à partir de ce que vous savez, plutôt qu'à partir de ce que le monde illusoire vous montre. Restez avec, même si les apparences sont trompeuses.

C'est ce qu'ont fait, et font, tous les maîtres. Ils ne jugent pas selon les apparences, mais agissent selon ce qu'ils savent.

Et il y a une autre façon de se rappeler.

Oui ?

Amène quelqu'un d'autre à se rappeler. Ce que tu veux pour toi, donne-le à un autre.

C'est ce que j'ai le sentiment de faire avec ces livres.

C'est exactement ce que tu es en train de faire. Et plus tu le feras, moins tu auras à le faire. Plus tu enverras ce message à un autre, moins tu devras te l'envoyer à toi-même.

Parce que mon Soi et l'autre ne font qu'Un et que ce que je donne à un autre, je me le donne à moi-même.

Tu vois : maintenant, tu me donnes les réponses. Et bien entendu, c'est ainsi que cela fonctionne.

Hourra ! Je viens de donner une réponse à Dieu ! C'est super ! C'est vraiment super !

À qui le dis-tu !

C'est ça qui est super – le fait que *ce soit moi qui te le dise.*

Et Je vais te dire ceci : Le jour viendra où nous parlerons d'Une même voix. Ce jour viendra pour tous.

Eh bien, si ce jour vient pour moi, j'aimerais m'assurer que je comprends exactement ce que tu es en train d'affirmer. Alors, j'aimerais revenir à autre chose, une seule fois. Je sais que tu l'as dit plus d'une fois, mais je veux vraiment m'assurer de bien saisir.

Ma compréhension s'avère-t-elle juste : dès que nous atteignons cet état d'Unité que plusieurs appellent nirvana – dès que nous retournons à la Source – nous n'y demeurons pas ? La raison pour laquelle je te le redemande, c'est que cela semble aller à l'encontre de ma compréhension de bien des enseignements ésotériques et mystiques orientaux.

Demeurer dans l'état de sublime vacuité, ou unité avec le Tout,

rendrait impossible le fait d'y être. Comme Je viens de l'expliquer, *ce qui est* ne peut être, sinon dans l'espace de *ce qui n'est pas.* Même la béatitude totale de l'Unité ne peut être ressentie en tant que « béatitude totale », à moins qu'il n'existe quelque chose de moins que la béatitude totale. Alors, il a fallu créer quelque chose de moins que la béatitude totale de l'Unité totale – et il a fallu le créer continuellement.

Mais lorsque nous sommes dans cette béatitude totale, quand nous nous sommes à nouveau fondus dans l'Unité, lorsque nous sommes devenus *chaque chose/aucune chose,* comment pouvons-nous même savoir que nous existons ? Puisque nous ne pouvons faire l'expérience de rien d'autre... je ne sais pas. Je n'ai pas l'impression de comprendre. Je n'ai pas l'impression de savoir comment m'y prendre avec cette question.

Tu décris ce que J'appelle le divin dilemme. C'est le dilemme que Dieu a toujours eu – et que Dieu a résolu par la création de ce qui n'était pas Dieu (ou de ce qui croyait ne pas être Dieu).

Dieu a donné – et donne encore, à chaque instant – une partie de lui-même à l'expérience moindre de ne pas se connaître, afin que le reste de cela puisse se connaître en tant que qui et *ce qu'il est vraiment.*

Par conséquent, « Dieu donna Son seul fils, afin que vous puissiez être sauvés ». Tu vois maintenant d'où est née cette mythologie.

Je crois que nous sommes tous Dieu – et que nous sommes constamment, chacun de nous, en transition de la connaissance à l'inconnaissance, puis de retour à la connaissance, de l'être au non-être, puis à nouveau à l'être, de l'Unité à la séparation, puis à nouveau à l'Unité, en un cycle sans fin. C'est le cycle de la vie – ce que tu appelles la Roue cosmique.

Exactement. Précisément. C'est bien dit.

Mais avons-nous tous à retourner au *niveau zéro* ? Avons-nous tous à recommencer complètement ? À retourner au début ? À retourner à la case départ ? Ne passez pas « Go », ne ramassez pas 200 $? [Fait référence ici au jeu de Monopoly]

Vous n'avez rien à faire. Pas dans cette vie-ci ni dans aucune autre. Vous aurez le choix – *toujours, vous pourrez choisir librement* – d'aller partout où vous le voulez, de faire tout ce que vous voulez, dans votre recréation de l'expérience de Dieu. Vous pouvez passer à n'importe quel point de la Roue cosmique. Vous pouvez « revenir » sous la forme de qui vous voulez, ou dans la dimension, la réalité, le système solaire ou la civilisation de votre choix. Certains de ceux qui ont atteint le lieu d'union totale avec le Divin ont même choisi de « revenir » en tant que maîtres illuminés. Eh oui ! certains étaient des maîtres illuminés lorsqu'ils sont partis et ont ensuite choisi de « revenir » en tant qu'*eux-mêmes*.

Tu dois sûrement être au courant des récits sur des gourous et des maîtres revenus à plusieurs reprises dans votre monde, se manifestant dans des apparitions répétées tout au long des décennies et des siècles.

Vous avez une religion entière fondée sur un tel récit. Elle s'appelle l'Église de Jésus-Christ des saints des derniers jours et elle est fondée sur le récit de Joseph Smith selon lequel l'être appelé Jésus est revenu sur Terre plusieurs siècles après son départ supposément « final », apparaissant cette fois aux États-Unis.

Alors, tu peux revenir à n'importe quel point de la Roue cosmique qu'il te plaira.

Mais même cela, ce pourrait être déprimant. N'arrive-t-on jamais à se reposer ? N'arrive-t-on jamais à rester dans le nirvana, à y *demeurer* ? Sommes-nous condamnés à jamais à ce « va-et-vient » – à ce tapis roulant d'apparitions et de disparitions ? Sommes-nous dans un voyage éternel vers nulle part ?

Oui. C'est la vérité la plus grande. Il n'y a nulle part où aller, rien à faire, et personne à « être », sinon exactement qui tu es à cet instant. La vérité, c'est qu'il n'y a pas de voyage. Tu es à cet instant même qui tu cherches à être. Tu es à cet instant même là où tu cherches à aller.

C'est le maître qui sait cela, et ainsi, qui met fin à la lutte. Et ensuite, le maître cherche à t'aider à mettre fin à ta lutte, tout comme tu chercheras à mettre fin à la lutte des autres lorsque tu atteindras la maîtrise.

Mais ce processus – cette Roue cosmique – n'est pas un déprimant tapis roulant. C'est une réaffirmation glorieuse et continue de l'absolue magnificence de Dieu, et de toute la vie – et ce n'est absolument pas déprimant.

Mais ça me semble l'être encore.

Permets-moi de voir si Je peux t'amener à changer d'idée. Aimes-tu le sexe ?

Je l'adore !

La plupart des gens aussi, sauf ceux qui s'en font des idées très bizarres. Si Je te disais qu'à partir de demain, tu pourras faire l'amour avec chaque personne envers laquelle tu ressens de l'attirance et de l'amour. Cela te rendrait-il heureux ?

Cela irait-il à l'encontre de leur volonté ?

Non. Je ferais en sorte que chacune des personnes avec lesquelles tu veux célébrer ainsi l'expérience humaine de l'amour le veuille. Elles ressentiraient toutes beaucoup d'attirance et d'amour pour toi.

Super ! Eh... d'accooord !

À une seule condition : Tu dois t'arrêter entre l'une et l'autre. Tu ne peux tout simplement pas passer de l'une à l'autre sans interruption.

À qui le dis-tu !

Pour faire l'expérience de l'extase de ce genre d'union physique, tu dois également faire l'expérience de ne pas être en union sexuelle avec quelqu'un, ne serait-ce que pour une courte période.

Je vois où tu veux en venir.

Oui, même l'extase physique ne serait pas l'extase s'il n'y avait pas un moment sans extase. C'est aussi vrai en ce qui concerne l'extase spirituelle.

Il n'y a rien de déprimant dans le cycle de la vie. Il n'y a que de la joie. Tout simplement de la joie, et encore de la joie.

Les véritables maîtres ne manquent jamais de joie. Tu trouveras peut-être souhaitable de rester alors au niveau de la maîtrise. Ainsi, tu pourras entrer dans l'extase et en sortir sans cesser d'être joyeux. Tu n'as pas besoin de l'extase pour être joyeux. Tu es joyeux du simple fait de savoir que l'extase existe.

6

À présent, j'aimerais traiter d'un autre sujet, si possible, et parler des changements à l'échelle terrestre. Mais d'abord, j'aimerais apporter une remarque. Il me semble que beaucoup de choses ici sont dites plus d'une fois. J'ai parfois l'impression d'entendre sans cesse les mêmes informations.

C'est bien ! Parce que c'est le cas ! Comme Je l'ai dit plus tôt, tout cela est voulu.

Ce message ressemble à un ressort. Lorsqu'il est enroulé, il fait un tour sur lui-même. Un cercle en couvre un autre, et cela semble « tourner en rond ». Ce n'est que lorsque le ressort est déroulé que tu vois qu'il s'étire en spirale, plus loin que tu n'aurais jamais pu l'imaginer.

Oui, tu as raison. Pour une grande part, ce qui est dit ici l'a été un certain nombre de fois, de façons différentes, parfois aussi de la *même* façon. L'observation est juste.

Lorsque tu auras terminé ce message, tu devrais pouvoir en répéter l'essentiel presque mot à mot. Un jour, peut-être, tu en auras envie.

D'accord, c'est bon. Alors, pour passer à autre chose, beaucoup de gens semblent croire que je suis en « ligne directe avec Dieu » et veulent savoir si notre planète est condamnée. Je sais que j'ai déjà posé cette question, mais maintenant, j'aimerais vraiment recevoir une réponse franche. Des changements terrestres se produiront-ils, comme tant de gens l'ont prédit ? Sinon, que voient tous ces médiums ? Est-ce là une vision inventée de toutes pièces ? Devons-nous prier ? Changer ? Pouvons-nous faire quelque chose? Ou bien cela est-il entièrement, hélas, désespéré ?

Je serai heureux de répondre à ces questions, mais nous n'allons pas « passer à autre chose ».

Ah non ?

Non, car les réponses t'ont déjà été données dans mes quelques explications précédentes sur le temps.

Tu veux dire le passage à propos de « tout ce qui arrivera jamais est déjà arrivé » ?

Oui.

Mais qu'entends-tu par « tout ce qui est déjà arrivé » ? Comment est-ce arrivé ? *Qu'est-il* arrivé ?

Tout cela est arrivé. Tout cela est déjà arrivé. Chaque possibilité existe en tant que fait, en tant qu'événement achevé.

Comment est-ce possible ? Je ne comprends toujours pas.

Je vais l'énoncer en termes que tu seras à même de saisir. À toi de voir si cela t'est utile. As-tu déjà regardé des enfants utiliser un CD-ROM pour s'amuser avec un jeu vidéo sur ordinateur ?

Oui.

T'es-tu déjà demandé de quelle manière l'ordinateur sait comment réagir à chaque coup que joue l'enfant avec le *joystick* ?

Oui, vraiment, je me le suis demandé.

Tout est sur le disque. L'ordinateur sait comment réagir à chaque mouvement que fait l'enfant parce que chaque mouvement possible a déjà été inscrit sur le disque, avec sa réponse appropriée.

C'est effrayant. Presque surréaliste.

Quoi, le fait que chaque dénouement, et chaque tour qui le produit, soit déjà programmé sur le disque ? Il n'y a rien d'« effrayant » là-dedans. Ce n'est que de la technologie. Et si la technologie des jeux vidéo t'impressionne, attends de voir la technologie de l'univers !

Imagine la Roue cosmique sous la forme de ce CD-ROM. Tous les dénouements existent déjà. L'univers attend seulement de voir lequel tu choisiras *cette fois-ci*. Et lorsque la partie est terminée, que tu gagnes, perdes ou fasses match nul, l'univers te demande : « Veux-tu encore jouer ? »

Ton disque d'ordinateur se fiche du fait que tu gagnes ou non, et tu ne peux pas l'« offenser ». Il t'offre seulement une nouvelle chance de jouer. Tous les dénouements existent déjà, et tu feras l'expérience de l'un ou de l'autre, selon les choix que tu feras.

Alors, Dieu n'est rien d'autre qu'un CD-ROM ?

Je ne le formulerais pas exactement ainsi. Tout au long de ce dialogue, J'ai tenté d'illustrer des concepts de façon que chacun puisse les comprendre. Dans cet esprit, Je crois que l'image du CD-ROM est bonne.

À plus d'un égard, la vie *est* ainsi. Toutes les possibilités existent et se sont déjà produites. À présent, vous devez choisir laquelle vous voulez vivre.

Cela se rapporte directement à ta question ayant trait aux changements terrestres.

Ce que bien des médiums rapportent à ce propos est vrai. Ils ont ouvert une fenêtre sur l'« avenir » et l'ont vu. Mais la question est la suivante : quel « avenir » ont-ils vu ? Comme pour le dénouement d'un jeu sur CD-ROM, *plus d'une version existe*.

D'après une version, la Terre subira un bouleversement. D'après l'autre, ce ne sera pas le cas.

En fait, *toutes* les versions se sont *déjà produites*. Rappelle-toi, le temps...

... je sais, je sais. « Le temps n'existe pas. »

C'est juste. Et alors ?

Tout est en train d'arriver en même temps.

C'est encore juste. Tout ce qui n'est jamais arrivé, est en train d'arriver, et arrivera jamais, existe maintenant. De la même façon que tous les coups, dans le jeu, existent maintenant sur ce disque. Ainsi, si tu trouves intéressant que les prédictions des médiums se réalisent, concentre toute ton attention là-dessus, et c'est ce que tu attireras. Et si tu veux faire l'expérience d'une réalité différente, concentre-toi là-dessus, et c'est le résultat que tu attireras.

En somme, tu ne veux pas me dire si les changements terrestres se produiront ou non, c'est bien ça ?

J'attends que tu me le dises. Tu décideras, par tes pensées, tes paroles et tes gestes.

Et le problème des ordinateurs en rapport avec le début de l'an 2000 ? Certains affirment maintenant que ce que nous appelons aujourd'hui le bogue de l'an 2000 provoquera un grand bouleversement dans nos systèmes sociaux et économiques. Ce sera le cas ?

Qu'en penses-tu ? Que choisis-tu ? Crois-tu n'avoir aucun rapport avec tout cela ? Ce serait faux, Je te le dis.

Ne voudrais-tu pas nous dire comment tout cela aboutira ?

Je ne suis pas ici pour prédire votre avenir et Je ne le ferai pas. C'est tout ce que Je peux te répondre. C'est tout ce que n'importe qui peut te dire. Si tu n'es pas vigilant, tu arriveras exactement là où tu vas. Par conséquent, si tu n'aimes pas la direction vers laquelle tu te diriges, *change de direction.*

Comment faire ? Comment puis-je influencer une issue aussi importante ? Que devons-nous faire face à toutes ces prédictions de désastres que font des gens qui ont une « autorité » médiumnique ou spirituelle ?

Tournez-vous vers l'intérieur. Cherchez votre espace de sagesse intérieure. Voyez ce que celle-ci vous appelle à faire. Puis, faites-le.

Si cela signifie écrire à vos politiciens et à vos industriels afin de leur demander d'intervenir devant les abus commis envers l'environnement et qui pourraient mener à des changements terrestres, faites-le. Si cela veut dire rassembler les leaders de votre communauté pour travailler au problème de l'an 2000, faites-le. Et si cela se limite à suivre votre voie, en envoyant chaque jour de l'énergie positive et en empêchant ceux qui vous entourent de verser dans une panique qui provoquera un problème, faites-le.

Et surtout, n'ayez pas peur. De toute façon, comme vous ne pouvez pas « mourir », il n'y a rien à craindre. Soyez conscient du déroulement du processus et sachez simplement que tout se passera bien en ce qui vous concerne.

Cherchez à entrer en contact avec la perfection de toutes choses. Sachez que vous serez exactement là où vous devez être afin de faire l'expérience de ce que vous choisissez sur la voie de la création de *qui vous êtes vraiment.*

C'est la voie de la paix. En toutes choses, voyez la perfection.

Finalement, n'essayez pas de « sortir » de quoi que ce soit. Ce à quoi vous résistez persiste. J'ai déjà dit cela dans le premier livre, et c'est toujours vrai.

Les gens qui s'attristent de ce qu'ils « voient » dans l'avenir, ou de ce qu'on leur a « dit » à propos de l'avenir, cessent de « rester dans la perfection ».

D'autres conseils ?

Célébrez ! Célébrez la vie ! Célébrez le Soi ! Célébrez les prédictions !
Célébrez Dieu !
Célébrez ! Jouez le jeu.
Mettez de la joie dans l'instant, peu importe ce que l'instant semble apporter, car la joie est *qui vous êtes* et *qui vous serez toujours.*
Dieu ne peut rien créer d'imparfait. Si vous croyez que Dieu peut créer quoi que ce soit d'imparfait, vous ne connaissez rien de Dieu.
Alors, célébrez. Célébrez la perfection ! Souriez et célébrez, et ne voyez que la perfection. Ainsi, ce que les autres appellent l'imperfection ne vous touchera d'aucune façon qui soit imparfaite pour vous.

Je peux donc éviter le renversement des pôles sur l'axe terrestre, ou le fait d'être écrasé par un météore, ou d'être chiffonné par des tremblements de terre, ou d'être aux prises avec les conséquences confuses et hystériques du bogue de l'an 2000 ?

On peut certainement éviter d'être négativement touché par tout cela.

Ce n'est pas ce que je t'ai demandé.

Mais c'est ce que J'ai répondu. Affronte l'avenir sans peur, en comprenant le processus et en voyant la perfection dans tout cela.
Cette paix, cette sérénité, ce calme vous éloigneront de la plupart des expériences et résultats que d'autres qualifieraient de « négatifs ».

Et si tu te trompais à propos de tout cela ? Et si tu n'étais pas « Dieu », après tout, mais seulement la surcharge de mon imagination fertile ?

Ah, encore cette question, hein ?
Eh bien, et si c'était le cas ? Et alors ? Peux-tu imaginer une meilleure façon de vivre ?

Tout ce que je dis ici se résume à rester calme, paisible et serein devant ces sombres prédictions d'une calamité planétaire, et tu obtiendras le meilleur résultat possible.

Même si Je ne suis pas Dieu et que Je ne suis que « toi », en train de tout inventer, peux-tu trouver meilleur conseil ?

Non, je ne crois pas.

Alors, comme d'habitude, que Je sois « Dieu » ou non, cela ne fait aucune différence.

À ce propos, et en rapport avec toute l'information contenue dans les trois livres, contente-toi de vivre la sagesse. Ou, si tu peux trouver une façon de procéder supérieure, *vas-y*.

Écoute, même si, en réalité, seul Neale Donald Walsch s'exprime dans tous ces livres, tu peux difficilement trouver plus juste conseil à suivre sur l'un ou l'autre des sujets couverts. Considère donc les choses ainsi : Ou bien Je suis Dieu en train de te parler, ou bien ce Neale est un gars plutôt brillant.

Où est la différence ?

Si j'étais convaincu que Dieu était vraiment en train de me transmettre ces messages, j'écouterais plus attentivement.

Oh, foutaises ! Je t'ai envoyé des messages mille fois, sous cent formes différentes, et tu as ignoré la plupart d'entre eux.

Ouais, je suppose que je l'ai fait.

Tu supposes ?

D'accord, je l'ai fait.

Alors, cette fois, ne l'ignore pas. Qui, d'après toi, t'a amené à ce livre ? C'est toi. Alors, si tu ne peux écouter Dieu, écoute-toi toi-même.

Ou mon sympathique médium.

Ou ton sympathique médium.

Tu plaisantes, mais cela soulève un autre sujet dont je voulais discuter.

Je sais.

Tu sais ?

Bien sûr. Tu veux discuter des médiums.

Comment le sais-tu ?

Je suis médium.

Hé ! j'en suis sûr ! T'es le médium des médiums. T'es le *grand patron*, la *grosse légume*, le *grand manitou*. T'es le chef, le boss, l'unité, le président du conseil.

T'as tout compris, mon gars !

Tope là !

Super, mon cher ! En plein dans le mille !

Alors, ce que je veux savoir, c'est : « Qu'est-ce que le pouvoir médiumnique » ?

Vous avez tous ce que vous appelez un « pouvoir médiumnique ». En fait, c'est un sixième sens. Et vous avez tous un « sixième sens des choses ».

Le pouvoir médiumnique n'est que la capacité de sortir de votre expérience limitée pour arriver à une vision élargie. De prendre du recul.

De sentir plus que ce que sentirait l'individu limité que vous vous imaginez être. D'en savoir plus long que lui ou elle n'en saurait. C'est en fait la capacité de puiser à même la *vérité plus grande* qui vous entoure ; de sentir une énergie différente.

Comment développe-t-on cette capacité ?

« Développer », voilà un terme approprié. Comparons cela à vos muscles. Vous en avez tous, mais certains d'entre vous choisissent de les développer, tandis que chez d'autres, ils le sont moins et deviennent aussi beaucoup moins utiles.

Pour développer votre « muscle » médiumnique, vous devez l'exercer. L'utiliser. Chaque jour. Tout le temps.

À présent, le muscle se trouve là, mais il est petit. Il est faible. Il est sous-utilisé. Alors, de temps à autre, vous obtiendrez un « beau coup », mais vous ne le mettrez pas en action. Vous aurez une « petite idée » sur quelque chose, mais vous l'ignorerez. Vous aurez un rêve ou une « inspiration », mais vous les laisserez passer en n'y accordant que peu d'attention.

Heureusement que tu as accordé de l'attention au « beau coup » que tu as joué à propos de ce livre ! Autrement, tu ne lirais pas ces mots à présent.

Tu crois être arrivé à ces paroles par accident ? Par hasard ?

Pour développer le « pouvoir » médiumnique, la première étape consiste à reconnaître que tu l'as et à l'utiliser. Reste attentif à chaque pressentiment, à chaque sentiment, à chaque « beau coup » d'intuition que tu reçois. *Reste attentif*.

Ensuite, agis à partir de ce que tu « sais ». Ne laisse pas ton esprit t'en écarter. Ne laisse pas ta peur t'en détourner.

Plus tu agis sans peur à partir de ton intuition, plus ton intuition te servira. Elle a toujours été là, mais à présent, tu lui accordes de l'attention.

Mais je ne parle pas de cette capacité médiumnique qui nous amène à trouver une place de stationnement dans la rue. Je parle plutôt du véritable pouvoir médiumnique. De celui qui prévoit l'avenir. De celui qui te permet de savoir, à propos des gens, des choses que tu n'aurais aucun moyen de reconnaître autrement.

C'est bien de cela que je parlais, aussi.

Comment fonctionne ce pouvoir médiumnique ? Devrais-je écouter les gens qui l'ont ? Si un médium émet une prédiction, puis-je la changer, ou mon avenir est-il gravé dans la pierre ? Comment certains médiums peuvent-ils exprimer des commentaires sur moi dès que j'entre dans une pièce ? Et si...

Un instant. Il y a là quatre questions différentes. Ralentissons un peu et prenons-les une à une.

D'accord. Comment le pouvoir médiumnique fonctionne-t-il ?

Ces phénomènes obéissent à trois règles qui te permettront de saisir comment tout cela fonctionne. Étudions-les.

1. Toute pensée est énergie.

2. Toutes les choses sont en mouvement.

3. Tout le temps est dans l'instant présent.

Les médiums sont des gens ouverts aux expériences que produisent ces phénomènes : des vibrations. Parfois sous forme d'images dans l'esprit. Parfois une pensée sous la forme d'un mot.

Le médium devient habile à sentir ces énergies. Ce n'est peut-être pas facile au début, puisque ces énergies sont très légères, très flottantes, très subtiles. Comme la brise la plus légère d'un soir d'été que tu as cru sentir effleurer tes cheveux – sans en être sûr. Comme le moindre son, très loin, que tu crois avoir entendu, sans en être certain. Comme le faible tremblement d'une image dans le coin de ton oeil que tu aurais juré avoir vu mais qui, quand tu le regardes en face, disparaît.

S'évanouit. Se trouvait-il vraiment là ?

C'est la question que le médium débutant se pose toujours. Le médium accompli ne se la pose jamais, car poser la question écarte la réponse. Poser la question engage l'esprit, et c'est la dernière chose qu'un médium désire. L'intuition ne réside pas dans l'esprit. Pour être médium, il faut perdre la tête. Car l'intuition a son siège dans la psyché. Dans l'âme.

L'intuition est l'oreille de l'âme.

L'âme est l'unique instrument assez sensible pour « attraper » les moindres vibrations de la vie, « sentir » ces énergies, sentir ces ondes dans le champ, et les interpréter.

Tu as six sens, et non cinq. Ce sont : l'odorat, le goût, le toucher, la vue, l'ouïe et... la *connaissance.*

Alors, voici comment agit le « pouvoir médiumnique ».

Chaque fois que tu as une pensée, elle envoie une énergie. Elle *est* de l'énergie. L'âme du médium intercepte cette énergie. Le véritable médium ne s'arrêtera pas pour l'interpréter, mais se contentera probablement de laisser échapper ce que lui inspire cette énergie. C'est ainsi qu'un médium peut te dire ce que tu es en train de penser.

Chaque sentiment que tu as jamais eu réside dans ton âme. Ton âme est la somme de tous ces sentiments. Elle en est l'entrepôt. Même si tu y as emmagasiné ces sentiments il y a des années, un médium véritablement ouvert peut « percevoir » ces « sentiments » ici et maintenant. C'est que tous ensemble, maintenant...

Le temps n'existe pas...

C'est ainsi qu'un médium peut t'entretenir de ton « passé ».

« Demain » n'existe pas non plus. Tout est en train de se produire maintenant. Chaque occurrence émet une onde d'énergie, imprime une image indélébile sur la plaque photographique cosmique. Le médium voit, ou sent, l'image de « demain » comme si elle se produisait maintenant – *et c'est le cas.* Voilà donc comment certains médiums prédisent « l'avenir ».

Comment cela s'exprime-t-il du point de vue physiologique ? Sans vraiment savoir ce qu'il fait, peut-être le médium envoie-t-il une véritable composante submoléculaire de lui-même dans l'acte de se concentrer intensément. Sa « pensée », si tu veux, quitte le corps, file à travers l'espace et se rend assez loin, assez vite, pour se retourner et « voir » à distance le « maintenant » dont tu n'as pas encore fait l'expérience.

Le voyage submoléculaire dans le temps !

On pourrait l'exprimer ainsi.

Le voyage submoléculaire dans le temps !

Je vois qu'on a décidé de faire du vaudeville !

Non, non, je serai sage. Je te promets... vraiment. Continue. Je veux vraiment entendre ça.

D'accord. La partie submoléculaire du médium, ayant absorbé l'énergie de l'image obtenue par la concentration, file à nouveau vers le corps du médium, transportant l'énergie avec elle. Le médium « obtient une image » – parfois avec un frisson – ou « a un sentiment » et essaie très fort de ne faire aucun « traitement » des données, mais le décrit tout simplement – et instantanément. Il a appris à ne pas remettre en question ce qu'il « pense », « voit » ou « sent » soudainement et se contente de le laisser « entrer » aussi intact que possible.

Des semaines plus tard, si l'événement imaginé ou « senti » se produit vraiment, le médium est appelé clairvoyant – ce qui, bien sûr, est vrai !

Si tel est le cas, comment se fait-il que certaines « prédictions » soient fausses ; c'est-à-dire qu'elles ne « se produisent » jamais ?

Dans ce cas le médium n'a pas « prédit l'avenir », mais s'est contenté d'offrir un aperçu de l'une des « possibles possibilités » observées dans *l'éternel instant du maintenant.* C'est toujours le sujet de la lecture médiumnique qui a fait le choix. Il a pu tout simplement effectuer un autre choix – un choix qui ne s'accordait pas à la prédiction. *L'éternel instant* contient toutes les « possibles possibilités ». Comme je l'ai expliqué plusieurs fois jusqu'ici, chaque événement est déjà arrivé d'un million de façons. Tout ce qu'il te reste à faire, ce sont des choix de perception.

Tout est question de perception. Lorsque tu changes ta perception, tu modifies ta pensée, et la pensée crée la réalité. Quel que soit le résultat que tu puisses anticiper dans une situation quelconque, il est déjà là pour toi. Tout ce que tu as à faire, c'est de le percevoir. De le savoir.

C'est ce que signifie la phrase « Avant même que tu ne poses la question, J'aurai répondu ». En vérité, avant même d'être offertes, tes prières reçoivent une « réponse ».

Alors, comment se fait-il que nous n'obtenions pas tout ce que nous demandons au moyen de la prière ?

On en a parlé dans le tome 1. Tu n'obtiens pas toujours ce que tu demandes, mais tu reçois toujours ce que tu crées. La création suit la pensée, qui suit la perception.

C'est ahurissant. Même si nous en avons déjà parlé, c'est encore ahurissant.

N'est-ce pas ? Voilà pourquoi il est bon de continuer à en parler. Le fait de l'entendre plusieurs fois te donne une chance d'en pénétrer ton esprit. Alors, ton esprit se « désahurit ».

Si tout est en train d'arriver maintenant, qu'est-ce qui dicte de quelle *partie* de tout cela je suis en train de faire l'expérience dans mon instant « présent » ?

Tes choix – et ta foi en eux. Cette foi sera créée par tes pensées touchant un sujet en particulier, et ces pensées proviennent de tes perceptions – c'est-à-dire de « ta façon de voir ».

Ainsi, le médium voit le choix que tu es maintenant en train de faire à propos de « demain » et voit cela se dérouler. Mais un véritable médium te dira toujours que ça n'a pas à se dérouler ainsi. Tu peux « faire un nouveau choix » et altérer le résultat.

En somme, je transformerais l'expérience que j'ai déjà faite !

Exactement ! Maintenant, tu comprends. Maintenant, tu comprends comment on vit dans le paradoxe.

Mais si tout cela est « déjà arrivé », à qui est-ce « arrivé » ? Et si je le rectifie, qui est le « moi » qui expérimente ce changement ?

Plus d'un « toi » circule sur la ligne du temps. Tout cela était décrit en détail dans le tome 2. Je te suggère de le relire. Puis, de combiner ce qu'il y a là-dedans avec ce qu'il y a ici, afin de mieux comprendre.

D'accord. C'est bon. Mais j'aimerais parler un peu plus de ces histoires de médiumnité. Beaucoup de gens prétendent être médiums. Comment distinguer les vrais des faux ?

Comme tout le monde *est* « médium », ils sont tous « vrais ». Ce que tu peux examiner, c'est leur but. Cherchent-ils à t'aider ou à s'enrichir ?

Les médiums – les soi-disant « médiums professionnels » – qui cherchent à s'enrichir promettent souvent de faire des choses avec leur pouvoir médiumnique – « retour d'un être aimé », « fortune et célébrité », et même perte de poids !

Ils affirment faire tout cela – mais seulement pour un certain montant d'argent. Ils feront même une « lecture » d'une autre personne – ton patron, ton amoureux, un ami – et te diront tout à son sujet. Ils te demanderont d'apporter quelque chose : une écharpe, une photo, un échantillon de son écriture.

Et ils peuvent te parler de l'autre. Souvent, beaucoup. Car chacun laisse une trace, une « empreinte psychique », une piste énergétique. Et un être véritablement sensible peut la sentir.

Mais un intuitif sincère ne t'offrira jamais de faire revenir une autre personne, d'influencer quelqu'un, ou de *créer quelque résultat que ce soit avec son « pouvoir » médiumnique.* Un véritable médium – qui a consacré sa vie au développement et à l'usage de son don – sait qu'il ne faut jamais jouer avec le libre arbitre d'un autre et qu'il ne faut jamais envahir les pensées d'un autre ni jamais violer son espace psychique.

N'as-tu pas affirmé qu'il n'y avait ni « bien » ni « mal » ? Pourquoi tous ces « jamais », tout à coup ?

Chaque fois que je pose un « toujours » ou un « jamais », c'est dans le contexte de ce que, Je le sais, tu cherches à accomplir ; de ce que tu essaies de faire.

Je sais que vous cherchez tous à évoluer, à grandir spirituellement, à retourner à l'Unité. Vous désirez faire l'expérience de vous-même en tant que la version la plus grandiose de la vision la plus merveilleuse que vous ayez jamais eue à propos de *qui vous êtes.* Vous cherchez cela individuellement et en tant que race.

Dans mon monde, il n'y a ni « bien » ni « mal », ni « obligations » ni « interdits » – comme Je l'ai dit bien des fois –, et tu ne brûleras pas dans les feux éternels de l'enfer si tu choisis « mal », car il n'existe ni « mal » ni « enfer » – à moins, bien entendu, que tu n'y croies.

Cependant, des lois naturelles ont été intégrées à l'univers physique – et l'une d'entre elles est la loi de cause à effet.

L'une des lois de cause à effet les plus importantes est celle-ci : *Tout effet provoqué finit par être ressenti par le Soi.*

Qu'est-ce que cela signifie ?

Tout ce que tu fais vivre à un autre, tu en feras un jour l'expérience.
Les membres de votre communauté du Nouvel Âge ont une façon plus colorée de l'exprimer.

« Ce qu'on envoie nous revient. »

Tout à fait. D'autres connaissent l'injonction de Jésus : « *Fais aux autres ce que tu voudrais que l'on te fasse* ».
Jésus enseignait la loi de cause à effet. C'est ce qu'on pourrait appeler la première loi. Un peu comme la *prime directive* [ne pas interférer dans l'évolution d'un autre système planétaire] donnée à Kirk, à Picard et à Janeway, ces personnages de *Star Trek*.

Eh ! Dieu est un *trekkie* !

Tu plaisantes ! J'ai écrit la moitié des épisodes.

Il vaut mieux que Gene ne t'entende pas.

Allons... Gene m'a demandé de dire ça.

Tu es en contact avec Gene Roddenberry [auteur de Star Trek] ?

Et Carl Sagan, et Robert Heinlein, et *toute la bande* ici, en haut.

Tu sais, on ne devrait pas plaisanter de la sorte. Cela enlève de la crédibilité à tout ce dialogue.

Je vois. Une conversation avec Dieu doit être sérieuse.

Eh bien, du moins crédible.

Ce n'est pas crédible que J'aie Gene, Carl et Robert à côté de moi ?

Il faut que Je leur dise ça. Eh bien, revenons à la façon dont on peut distinguer un véritable médium d'un « faux ». Un véritable médium sait et vit la *prime directive*. C'est pourquoi, si tu lui demandes de ramener un « être cher disparu il y a longtemps », ou de lire l'aura d'une personne dont tu possèdes un mouchoir ou une lettre, un véritable médium dira :

« Je suis désolé, mais je ne fais pas cela. Je n'interférerai jamais avec la voie que parcourt un autre ni n'interviendrai ou ne me mêlerai jamais à celle-ci.

« Je ne tenterai pas de diriger ou d'influencer leurs choix, d'aucune façon.

« Et je ne te divulguerai pas d'information de nature personnelle ou privée sur quiconque. »

Si une personne t'offre de te rendre l'un de ces « services », elle est ce qu'on appellerait un escroc qui joue sur ta propre faiblesse et ta vulnérabilité humaine pour te soutirer de l'argent.

Mais que penser des médiums qui aident les gens à retrouver un être cher et manquant – un enfant kidnappé, un adolescent qui s'est enfui et qui est trop orgueilleux pour téléphoner à la maison, même s'il veut désespérément le faire ? Ou que penser du cas classique : le médium qui apporte son aide aux policiers afin de repérer une personne – morte ou vivante ?

Bien sûr, ces questions renferment leurs propres réponses. Ce que le médium véritable évite toujours, c'est d'imposer sa volonté à un autre. Il n'est là que pour servir.

Est-il correct de demander à un médium de contacter les morts ? Devrions-nous tenter d'atteindre ceux qui sont « partis avant nous » ?

Pourquoi voudrais-tu le faire ?

Pour voir s'ils ont quelque chose à nous dire, à nous raconter.

Si quelqu'un, de « l'autre côté », a quelque chose à te faire savoir, il trouvera une façon de le faire, sois sans crainte.

La tante, l'oncle, le frère, la soeur, le père, la mère, le conjoint et l'amant qui sont « partis avant » poursuivent leur propre voyage, font l'expérience de la joie complète et se dirigent vers la compréhension totale.

S'ils ont, entre autres intentions, de venir à toi afin de constater comment tu vas ou pour t'indiquer qu'ils vont très bien ou autre chose, garde confiance, ils le feront.

Alors, reste à l'affût du « signe » et saisis-le. Ne l'écarte pas comme une création de ton imagination, croyant prendre tes désirs pour des réalités ou une coïncidence. Reste à l'écoute du message, et reçois-le.

Je connais une dame qui prenait soin de son mari mourant et qui le suppliait, s'il devait partir, de revenir à elle et de lui faire savoir qu'il allait très bien. Il lui a promis d'acquiescer à sa demande et est mort deux jours plus tard. Moins d'une semaine après, la dame a été réveillée, une nuit, en ayant le sentiment que quelqu'un venait de s'asseoir sur le lit, à côté d'elle. Lorsqu'elle a ouvert les yeux, elle aurait juré avoir vu son mari, assis au pied du lit, lui souriant. Mais lorsqu'elle a cligné des yeux et regardé à nouveau, il était parti. Plus tard, elle m'a raconté l'histoire, presque convaincue d'avoir halluciné.

Oui, c'est très fréquent. Tu reçois des signes – des signes irréfutables, évidents – et tu les ignores. Ou tu les écartes, croyant que ton esprit te joue des tours.

Tu as le même choix, à présent, avec ce livre.

Pourquoi faisons-nous cela ? Pourquoi demandons-nous quelque chose – comme la sagesse que renferment ces trois livres – puis refusons-nous de le croire lorsque nous le recevons ?

Parce que vous doutez de la grande gloire de Dieu. Comme Thomas, vous devez voir, sentir, toucher, avant de croire. Mais ce que vous voulez savoir ne peut être vu, senti, ni touché. Cela appartient à un autre domaine. Et vous n'y êtes pas ouverts ; vous n'êtes pas prêts. Mais ne vous inquiétez pas. Lorsque le disciple est prêt, le maître apparaît.

Selon tes propos – pour revenir à la ligne d'interrogation originale –, nous ne devons pas nous adresser à un médium ni assister à une séance en cherchant à entrer en contact avec ceux qui sont de l'autre côté.

Je ne dis pas que tu doives ou non faire quoi que ce soit. Je ne suis tout simplement pas certain de ce que ça donnerait.

Eh bien, supposons que tu aies quelque chose à dire à l'autre, plutôt que quelque chose à entendre de sa part ?

T'imagines-tu que tu puisses le dire et qu'il ne puisse pas l'entendre ? Le simple fait de penser à un être se trouvant « de l'autre côté », comme tu dis, fait s'envoler vers toi la conscience de cet être.

Tu ne peux avoir de pensée ni d'idée à propos d'une personne qui est « décédée », comme tu dis, sans que l'Essence de cette personne n'en devienne tout à fait consciente. Il n'est pas nécessaire d'utiliser un médium pour obtenir une telle communication. *L'amour est le meilleur « médium » de communication.*

Ah, mais que dire de la communication *bilatérale* ? Un médium peut-il être utile, dans ce cas ? Une telle communication est-elle seulement possible ? Est-ce de la foutaise ? Est-ce dangereux ?

À présent, tu parles de la communication avec les esprits. Oui, une telle communication est possible. Est-elle dangereuse ? Presque tout est « dangereux » si tu as peur. Ce que tu crains, tu le crées. Mais il n'y a vraiment rien à craindre.

Les bien-aimés ne sont jamais loin de toi, jamais plus loin qu'une pensée, et ils seront toujours là si tu as besoin d'eux, prêts à te procurer conseil ou réconfort. S'il existe chez toi un degré élevé de stress à propos du « bien-être » d'un être cher, celui-ci t'enverra un signe, un signal, un petit « message » te permettant de savoir que tout va bien.

Tu n'auras même pas à l'appeler, car les âmes qui t'ont aimé dans cette vie-ci sont attirées vers toi, s'envolent vers toi, dès qu'elles sentent le moindre trouble ou le moindre déséquilibre dans ton champ aurique.

Dès les premières occasions, lorsqu'elles se familiarisent avec les possibilités de leur existence nouvelle, elles fournissent aide et réconfort à ceux qu'elles aiment. Et tu sentiras leur présence réconfortante si tu leur es vraiment ouvert.

Alors, les récits que nous entendons à propos de ces gens qui « auraient pu jurer » qu'un être cher se trouvait dans la pièce pourraient être vrais.

Très certainement. Quelqu'un pourrait même sentir le parfum ou l'eau de Cologne de l'être cher, ou une bouffée du cigare qu'il fumait, ou entendre murmurer une chanson qu'il avait l'habitude de fredonner. Ou bien, de but en blanc, un de ses biens personnels peut soudainement apparaître « sans raison » : un mouchoir, un portefeuille, un bouton de manchette ou un bijou. On le « trouve » sur le coussin d'un fauteuil, ou sous une pile de vieux magazines. Le voilà. Il peut aussi s'agir d'une image, d'une photo prise à un moment particulier – à l'instant même où cette personne te manquait et où tu pensais à elle avec tristesse, te remémorant sa mort. Ces choses n'arrivent pas « par hasard ». Ces objets ne se contentent pas d'« apparaître » « juste au bon moment » par hasard. Laisse-moi te dire ceci : *Aucune coïncidence n'existe dans l'univers.*

Tous ces phénomènes sont très courants. Vraiment courants.

Maintenant, revenons à tes questions : As-tu besoin d'un soi-disant médium ou *channel* pour communiquer avec des êtres qui sont hors du corps ? Non. Est-ce parfois utile ? Oui. Tout dépend, encore une fois, du médium – et de sa motivation.

Si quelqu'un refuse de travailler avec toi – ou de faire toute forme de travail de *channeling* ou de « médiation » – sans exiger un fort dédommagement, éloigne-toi en courant. Il ne désire peut-être que ton argent. Ne sois pas surpris si tu deviens « mordu » au point de retourner le voir à maintes reprises, pendant des semaines ou des mois, ou même des années, à mesure qu'il joue sur ton besoin ou ton désir de contact avec le « monde des esprits ».

Une personne qui se contente de venir en aide – tout comme l'esprit – ne réclame rien en retour, sinon ce qui s'avère nécessaire afin de poursuivre son travail.

Si un médium exprime l'intention de t'aider, fais en sorte d'apporter en retour toute l'aide possible. Ne tire pas avantage d'une générosité aussi extraordinaire de l'esprit en donnant peu, ou en n'offrant rien, quand tu sais pouvoir faire davantage.

Cherche à savoir qui sert véritablement le monde, qui cherche vraiment à partager sagesse et connaissance, intuition et compréhension, attention et compassion. Récompense ces gens avec largesse. Accorde-leur le plus grand honneur. Donne-leur la plus grande somme d'argent. Car ce sont les messagers de la Lumière.

7

On a couvert pas mal de terrain, maintenant. Dis donc ! Pouvons-nous faire un autre changement ? Es-tu prêt à continuer ?

L'es-tu ?

Oui, j'ai à nouveau le vent en poupe. J'ai enfin pris un rythme de croisière. Et je veux te poser toutes les questions que j'accumule depuis trois ans.

Ça me va. Vas-y.

Super ! J'aimerais maintenant qu'on aborde un autre mystère ésotérique, celui de la réincarnation. Voudrais-tu m'en parler ?

Bien sûr.

D'après bien des religions, la réincarnation est une fausse doctrine ; nous n'avons qu'une vie ici-bas, qu'une seule chance.

Je sais et ce n'est pas exact.

Comment peuvent-elles se tromper ainsi sur une question aussi importante ? Comment ne peuvent-elles pas connaître la vérité à propos d'un principe aussi fondamental ?

Tu dois comprendre que les humains ont de nombreuses religions fondées sur la peur et que leurs enseignements fondent leur doctrine autour d'un Dieu qu'il faut à la fois adorer et craindre.

C'est par le biais de la peur que votre société terrestre s'est réformée du matriarcat au patriarcat. C'est en utilisant la peur que les premiers prêtres ont amené les gens à « corriger leurs moeurs dépravées » et à « entendre la parole du Seigneur ». C'est par la peur que les Églises ont rassemblé et contrôlé leurs membres.

L'une de ces Églises insistait même pour que Dieu te punisse si tu n'allais pas à l'église tous les dimanches, car c'était là un péché, disait-on.

Et pas seulement à n'importe quelle église. Il fallait fréquenter une église en particulier. Si on allait à une église d'une confession différente, c'était là un autre péché. Une telle attitude de la part de l'Église démontrait purement et simplement une tentative de contrôle par la peur. Le plus étonnant, c'est que ça marchait. Et merde, ça marche encore !

Dis donc, tu es Dieu ! Ne jure pas !

Qui a juré ? Je faisais l'énoncé d'un fait. J'ai dit : « Merde... ça marche encore. »

Les gens croiront toujours à l'enfer et en un Dieu qui les enverra là, tout comme ils ont imaginé un Dieu semblable à un homme – cruel, égoïste, impitoyable et vengeur.

Jadis, la plupart des gens ne pouvaient imaginer un Dieu s'élevant au-dessus de tout cela. Alors, ils ont accepté l'enseignement de bien des Églises : « Craignez la terrible vengeance du Seigneur. »

D'une certaine manière, les gens ne pouvaient se faire suffisamment confiance pour être bons, pour agir d'eux-mêmes de façon convenable pour leurs propres raisons intrinsèques. Par conséquent, ils ont dû créer une religion qui enseignait la doctrine d'un Dieu courroucé et vengeur, afin de maintenir la discipline dans les rangs.

Puis, l'idée de réincarnation a saboté tout cela.

Comment ? Qu'est-ce qui rendait cette doctrine si menaçante ?

L'Église proclamait qu'il valait mieux être gentil, sinon... et c'est alors qu'arrivèrent les « réincarnationnistes », en disant : « Vous aurez une autre chance après, et une autre encore. Et encore d'autres chances. Alors, ne vous inquiétez pas. Faites de votre mieux. Ne vous laissez pas paralyser par la peur au point de ne pas bouger. Promettez-vous de mieux faire, et mettez-vous au travail ! »

Naturellement, l'Église primitive ne pouvait se rallier à un tel discours et réagit de deux manières. D'abord, elle dénonça la doctrine de la réincarnation comme étant une hérésie. Puis, elle créa le sacrement de la confession, qui offrait aux fidèles ce que promettait la réincarnation. C'est-à-dire : *leur accorder une autre chance.*

Ainsi, nous avions un contexte où Dieu pouvait nous punir pour nos péchés, à moins *qu'on ne les confesse.* Dans ce cas, on pouvait se sentir en sécurité, sachant que Dieu avait entendu notre confession et nous avait pardonné.

Oui, mais une attrape se cachait derrière. Cette absolution *ne pouvait venir directement de Dieu*. Elle devait passer par l'Église, dont les prêtres donnaient des « pénitences » qu'il fallait accomplir. Habituellement, des prières étaient exigées du pécheur. On avait donc alors deux raisons de garder sa carte de membre.

L'Église trouva que la confession représentait un si bon atout qu'elle déclara bientôt que c'était un péché *de ne pas aller à la confesse*. Chacun devait le faire au moins une fois par année. Sinon, Dieu aurait une autre raison d'être en colère.

L'Église se mit à promulguer un nombre de plus en plus grand de règles – plusieurs d'entre elles arbitraires et capricieuses –, chaque règle s'appuyant sur le pouvoir de condamnation éternelle de Dieu, à moins, bien entendu, qu'un manquement soit *confessé*. Ainsi, le pécheur recevait le pardon de Dieu et évitait la damnation.

Mais survint alors un autre problème. Les gens se figurèrent qu'ils pouvaient faire n'importe quoi, pourvu qu'ils le confessent. L'Église se trouva devant un dilemme. La peur avait quitté le coeur des gens. La fréquentation des églises et le nombre d'adhérents se mirent à diminuer. Les gens venaient à la « confesse » une fois par année, exécutaient leurs pénitences, étaient absous de leurs péchés, et leur vie continuait.

Aucun doute : il fallait trouver un moyen d'enfoncer à nouveau la peur dans leur coeur.

Alors, on inventa le purgatoire.

Le purgatoire ?

Le purgatoire. On le décrivait comme un endroit semblable à l'enfer, à une exception près : il n'était pas éternel. Selon cette doctrine, Dieu allait vous faire souffrir pour vos péchés, *même si vous les confessiez.*

En fait, une certaine somme de souffrance était décrétée par Dieu pour chaque âme imparfaite, d'après le nombre et le genre de péchés commis. Il y avait des péchés « mortels » et des péchés « véniels ». Les premiers vous envoyaient droit en enfer si vous ne les confessiez pas avant votre mort.

Une fois de plus, la fréquentation des églises monta en flèche. Les collectes étaient en hausse, surtout les contributions – car la doctrine du purgatoire comprenait également un moyen d'acheter l'évitement de la souffrance.

Pardon... ?

Selon les enseignements de l'Église, vous pouviez recevoir une indulgence particulière d'un fonctionnaire de l'Église – pas directement de Dieu. Ces indulgences très particulières vous libéraient de la souffrance du purgatoire que vous aviez « méritée » à cause de vos péchés – du moins, en partie.

Quelque chose comme « un congé pour bonne conduite » ?

Oui. Mais bien entendu, ces sursis n'étaient accordés qu'à très peu de gens. En général, à ceux qui offraient une contribution remarquable à l'Église.

Pour une somme vraiment énorme, on pouvait obtenir une indulgence plénière. Cela signifiait qu'on *ne passait aucun temps au purgatoire.* C'était là un billet sans escale pour le ciel.

Cette faveur spéciale de Dieu était offerte à un nombre encore plus restreint. La royauté, peut-être. Et les superriches. La quantité d'argent, de bijoux et de terres cédée à l'Église en échange de ces indulgences plénières était énorme. Mais l'exclusivité de tout cela suscita frustration et ressentiment parmi les masses.

Le paysan le plus pauvre n'avait aucun espoir de gagner l'indulgence de l'évêque – par conséquent, les masses perdirent la foi dans le système, et la fréquentation menaça de baisser une fois de plus.

Et alors, qu'ont-ils fait ?

Ils ont instauré les chandelles de neuvaines.

Les gens pouvaient se présenter à l'église et allumer une bougie « pour les pauvres âmes du purgatoire ». En récitant une neuvaine (une série de prières dans un ordre particulier qui nécessitait un certain temps avant d'être terminée), ils pouvaient effacer des années à la « sentence » des chers disparus, les tirant du purgatoire plus tôt que Dieu ne l'aurait permis autrement.

Ils ne pouvaient rien faire pour eux-mêmes, mais au moins, ils pouvaient prier pour la pitié envers les disparus. Bien entendu, chaque cierge allumé, sous-entendait qu'une pièce, ou deux, était glissée dans la fente tout près.

Bien des petites bougies luisirent derrière leur verre rouge, et bien des pesos et des sous tombèrent dans bien des boîtes en fer-blanc, afin de m'amener à « alléger » la souffrance infligée aux âmes du purgatoire.

Ouf ! C'est incroyable. Tu veux dire que les gens ne pouvaient pas voir clair dans ce jeu ? Qu'ils ne voyaient pas cela comme une tentative désespérée d'une Église désespérée visant à garder ses membres assez désespérés pour faire n'importe quoi dans le but de se protéger de ce despérado qu'ils appelaient Dieu ? Tu veux dire que les gens ont vraiment cru cela ?

Très précisément.

Pas étonnant que l'Église ait déclaré que la réincarnation était unc fausseté.

Oui. Mais quand Je vous ai créés, Je ne l'ai pas fait pour que vous puissiez vivre une seule vie – une période infinitésimale, compte tenu de l'âge de l'univers – et faire les erreurs que vous alliez inévitablement faire, puis espérer le mieux à la fin. J'ai essayé d'imaginer d'établir les choses ainsi, mais Je n'arrivais jamais à trouver dans quel dessein.

Vous ne pouviez jamais le trouver, non plus. Voilà pourquoi vous avez répété des phrases comme : « Le Seigneur emprunte des voies mystérieuses pour accomplir ses merveilles. » Mais Je n'emprunte pas des voies mystérieuses. Tout ce que je fais a une raison, et elle est parfaitement claire. Bien des fois, au cours de cette trilogie, J'ai expliqué pourquoi Je vous ai créés et quel était le dessein de votre vie.

La réincarnation s'insère parfaitement dans ce dessein, qui, pour moi, se résume à créer et à faire l'expérience de *qui je suis*, par votre intermédiaire, vie après vie, et par l'intermédiaire des millions d'autres créatures de conscience que J'ai placées dans l'univers.

Alors, il y a VRAIMENT de la vie sur d'autres...

Bien sûr qu'il y en a ! Croyez-vous vraiment être seuls dans cet univers gigantesque ? Mais c'est un autre sujet sur lequel nous reviendrons.

Promis ?

Promis.
Ainsi, votre dessein en tant qu'âmes est de faire l'expérience de

vous-mêmes en tant que tout cela. Nous sommes en évolution. Nous sommes... en devenir.

Devenir quoi ? Nous ne le savons pas ! Nous ne pouvons le savoir avant d'y arriver ! Mais pour nous, le voyage est la joie. Et dès que nous « y arrivons », dès que nous créons la prochaine idée la plus élevée de *qui nous sommes*, nous créons aussi une pensée plus vaste, une idée plus grande, et *perpétuons la joie à jamais*.

Me suis-tu, jusqu'ici ?

Oui. À ce stade-ci, je pourrais presque répéter cela mot à mot.

Bien.

Alors... la raison d'être et le dessein de votre vie se résument à décider et à être *qui vous êtes vraiment*. Vous le faites chaque jour. À partir de chaque geste, de chaque pensée, de chaque parole. Dans la mesure où vous êtes satisfaits de cela – de *qui vous êtes* selon votre expérience –, dans cette mesure, vous vous en tiendrez, plus ou moins, à la création, en n'apportant que des ajustements mineurs, ici et là, pour la rapprocher de plus en plus de la perfection.

Paramahansa Yogananda est un exemple d'un être très proche de la « perfection » en tant que représentation de ce qu'il pensait de lui-même. Il avait une idée très claire de lui-même et de sa relation avec moi, et il a utilisé sa vie pour « représenter » cela. Il désirait faire l'expérience de l'idée qu'il se faisait de lui-même dans sa propre réalité ; se connaître en tant que tel, de façon expérientielle.

Babe Ruth [grand joueur de baseball américain des années 30] a fait la même chose. Il se faisait une idée très claire de lui-même et de sa relation avec moi, et il a utilisé sa vie pour représenter cela ; pour se connaître dans sa propre expérience.

Peu de gens vivent à ce niveau. D'accord, le maître et Babe se faisaient des idées entièrement différentes d'eux-mêmes, mais ils les ont tous deux jouées de façon magnifique.

De plus, ils se faisaient tous les deux des idées dissemblables sur moi, c'est sûr, et venaient de niveaux différents de conscience à propos de *qui je suis* et de leur véritable relation avec moi. Et ces niveaux de conscience se reflétaient dans leurs pensées, leurs paroles et leurs gestes.

L'un passa presque toute sa vie dans un espace de paix et de sérénité, et apporta une paix et une sérénité profondes aux autres. L'autre se trouvait dans un espace d'anxiété, d'agitation, de colère occasionnelle (surtout lorsqu'il ne pouvait arriver à ses fins) et apporta de l'agitation à la vie de ceux qui l'entouraient.

Mais tous les deux avaient bon cœur – personne n'eut jamais do toucher plus doux que Babe Ruth –, et la différence entre eux, c'est que l'un n'avait presque rien en matière d'acquisitions matérielles, mais ne voulut jamais plus que ce qu'il possédait, tandis que l'autre « avait tout » et n'obtint jamais ce qu'il voulait vraiment.

Si c'était la fin pour George Herman [son nom véritable], Je suppose que nous pourrions tous nous sentir un peu tristes, mais l'âme qui s'est incarnée en tant que Babe Ruth est loin d'en avoir terminé avec ce processus appelé évolution. Cet homme a eu une occasion de revoir les expériences qu'il a produites pour lui-même, comme les expériences qu'il a produites pour les autres. Et à présent, il est sur le point de décider de ce dont il aimerait faire l'expérience ensuite, en cherchant à se créer et à se recréer dans des versions de plus en plus grandioses.

Nous allons interrompre ici notre récit sur ces deux âmes, car elles ont toutes deux fait leur prochain choix concernant ce dont elles veulent faire l'expérience à présent – et en fait, elles en font maintenant l'expérience.

Tu veux dire qu'elles se sont toutes deux réincarnées dans d'autres corps ?

Ce serait une erreur que d'assumer que la réincarnation – le retour à un autre corps physique – était la seule option qui leur était offerte.

Quelles sont les autres options ?

En vérité, tout ce qu'elles veulent.

J'ai déjà expliqué dans ce livre ce qui se produit après ce que vous appelez votre mort.

Certaines âmes sentent qu'elles aimeraient en connaître bien davantage et se retrouvent à l'« école », tandis que d'autres âmes – que vous appelez les « vieilles âmes » – leur enseignent. Et que leur enseignent-elles ? *Qu'elles n'ont rien à apprendre. Qu'elles n'ont jamais rien eu à apprendre.* Que tout ce qu'elles ont jamais eu à faire, c'était de se rappeler. Se rappeler *qui* et *ce qu'elles sont vraiment*.

On leur « enseigne » que l'expérience de *qui elles sont* s'acquiert dans le fait de le mettre en action ; dans le fait de *l'être*. On le leur rappelle en le leur montrant gentiment.

D'autres âmes se sont déjà rappelé cela au moment où elles sont arrivées – ou peu après leur arrivée – « de l'autre côté ». (J'utilise à présent le langage qui vous est familier, en parlant dans votre jargon pour, autant que possible, ne pas nous embarrasser de mots.) Ces âmes peuvent alors chercher la joie immédiate de faire l'expérience d'elles-mêmes en tant que tout ce qu'elles veulent « être ». Elles peuvent choisir parmi les millions, les trillions d'aspects de moi, et choisir d'en faire l'expérience, sur place et sur-le-champ. Certaines peuvent aussi choisir de retourner à la forme physique pour le faire.

N'importe quelle forme physique ?

N'importe laquelle.

Il est donc vrai que les âmes peuvent retourner sous la forme d'animaux – que Dieu pourrait être une vache ? Et que les vaches sont vraiment sacrées ? Oh, la vache !

Hum...

Désolé.

Tu as eu toute une vie pour développer une carrière d'humoriste. D'ailleurs, puisque je regarde ta vie, tu as fait un assez bon travail.

Cha-boom. C'était un coup sur le rebord de la caisse claire. Si j'avais une cymbale ici, je te donnerais un coup de cymbale.

Merci, merci.
Mais vraiment...
La réponse à la question fondamentale que tu poses – une âme peut-elle retourner sous la forme d'un animal ? – c'est oui, bien sûr. La véritable question est la suivante : le ferait-elle ? La réponse est : sans doute pas.

Les animaux ont-ils une âme ?

Quiconque a jamais regardé un animal dans les yeux connaît déjà la réponse à cela.

Alors, comment saurai-je si ce n'est pas ma grand-mère revenue sous la forme de mon chat ?

Le processus dont nous parlons ici, c'est l'évolution. L'autocréation et l'évolution. Et l'évolution fonctionne dans un sens. Vers le haut. Toujours vers le haut.
Le plus grand désir de l'âme est de faire l'expérience d'aspects de plus en plus élevés d'elle-même. Ainsi, elle cherche à monter, et non à descendre, dans l'échelle de l'évolution, jusqu'à ce qu'elle fasse l'expérience de ce qu'elle a appelé le nirvana – l'Unité totale avec le Tout. C'est-à-dire avec moi.

Mais si l'âme désire des expériences de plus en plus élevées d'elle-même, pourquoi se donnerait-elle la peine de revenir sur terre en tant qu'être humain ? Cela ne peut certainement pas être un pas « vers le haut » ?

Si l'âme retourne à la forme humaine, c'est toujours dans le but de poursuivre l'expérience et, ainsi, d'évoluer davantage. Il y a plusieurs niveaux d'évolution observables et démontrés chez les humains. On pourrait revenir pendant plusieurs vies – plusieurs centaines de vies – et continuer d'évoluer vers le haut. Mais le mouvement vers le haut, le plus grandiose désir de l'âme, ne s'atteint pas par un retour à une forme de vie inférieure. Ainsi, un tel retour ne se produit pas. Pas avant que l'âme n'atteigne l'ultime réunion avec *tout ce qui est*.

Cela doit signifier que de « nouvelles âmes » arrivent tous les jours dans notre système, en prenant des formes de vie inférieures.

Non. Chaque âme qui a jamais été créée l'a été en même temps. Nous sommes tous ici *maintenant*. Mais, comme Je l'ai déjà expliqué, lorsqu'une âme (une part de moi) atteint l'ultime accomplissement, elle a l'option de « recommencer », de « tout oublier » pour tout se rappeler à nouveau et se recréer à neuf une fois de plus. Ainsi, Dieu continue de refaire l'expérience de lui-même.

Les âmes peuvent également choisir de se « recycler » à travers une forme de vie particulière, à un certain niveau, aussi souvent qu'elles le désirent.

Sans réincarnation – sans la capacité de retourner à une forme physique –, l'âme aurait à accomplir tout ce qu'elle cherche à accomplir en une seule vie, ce qui est un milliard de fois plus court qu'un clin d'oeil sur l'horloge cosmique.

Alors, oui, bien sûr, la réincarnation est un fait. Elle est réelle, elle a un but et elle est parfaite.

D'accord, mais il y a une chose à propos de laquelle je suis confus. Tu as dit que le temps n'existe pas ; que toutes les choses sont en train de se produire maintenant. Est-ce exact ?

Oui.

Et ensuite, tu as sous-entendu – comme dans le tome 2, où tu as traité ce sujet en détail – que nous existons « tout le temps » à des niveaux différents, ou à divers points, dans le continuum espace-temps.

C'est vrai.

D'accord, mais maintenant, voici où ça devient dément. Si l'un des « moi » du continuum espace-temps « meurt », puis revient ici en tant qu'une autre personne... alors... alors, qui suis-je ? Je devrais exister en tant que deux personnes à la fois. Et si je continuais de faire cela durant toute l'éternité – et tu dis que je le fais –, alors je suis cent personnes à la fois ! Mille. Un million. Un million de versions d'un million de gens à un million de points du continuum espace-temps.

Oui.

Je ne comprends pas cela. Mon esprit ne peut pas saisir cela.

En fait, tu t'en es bien tiré. C'est là un concept très avancé.

Mais... mais... si c'est vrai, alors « je » – la part de « moi » qui est immortelle – dois être en train d'évoluer d'un milliard de façons différentes sous un milliard de formes diverses, à un milliard de points données de la Roue cosmique dans l'éternel instant présent.

Encore juste. C'est exactement ce que je fais.

Non, non. Je disais que c'est ce que *je* dois être en train de faire.

Encore juste. C'est ce que je viens de dire.

Non, non, j'ai dit...

Je sais ce que tu as dit. Et c'est exactement ce que Je t'ai dit. La confusion tient au fait que tu crois encore que nous sommes plus d'un, ici.

Ce n'est pas le cas ?

Nous n'avons jamais été plus d'un, ici. Jamais. Viens-tu tout juste de t'en apercevoir ?

Tu veux dire que je viens de me parler à moi-même, ici ?

Quelque chose comme ça.

Tu veux dire que tu n'es *pas Dieu* ?

Ce n'est pas ce que J'ai affirmé.

Tu veux dire que tu *es Dieu* ?

C'est ce que j'ai dit.

Mais si tu es Dieu et tu es moi, et que je suis toi – alors... alors... *je suis Dieu* !

Tu es Dieu, oui. C'est juste. Tu piges totalement.

Mais je ne suis pas seulement Dieu – je suis aussi tous les autres.

Oui.

Mais cela veut-il dire que personne, et rien d'autre, n'existe à part moi ?

N'ai-je pas dit : mon père et moi ne faisons qu'Un ?

Oui, mais...

Et n'ai-je pas affirmé aussi : nous ne faisons tous qu'Un ?

Oui. Mais je ne savais pas que tu l'entendais *littéralement*. Je croyais que tu parlais au sens figuré. Je croyais que c'était davantage un énoncé philosophique, et non l'affirmation d'un *fait*.

C'est l'énoncé d'un fait. Nous ne faisons tous qu'Un. C'est ce qu'on entend par « chaque fois que vous ferez quelque chose au plus petit d'entre eux... c'est à moi que vous le ferez ».
Comprends-tu, maintenant ?

Oui.

Ah, enfin ! Tout de même !

Pardonne-moi de remettre cela en question, mais... quand je suis avec d'autres – ma conjointe ou mes enfants –, j'ai l'impression d'être *séparé* d'eux ; qu'ils sont autres que « moi ».

La conscience est une chose merveilleuse. Elle peut se diviser en mille morceaux. Un million. Un million multiplié par un million.
Je me suis divisé en un nombre infini de « morceaux » – afin que chaque « morceau » de moi puisse se regarder et voir la merveille de *qui* et de *ce que Je suis*.

Mais pourquoi ai-je à traverser cette période d'oubli, d'incrédulité ? Et même maintenant, je n'y crois pas totalement ! Je suis encore accroché à l'oubli.

Ne sois pas si dur envers toi-même. Cela fait partie du processus. C'est bien, si cela se produit ainsi.

Alors, pourquoi me dis-tu tout cela maintenant ?

Parce que tu commençais à ne pas t'amuser. La vie commençait à ne plus être joyeuse. Tu commençais à être tellement pris dans le processus que tu oubliais que ce n'était qu'un processus.

Alors, tu m'as appelé. Tu m'as demandé d'aller vers toi ; de t'aider à comprendre ; de te montrer la vérité divine ; de te révéler le plus grand secret. Le secret que tu t'es caché à toi-même. *Le secret de QUI TU ES*.

Alors, Je l'ai fait. Une fois de plus, on t'a amené à te rappeler. Est-ce que ce sera important ? Cela changera-t-il ta façon d'agir demain ? Cela t'incitera-t-il à voir les choses différemment ce soir ?

Vas-tu à présent guérir les douleurs des blessés, calmer l'anxiété des individus apeurés, répondre aux besoins des pauvres, célébrer la magnificence des accomplis et voir la vision de moi partout ?

Ce dernier rappel de la vérité transformera-t-il ta vie et te permettra-t-il de changer la vie des autres ?

Ou bien retourneras-tu à l'oubli ; retomberas-tu dans l'égoïsme ; retourneras-tu, pour y résider à nouveau, à la petitesse de ce que tu croyais être avant cet éveil ?

Qu'est-ce que ce sera ?

8

La vie est vraiment éternelle, n'est-ce pas ?

Très certainement, oui.

Elle est sans fin.

Sans fin.

La réincarnation existe *vraiment*.

Vraiment. Tu peux retourner à la forme mortelle – c'est-à-dire à une forme physique qui peut « mourir » – autant de fois et sous autant de formes que tu le voudras.

Décidons-nous du moment auquel nous voulons revenir ?

« Si » et « quand » – oui.

Décidons-nous aussi du moment auquel nous voulons partir ? Choisissons-nous à quel moment nous voulons mourir ?

Aucune expérience n'est conférée à aucune âme contre la volonté de celle-ci. C'est, par définition, impossible, puisque l'âme crée chaque expérience.

L'âme ne veut rien. L'âme a tout. Toute la sagesse, toute la connaissance, tout le pouvoir, toute la gloire. L'âme est la partie de toi qui ne dort jamais ; qui n'oublie jamais.

L'âme désire-t-elle que le corps meure ? Non. Le désir de l'âme est que tu ne meures jamais. Mais l'âme quittera le corps – changera de forme corporelle, laissant derrière elle, en un clin d'oeil, la plus grande part du corps matériel – lorsqu'elle ne verra plus la nécessité de demeurer sous cette forme.

Si le désir de l'âme est que nous ne mourions jamais, alors, pourquoi le faisons-nous ?

Vous ne mourez pas. Vous changez tout simplement de forme.

Si le désir de l'âme est que nous ne faisions jamais cela, alors, pourquoi le faisons-nous ?

Ce n'est pas ce à quoi aspire l'âme !
Tu es un « changeur de forme » !
Lorsqu'il n'y a plus d'utilité à rester sous une forme en particulier, l'âme change de forme – délibérément, volontairement, joyeusement – et continue sur la Roue cosmique.

Joyeusement ?

Avec une grande joie.

Aucune âme ne meurt à regret ?

Aucune âme ne meurt jamais.

Je veux dire : aucune âme ne regrette que la forme physique courante change, qu'elle soit sur le point de « mourir » ?

Le corps ne « meurt » jamais, mais adopte tout simplement une autre forme avec l'âme. Mais je comprends ce que tu veux dire. Par conséquent, J'utiliserai à présent le vocabulaire que tu as établi.
Si tu comprends clairement ce que tu veux créer en ce qui concerne ce que tu as choisi d'appeler l'au-delà, ou si tu as un ensemble très clair

de croyances qui soutiennent une expérience de réunion avec Dieu après la mort, alors, non, l'âme n'a jamais, jamais, de regrets à propos de ce que tu appelles la mort.

La mort, dans ce cas, est un moment de gloire, une expérience merveilleuse. Dès lors, l'âme peut retourner à sa forme naturelle, à son état normal, où elle retrouve une incroyable légèreté, un sentiment de liberté totale, une absence de limites. Et une conscience de l'Unité à la fois extatique et sublime.

Il n'est pas possible, pour l'âme, de regretter un tel changement.

Alors, tu dis que la mort est une expérience *heureuse* ?

Pour l'âme qui le veut, oui, toujours.

Eh bien, si l'âme veut tellement sortir du corps, pourquoi ne le quitte-t-elle tout simplement pas ? Pourquoi traîne-t-elle ?

Je n'ai pas dit que l'âme « veut sortir du corps ». J'ai dit que l'âme est joyeuse lorsqu'elle en est sortie. Ce sont deux concepts différents.

On peut être heureux de faire une chose, et heureux ensuite d'en faire une autre. Le fait d'être joyeux de faire la seconde ne veut pas dire qu'on était malheureux de faire la première.

L'âme n'est pas malheureuse d'être avec le corps. Bien au contraire, elle prend plaisir à être toi sous ta forme actuelle. Cela n'écarte pas la possibilité que l'âme puisse prendre autant de plaisir à en être détachée.

De toute évidence, il y a bien des choses que je ne comprends pas sur la mort.

Oui, et c'est simplement que tu n'aimes pas y penser. Mais tu dois contempler la mort et la perte dès que tu perçois le moindre instant de vie, sinon tu n'auras perçu aucune vie, mais n'en connaîtras que la moitié.

Chaque instant se termine aussitôt qu'il commence. Si tu ne vois pas cela, tu ne verras pas ce qu'il y a là d'exquis, et l'instant te semblera ordinaire.

Chaque interaction « commence à finir » dès qu'elle « commence à être ». Ce n'est que lorsqu'on le contemple véritablement et qu'on le comprend profondément que le trésor entier de chaque instant – et de la vie même – s'ouvre à vous.

La vie ne peut se donner à toi si tu ne comprends pas la mort. Tu dois faire plus que la comprendre. *Tu dois l'aimer, autant que tu aimes la vie.*

Le temps que tu passes avec chaque personne serait glorifié si tu savais que c'est la *dernière* fois que tu es avec elle. Ton expérience de chaque instant serait accrue d'une façon incommensurable si tu pensais que c'est le dernier moment semblable. Ton refus de contempler ta propre mort mène à ton refus de contempler ta propre vie.

Tu ne la vois pas vraiment. Tu rates l'instant et tout ce qu'il recèle pour toi. Tu regardes à côté plutôt qu'à travers.

Lorsque tu regardes profondément quelque chose, tu vois à travers. Contempler profondément quelque chose, c'est voir à travers. Ainsi, l'illusion cesse d'exister. On voit une chose pour ce qu'elle est vraiment. Et c'est alors, seulement, qu'on peut vraiment en jouir – c'est-à-dire *y mettre de la joie.* (« Jouir », c'est rendre une chose joyeuse.)

Même l'illusion, tu peux alors en jouir. Car tu sais que c'est une illusion, et c'est la moitié de la jouissance ! Ce qui cause la douleur, c'est le fait que tu crois que c'est réel.

Aucune chose n'est douloureuse si tu comprends qu'elle n'est pas réelle. Permets-moi de le répéter.

Aucune chose n'est douloureuse si tu comprends qu'elle n'est pas réelle.

C'est comme un film, un drame, joué sur la scène de ton esprit. Tu crées la situation et les personnages. Tu écris les répliques.

Rien n'est douloureux dès que tu comprends que rien n'est réel.

C'est aussi vrai de la mort que de la vie.

Quand tu comprendras que la mort, aussi, est une illusion, alors tu pourras dire : « Ô mort, où est ta victoire ? »

Tu pourras même *jouir* de la mort ! Tu pourras même jouir de la mort de quelqu'un d'*autre*.

Cela te semble-t-il étrange ? Cela te semble-t-il étrange à dire ? Seulement si tu ne comprends pas la mort – et la vie.

La mort n'est jamais une fin ; c'est toujours un commencement. Une mort est une porte qui s'ouvre et non une porte qui se ferme.

Lorsque tu comprendras que la vie est éternelle, tu comprendras que la mort est une illusion qui te garde fort inquiet et qui, par conséquent, t'aide à croire que tu es ton corps. Mais tu n'es pas ton corps ; ainsi, la destruction de ton corps n'a aucun intérêt pour toi.

La mort devrait t'enseigner que ce qui est réel, c'est la vie. Et la vie t'enseigne que ce qui est inévitable n'est pas la vie, mais « l'impermanence ».

« *L'impermanence* » *est la seule vérité*.

Rien n'est permanent. Tout se transforme. À chaque instant. À chaque moment.

S'il existait quelque chose de permanent, ce ne pourrait pas *être*. Car pour avoir une signification quelconque, le concept même de permanence dépend de « l'impermanence » . Par conséquent, *même la permanence est « impermanente »*. Regarde cela en profondeur. Contemple cette vérité. Comprends-la, et tu comprendras Dieu.

C'est le Dharma et c'est le Bouddha. C'est le Bouddha Dharma. C'est l'enseignement et l'enseignant. C'est la leçon et le maître. C'est l'objet et l'observateur, enroulés ensemble.

Ils n'ont jamais été *autrement qu'Un*. C'est toi qui les as déroulés, afin que ta vie puisse se dérouler devant toi.

Mais en regardant ta propre vie se dérouler devant toi, ne te défais pas toi-même. Garde l'unité de ton Soi ! Vois l'illusion ! Jouis-en ! Mais ne la *deviens* pas !

Tu n'es pas l'illusion, mais *son créateur*.

Tu es dans ce monde, mais tu n'en fais pas partie.

Alors, utilise ton illusion de la mort. Utilise-la ! Permets-lui d'être la clé qui t'ouvrira à une plus grande part de la vie.

Vois la fleur en train de mourir et tu verras la fleur d'un regard triste. Mais considère la fleur comme une partie de tout un arbre en train de changer, et qui portera bientôt ses fruits, et tu verras la fleur dans sa véritable beauté.

Observe cela soigneusement, et tu verras que la vie est sa propre métaphore.

Rappelle-toi toujours que tu n'es pas la fleur, que tu n'es même pas le fruit. Tu es l'arbre. Et tes racines sont profondes, incrustées en moi. Je suis le sol dont tu as jailli, et tes fleurs et tes fruits retourneront à moi, créant à nouveau un sol riche. Ainsi, la vie engendre la vie et ne peut connaître la mort, jamais.

Comme tout cela est beau ! C'est tellement, tellement beau ! Merci. Veux-tu m'entretenir, à présent, d'une chose qui me trouble ? J'ai besoin de parler du suicide. Pourquoi y a-t-il un tel tabou contre le fait de mettre fin à sa vie ?

En effet, pourquoi donc ?

Tu veux dire qu'il n'est pas mal de se tuer ?

Cette question ne peut avoir de réponse qui te satisfasse, car la question même renferme deux faux concepts; elle est fondée sur deux suppositions erronées ; elle contient deux erreurs.

La première fausse supposition, est la suivante : le « bien » et le « mal » existent. La seconde, c'est qu'il est possible de tuer. Donc, en soi, ta question se désintègre dès qu'on la dissèque.

Le « bien » et le « mal » sont des polarités philosophiques dans un système de valeurs humain qui n'a rien à voir avec la réalité ultime – un argument que J'ai proposé à maintes reprises tout au long de ce dialogue. De plus, non seulement ces constructions ne sont pas constantes au sein de votre propre système, mais ce sont des valeurs qui changent sans cesse, d'un instant à l'autre.

Vous-mêmes provoquez le changement, en changeant d'idée comme bon vous semble à propos de ces valeurs (et vous avez bien raison, en tant qu'êtres en évolution), mais vous agissez ainsi en insistant, à chaque pas, sur le fait que tel n'est pas le cas et que seules vos valeurs *immuables* forment le noyau de l'intégrité de votre société. Ainsi, vous avez construit votre société sur un paradoxe. Vous continuez de transformer vos valeurs, tout en proclamant que c'est aux valeurs immuables que vous... disons, *accordez de la valeur* !

La réponse aux problèmes que présente ce paradoxe n'est pas de jeter de l'eau froide sur le sable pour faire du ciment, mais de célébrer la mouvance du sable. Célébrez sa beauté aussi longtemps qu'il retient la forme de votre château, mais célébrez aussi la nouvelle forme qu'il prendra à mesure que la marée montera.

Célèbre les sables mouvants lorsqu'ils forment de nouvelles montagnes que tu grimperas et au sommet desquelles – et avec lesquelles – tu construiras tes nouveaux châteaux. Mais comprends que ces montagnes et ces châteaux sont des monuments au *changement* et non à la permanence.

Rends gloire à ce que tu es aujourd'hui, mais ne condamne pas ce que tu étais hier et n'écarte pas ce que tu pourrais devenir demain.

Comprends ceci : le « bien » et le « mal » sont des créations de ton imagination, et dire « ça va » et « ça ne va pas » ne sont que des façons d'énoncer tes dernières préférences et suppositions.

Par exemple, la supposition actuelle de la majorité des gens de ta planète, c'est que mettre fin à sa vie, « ça ne va pas ».

De même, nombre d'entre vous insistent encore pour affirmer qu'aider quelqu'un à mettre fin à sa vie, ça ne va pas.

Dans les deux cas, vous supposez que ce devrait être « contre la loi ». Vous en êtes sans doute arrivés à cette conclusion parce qu'il est relativement rapide de mettre fin à la vie. Les gestes qui mettent fin à une vie à plus long terme ne sont pas illégaux, même s'ils aboutissent au même résultat.

Ainsi, si un individu, dans votre société, se tue avec une arme, les membres de sa famille ne recevront aucune prestation de la part de l'assureur. S'il met fin à sa vie en fumant des cigarettes, sa famille y aura droit.

Si un médecin vous aide à vous suicider, on juge qu'il s'agit d'un meurtre, mais si c'est une entreprise qui vend du tabac, cela s'appelle du commerce.

Selon vous, cela ne semble être qu'une question de temps. La légalité de l'autodestruction – le fait qu'elle soit « bien » ou « mal » – semble être étroitement reliée à la rapidité du geste et à son auteur. Plus la mort est rapide, plus elle semble être « mal ». Plus la mort est lente, plus elle glisse dans le « ça va ».

Curieusement, cela semble être exactement le contraire de ce que conclurait une société véritablement fondée sur l'humanité. Selon toute définition raisonnable de l'« humanité », plus la mort est lente, mieux c'est. Mais votre société punit ceux qui chercheraient à poser un geste d'humanité et récompense ceux qui poseraient un geste malsain.

Il est malsain de croire que Dieu exige une souffrance infinie et qu'une fin rapide et humaine à la souffrance est « mal ».

« Punissez l'humain, récompensez le malsain. »

C'est une devise que seule pourrait adopter une société d'êtres d'une intelligence limitée.

Ainsi, vous empoisonnez votre organisme en aspirant des substances cancérigènes, en vous nourrissant d'aliments traités avec des produits chimiques qui, à la longue, vous tuent, et en respirant de l'air que vous polluez continuellement. Vous empoisonnez votre organisme de cent façons différentes pendant un millier d'instants, et vous le faites *tout en sachant que ces substances ne sont pas bonnes pour vous*. Mais parce qu'elles nécessitent plus de temps pour vous tuer, *vous vous suicidez en toute impunité*.

Si vous vous empoisonnez avec quelque chose qui agit plus rapidement, on dit que vous avez fait quelque chose à l'encontre de la loi morale.

Alors, Je vous dis ceci : *Il n'est pas plus immoral de se tuer rapidement que de se tuer lentement*.

Une personne qui met fin à sa propre vie n'est donc pas punie par Dieu ?

Je ne punis pas. J'aime.

Que dire de l'affirmation répandue selon laquelle ceux qui croient, par le suicide, « échapper » à leur situation difficile, ou mettre fin à leur état, découvrent en fait qu'ils affrontent la même situation difficile ou le même état et, par conséquent, n'échappent et ne mettent fin à rien ?

Votre expérience de ce que vous appelez l'au-delà est un reflet de votre conscience au moment où vous y entrez. Mais vous êtes toujours un être de libre arbitre et vous pouvez modifier votre expérience comme bon vous semble.

En somme, les êtres chers qui ont mis fin à leur vie physique vont bien ?

Oui. Ils se portent très bien.

Un livre merveilleux a été écrit à ce sujet par Anne Puryear. Il s'intitule *Stephen Lives*. L'auteure y apporte son témoignage sur son fils, qui a mis fin à sa vie à l'adolescence. Tant de gens l'ont trouvé utile.

Anne Puryear est un messager merveilleux. Tout comme son fils.

Tu nous recommandes la lecture de ce livre ?

C'est un livre important. Il en dit davantage à ce sujet que nous ne le faisons ici, et ceux qui ont gardé des blessures profondes ou des problèmes persistants entourant le fait qu'un être cher a mis fin à ses jours seront ouverts à la guérison par l'intermédiaire de ce livre.

Il est triste que nous ayons de telles blessures et de tels problèmes, mais pour une grande part, je crois, c'est le résultat de ce que notre société nous a « fourni » sur le suicide.

Dans votre société, il arrive souvent que vous ne voyiez pas les contradictions de vos propres constructions morales. La contradiction entre le fait de faire des choses qui, vous le savez très bien, raccourciront votre vie, mais de les faire lentement, et le fait de faire des choses qui raccourciront votre vie rapidement, voilà l'une des plus flagrantes de l'expérience humaine.

Mais cela semble si évident, lorsque tu l'énonces ainsi. Pourquoi ne pouvons-nous voir nous-mêmes une vérité aussi évidente ?

Parce que si vous voyiez ces vérités, vous auriez *à faire quelque chose avec*. Mais vous vous refusez à le faire. Alors, vous n'avez d'autre choix que de regarder une chose en face sans la voir.

Mais si nous voyions ces vérités, pourquoi ne voudrions-nous pas agir à partir d'elles ?

Parce que vous croyez que pour agir, vous auriez à mettre fin à vos plaisirs. Et mettre fin à vos plaisirs constitue un choix que vous n'avez aucun désir de faire.

La plupart des choses (ou leur résultat) qui causent lentement votre mort vous donnent du plaisir. Et la plupart des choses qui vous donnent du plaisir satisfont le corps. En réalité, c'est ce qui fait de votre société une société primitive. *Vos vies sont largement structurées autour du fait de rechercher et d'expérimenter les plaisirs du corps.*

Bien entendu, tous les êtres, partout, cherchent à connaître des plaisirs. Il n'y a rien de primitif là-dedans, puisque c'est l'ordre naturel des choses. Ce qui différencie les sociétés et les êtres au sein des sociétés, c'est leur *définition de l'agréable*. Si une société est largement structurée autour des plaisirs du corps, elle ne fonctionne pas au même niveau qu'une société fondée autour des plaisirs de l'âme.

Et comprenez, aussi, que cela ne veut pas dire que vos puritains avaient raison et qu'il faut nier tous les plaisirs du corps. Cela signifie que dans les sociétés spirituellement élevées, les plaisirs du corps physique ne constituent pas le plus grand nombre des plaisirs appréciés. Ils ne sont pas le premier point de mire.

Plus une société, ou un être, est élevée, plus ses plaisirs le sont aussi.

Minute ! Ça ressemble à un jugement de valeur. Je croyais que toi – Dieu – tu ne portais pas de jugements de valeur.

Est-ce un jugement de valeur que d'affirmer que le mont Everest est plus élevé que le mont McKinley ?

Est-ce un jugement de valeur que de dire que tante Sarah est plus âgée que son neveu Thomas ?

Ce sont-là des jugements de valeur ou des observations ?

Je n'ai pas dit qu'il valait « mieux » avoir une conscience élevée. En fait, ce n'est pas le cas. Pas plus qu'il vaut « mieux » être en quatrième année qu'en première.

Je ne fais qu'observer ce qu'est la quatrième année.

Et nous ne sommes pas en quatrième année sur cette planète. Nous sommes en première. N'est-ce pas ?

Mon enfant, vous n'êtes même pas à la garderie. Vous êtes à la pouponnière.

Comment ne puis-je pas recevoir ça comme une insulte ? Pourquoi ai-je l'impression que tu dénigres la race humaine ?

Parce que ton ego croit profondément *que tu es ce que tu n'es pas – et que tu n'es pas ce que tu es.*

La plupart des gens entendent des insultes lorsqu'une simple observation a été faite, si cette observation a trait à une chose qu'ils ne veulent pas assumer.

Mais si vous n'acceptez pas une chose, vous ne pourrez l'abandonner. Vous ne pourrez vous départir de ce que vous n'avez jamais possédé.

On ne peut pas changer ce qu'on n'accepte pas.

Exactement.

L'illumination commence par l'acceptation, sans jugement, de « ce qui est ».

Cela s'appelle entrer dans l'état d'Être. C'est dans l'état d'Être que l'on trouvera la liberté.

Ce à quoi tu résistes persiste. Ce que tu regardes disparaît. En d'autres termes, il cesse d'avoir une forme illusoire. Tu le vois tel qu'il est. Et ce qui *est* peut toujours être transformé. Seul ce qui *n'est pas* ne peut être changé. Par conséquent, pour changer l'état d'Être, entre dedans. N'y résiste pas. Ne le nie pas.

Si tu nies une chose, tu la déclares. Si tu déclares une chose, tu la crées.

Le déni d'une chose est sa recréation, car l'acte même de nier une chose la fait apparaître.

L'acceptation d'une chose t'en donne la maîtrise. Ce que tu nies, tu ne peux le contrôler, puisque tu as déclaré son absence. Par conséquent, ce que tu nies te domine.

La majeure partie de ta race refuse de reconnaître qu'elle n'est pas encore suffisamment évoluée pour entrer à la maternelle. Elle ne veut pas accepter que la race humaine est encore à la pouponnière. Mais ce manque d'acceptation, c'est exactement ce qui la garde là.

Vous avez un tel investissement de l'ego dans le fait d'être ce que vous n'êtes pas (hautement évolués), que vous n'êtes pas ce que vous êtes (en évolution). Vous travaillez donc contre vos intérêts et luttez contre vous-mêmes. Par conséquent, vous évoluez très lentement.

La voie rapide vers l'évolution commence lorsqu'on admet et qu'on accepte ce qui est, et non ce qui n'est pas.

Et je saurai que j'ai accepté « ce qui est » lorsque je ne me sentirai plus insulté en entendant sa description.

Exactement. Te sentiras-tu insulté si Je te dis que tu as les yeux bleus ?

Alors, Je te redis ceci : Plus une société, ou un être, est élevée, plus ses plaisirs sont élevés.

Ce que vous appelez « plaisir », c'est ce qui proclame votre niveau d'évolution.

Aide-moi à mieux saisir la portée du terme « élevé ». Qu'entends-tu par là ?

Ton être est le microcosme de l'univers. Toi, ainsi que ton corps physique, êtes composés d'énergie brute agglutinée autour de sept centres, ou chakras. Étudie les chakras et leur signification. Il y a des centaines de livres là-dessus. C'est de la sagesse que j'ai déjà donnée à la race humaine.

Ce qui est agréable, ou stimule vos chakras inférieurs, diffère de ce qui est agréable pour vos chakras supérieurs.

Plus vous élevez l'énergie de votre vie à travers votre être physique, plus votre conscience sera élevée.

Eh bien, nous y voilà encore ! Cela ressemble à un argument en faveur de la chasteté. Cela ressemble à l'argument à l'encontre de l'expression de la passion sexuelle. Les gens qui sont « élevés » dans leur conscience « ne se situent pas au niveau de » leur chakra racine – leur premier chakra, le plus bas – dans leurs interactions avec d'autres humains.

C'est vrai.

Mais n'as-tu pas répété tout au long de ce dialogue que la sexualité humaine devait être *célébrée* et non réprimée ?

C'est juste.

Eh bien, aide-moi à m'en tirer, car il me semble y avoir une contradiction.

Le monde est rempli de contradictions, mon fils. Le manque de contradictions n'est pas un ingrédient nécessaire à la vérité. Parfois, une vérité supérieure se trouve au sein même de la contradiction.
Ce que nous avons, ici, c'est la divine dichotomie.

Alors, aide-moi à comprendre cette dichotomie. Toute ma vie, j'ai entendu dire à quel point c'était désirable, à quel point c'était « élevé », d'« élever l'énergie de la kundalini » à partir du chakra racine. Cela a été la principale justification des mystiques menant une vie d'extase sans sexe.
Je me rends compte que nous nous sommes éloignés du sujet de la mort et je m'excuse de nous entraîner sur ce territoire.

Pourquoi t'excuser ? Une conversation va là où elle va. Le « sujet » dont nous nous entretenons tout au long de ce dialogue, c'est ce que veut dire être pleinement humain et ce que signifie la vie dans cet univers. C'est le seul sujet, et il s'insère dans notre échange.
Vouloir apprendre des choses sur la mort, c'est vouloir en apprendre sur la vie – c'est là un argument que j'ai fait valoir auparavant. Et si nos échanges mènent à une expansion de notre recherche, de façon qu'elle inclue l'acte même qui crée la vie et qui la célèbre magnifiquement, qu'il en soit ainsi.
À présent, soyons clairs, encore une fois, à propos d'une chose. Il n'est pas exigé de ceux qui sont « hautement évolués » que toute expression de l'énergie sexuelle soit atténuée et que toute l'énergie sexuelle soit élevée. Si tel était le cas, alors il n'y aurait nulle part d'êtres « hautement évolués », car toute évolution aurait cessé.

Voilà un argument plutôt évident.

Oui. Ainsi, quiconque prétend que les plus grands saints n'ont jamais d'activité sexuelle, et que c'est un signe de leur sainteté, ne comprend pas comment la vie est destinée à être.

Permets-moi d'énoncer cela en termes explicites. Si tu désires un étalon de mesure qui servirait à juger si une chose est bonne ou non pour la race humaine, pose-toi une simple question :

Qu'arriverait-il si tout le monde le faisait ?

C'est une mesure très simple et très précise. Si chacun faisait une chose et que le résultat était, en définitive, à l'avantage de la race humaine, alors ce serait « évolué ». Si chacun la faisait et que cela plongerait la race humaine dans un désastre, alors ce ne serait pas une chose très « élevée » à recommander. Es-tu d'accord ?

Bien sûr.

Alors, tu viens de reconnaître le fait qu'aucun maître véritable ne dira jamais que la chasteté est la voie de la maîtrise. Mais c'est cette idée selon laquelle l'abstinence sexuelle est, d'une façon ou d'une autre, la « voie supérieure », et l'expression sexuelle, un « désir inférieur », qui a déshonoré l'expérience sexuelle et amené bien des formes de culpabilité et de dysfonction à se développer.

Mais si le raisonnement à l'encontre de l'abstinence sexuelle tient au fait qu'elle interdirait la procréation, ne pourrait-on pas avancer qu'une fois que le sexe a rempli cette fonction, il n'est plus nécessaire ?

On ne s'adonne pas au sexe parce qu'on est responsable de la procréation de la race humaine. On s'adonne au sexe parce que c'est *un acte naturel*. Il est inscrit dans les gènes. Vous obéissez à un impératif biologique.

Exactement ! C'est un *signal génétique* rattaché à la question de la survie de l'espèce. Mais une fois cette survie de l'espèce assurée, n'est-ce pas la chose « élevée » à faire que d'« ignorer le signal » ?

Tu interprètes mal ce signal. L'impératif biologique ne vise pas à garantir la survie de l'espèce, mais à faire *l'expérience de l'Unité* qui est la véritable nature de ton être. Créer une nouvelle vie, c'est ce qui se produit lorsque l'Unité est atteinte, mais ce n'est pas la raison pour laquelle on recherche l'Unité.

Si la procréation était l'unique raison de l'expression sexuelle – si ce n'était rien d'autre qu'un « système de livraison » – vous n'auriez plus besoin de vous y adonner l'un avec l'autre. Vous pourriez unir les éléments chimiques de la vie dans un contenant de petri.

Mais cela ne satisferait pas les besoins les plus fondamentaux de l'âme, qui, d'ailleurs, sont beaucoup plus grands que la simple procréation et qui sont reliés à la recréation de *qui* et de *ce que vous êtes vraiment*.

L'impératif biologique n'est pas de *créer* plus de vies, mais de faire l'expérience de plus de vie – et de faire l'expérience de cette vie telle qu'elle est vraiment : *soit une manifestation de l'Unité*.

Voilà pourquoi tu n'empêcheras jamais les gens de s'adonner au sexe, même s'ils ont cessé depuis longtemps d'avoir des enfants.

Bien sûr.

D'après certains, néanmoins, le sexe *doit* cesser lorsque les gens cessent d'avoir des enfants, et les couples qui poursuivent cette activité cèdent tout simplement à des besoins physiques abjects.

Oui.

Et ce n'est pas un comportement « élevé », mais purement animal, inférieur à la noble nature de l'homme.

Ce qui nous ramène aux chakras, ou centres d'énergie.

J'ai dit, plus tôt, que « plus vous élevez votre énergie vitale à travers votre être physique, plus votre conscience sera élevée ».

Oui ! Et ça semble vouloir dire « pas de sexe ».

Non, pas du tout. Pas quand tu comprends.

Permets-moi de revenir à ton commentaire précédent et de clarifier quelque chose : il n'y a rien d'ignoble, ou de profane, au fait de s'adonner au sexe. Il faut que tu enlèves cette idée de ton esprit et de ta culture.

Il n'y a rien d'abject, de grossier, ou d'indigne (et encore moins de profane), dans une expérience sexuelle passionnée et empreinte de désir. Les besoins physiques ne sont pas des manifestations de « comportement animal ». Ces besoins ont été *intégrés dans votre organisme* – par *moi*.

Qui, d'après toi, a créé les choses ainsi ?

Les besoins physiques ne sont qu'un *seul ingrédient* d'un mélange complexe de réponses que vous avez tous, les uns envers les autres. Rappelle-toi ! tu es un être en trois parties, avec sept chakras. Lorsque vous réagissez l'un à l'autre, en même temps, à partir de ces trois parties et de ces sept chakras, vous vivez l'expérience-sommet que vous recherchez et pour laquelle vous avez été créés !

Et aucune de ces énergies n'a rien de profane – mais si vous n'en choisissez qu'une, votre expérience reste partielle. *Incomplète* !

Lorsque tu n'es pas complet, tu te limites. Voilà ce que veut dire « profane ».

Sensas ! Je l'ai ! Je *l'ai* !

L'admonestation contre le sexe pour ceux qui choisissent d'être « élevés » n'était pas pour moi une admonestation. C'était une invitation.

Une invitation n'est pas une remontrance, mais c'est ce que vous en avez fait.

Et ce n'était pas une invitation à cesser de vous adonner au sexe, mais bien plutôt à cesser d'être *incomplets.*

Tout ce que tu fais – t'adonner au sexe ou prendre ton petit-déjeuner, aller au travail ou marcher sur la plage, sauter à la corde ou feuilleter un bon livre, *tout* ce que tu fais, fais-le avec tout ton être; avec tout l'être que *tu es.*

Si tu ne t'adonnes au sexe qu'à partir de ton chakra inférieur, tu ne fonctionnes qu'à partir du chakra racine et tu manques de loin la part la plus splendide de l'expérience. Mais si tu es affectueux envers ton partenaire et que ce moment a son origine à partir des sept centres d'énergie, tu vis une expérience-sommet. Comment cela peut-il ne pas être sacré ?

C'est impossible. Je suis incapable d'imaginer qu'une telle expérience puisse ne pas être sacrée.

Ainsi, quand je t'invitais à élever l'énergie vitale dans ton être physique jusqu'au chakra de la couronne, ce n'était absolument pas suggérer ou exiger que *tu te déconnectes du bas.*

Si tu as élevé l'énergie jusqu'à ton chakra du coeur, ou même jusqu'à ton chakra couronne, cela ne veut pas dire qu'elle ne peut pas se trouver également dans ton chakra racine.

En effet, si elle n'y est pas, tu es déconnecté.

Lorsque tu as élevé l'énergie vitale jusqu'à tes centres supérieurs, tu peux ou non choisir d'avoir ce que tu appellerais une expérience sexuelle avec une autre personne. Autrement, tu ne violerais aucune loi cosmique sur la sainteté. Et cela ne t'« élèverait » pas davantage, non plus. Et si tu choisis de t'adonner au sexe avec une autre personne, cela ne va pas t'« abaisser » au seul niveau du chakra racine – à moins que tu fasses le contraire de te déconnecter du bas et que tu *te déconnectes du haut.*

Alors, voici une invitation – non pas une admonestation, mais une invitation : à chaque instant, élève ton énergie, ta force vitale, jusqu'au niveau le plus élevé possible, et tu seras élevé. Cela n'a rien à voir avec le fait de t'adonner ou non au sexe. Cela a à voir avec le fait d'élever ta conscience, *peu importe ce que tu fais.*

Je l'ai ! Je comprends. Mais je ne sais pas comment élever ma conscience. Je ne crois pas savoir comment élever l'énergie vitale tout au long de mes chakras. Et je ne suis pas sûr que les gens sachent même ce que sont ces centres.

Quiconque veut sincèrement en savoir davantage sur la « physiologie de la spiritualité » peut trouver assez facilement. J'ai déjà émis cette information en termes très clairs.

Tu veux dire dans d'autres livres, par l'intermédiaire d'autres auteurs ?

Oui. Lis Deepak Chopra. C'est l'un de ceux qui, à présent, énoncent le mieux les idées ou principes sur votre planète. Il comprend le mystère de la spiritualité, et sa *science.*
Et il y a d'autres merveilleux messagers. Leurs livres décrivent non seulement comment élever ta force vitale à travers ton corps, mais aussi comment *quitter* ton corps physique.
Tu peux te rappeler, grâce à ces lectures, à quel point il est joyeux de lâcher prise sur le corps. Et tu comprendras qu'il est possible de ne plus jamais craindre la mort. Tu comprendras la dichotomie selon laquelle : *c'est une joie que d'être dans le corps, et une joie d'en être libéré.*

9

La vie doit ressembler à l'école. Je me rappelle encore mon excitation, chaque automne, un peu avant le premier jour d'école et, à la fin de l'année, mon grand plaisir de partir.

Précisément ! Exactement ! En plein dans le mille. C'est exactement ça. Sauf que la vie n'est pas une école.

Oui, je me rappelle. Tu as expliqué tout cela dans le tome 1. Jusque-là, je croyais que la vie était vraiment une « école » et que nous étions venus ici pour « apprendre nos leçons ». Tu m'as immensément aidé, dans le tome 1, à comprendre que c'était là une fausse doctrine.

J'en suis heureux. C'est ce que nous essayons de faire ici, avec cette trilogie – t'amener à la clarté. Et maintenant, tu sais clairement pourquoi et comment l'âme peut être comblée de joie après la « mort » sans nécessairement *jamais* regretter la « vie ».
Mais auparavant, tu as posé une question plus vaste, et nous devrions y revenir.

Pardon ?

Tu as demandé : « Si l'âme est si malheureuse dans le corps, pourquoi ne se contente-t-elle pas de partir ? »

Ah, oui.

Eh bien, elle le fait. Et pas seulement à la « mort », comme Je viens de l'expliquer. Mais elle ne part pas parce qu'elle est malheureuse. Elle part plutôt parce qu'elle souhaite se régénérer, rajeunir.

Le fait-elle souvent ?

Tous les jours.

L'âme quitte le corps *tous les jours* ? Quand ?

Quand elle aspire à une expérience plus grande. Elle trouve cette expérience rajeunissante.

Elle se contente de *partir* ?

Oui. L'âme quitte sans cesse votre corps. Continuellement. Toute votre vie. Voilà pourquoi nous avons inventé le sommeil.

L'âme quitte le corps durant le sommeil ?

Bien sûr ! *C'est ça, le sommeil.*

Périodiquement, tout au long de votre vie, l'âme cherche le rajeunissement, une recharge de carburant, si tu veux, pour continuer à marcher dans ce véhicule pesant que vous appelez votre corps.

Vous pensez qu'il est facile pour votre âme d'habiter votre corps ? Eh bien, non ! C'est peut-être simple, mais ce n'est pas *facile* ! C'est une joie, mais ce n'est pas *facile*. C'est la chose la plus difficile que votre âme ait faite !

L'âme, qui connaît une légèreté et une liberté que tu ne peux imaginer, aspire à nouveau à cet état d'être, tout comme un enfant qui adore l'école peut quand même aspirer aux vacances d'été. Tout comme un adulte qui aspire à la compagnie peut aussi, tout en ayant de la compagnie, aspirer à être seul. L'âme cherche un état d'être véritable. L'âme est légèreté et liberté. Elle est aussi paix et joie. Elle est également absence de limites et de douleurs ; sagesse parfaite et amour parfait.

Elle est tout cela, et bien davantage. Mais elle ne fait l'expérience que de quelques-unes de ces qualités lorsqu'elle est dans le corps. Aussi, a-t-elle conclu un arrangement avec elle-même. Elle s'est dit qu'elle resterait avec le corps aussi longtemps qu'elle en aurait besoin afin de créer et de faire l'expérience d'elle-même comme elle le veut – mais seulement si elle pouvait *quitter* le corps chaque fois qu'elle le voulait !

Elle le fait tous les jours, au moyen de l'expérience appelée sommeil.

Le « sommeil » est l'expérience de l'âme quittant le corps ?

Oui.

Je croyais que nous tombions endormis parce que le corps avait besoin de repos.

Tu te trompes. C'est le contraire. L'âme cherche le repos et, ainsi, pousse le corps à « tomber endormi ».

L'âme abandonne littéralement le corps (parfois debout, sur place) lorsqu'elle est fatiguée des limites, de la lourdeur et du manque de liberté causés par le fait d'être avec le corps.

Elle quitte tout simplement le corps lorsqu'elle a besoin de « refaire le plein » ; lorsqu'elle devient épuisée de toute la fausseté, soit la fausse réalité et les dangers imaginaires, et lorsqu'elle cherche, une fois de plus, à rebrancher, à rassurer, à reposer et à réveiller l'esprit.

La première fois que l'âme embrasse le corps, elle trouve l'expérience extrêmement difficile. Elle est très affaiblie, surtout s'il s'agit d'une âme nouvellement arrivée. C'est d'ailleurs pourquoi les bébés dorment beaucoup.

Lorsque l'âme surmonte le choc initial d'être une fois de plus attachée à un corps, elle commence à augmenter sa tolérance à ce fait. Elle reste davantage avec lui.

En même temps, la part de vous nommée esprit passe à l'oubli – elle a été conçue pour le faire. Même les envols de l'âme hors du corps, envisagés maintenant sur une base moins fréquente mais encore quotidienne en général, ne ramènent pas toujours l'esprit au souvenir.

En effet, durant ces moments, l'âme est peut-être libre, mais l'esprit peut être confus. Ainsi, tout l'être peut demander : « Où suis-je ? Qu'est-ce que je suis en train de créer ici ? » Cette recherche peut mener à des voyages agités et même effrayants. Ces voyages, vous les appelez « cauchemars ».

Parfois, cependant, tout le contraire se produit. L'âme se retrouve dans une zone où subsistent de forts souvenirs. Dans ces moments, l'esprit vivra un réveil. Cela le remplira de paix et de joie – dont vous ferez l'expérience dans votre corps lorsque vous y retournerez.

Plus votre être entier fait l'expérience d'être rassuré de ces rajeunissements – plus il se rappelle ce qu'il est en train de faire, et ce qu'il essaie de faire, avec le corps –, moins votre âme choisira de rester loin du corps. Car, à présent, elle sait *qu'elle est venue au corps pour une raison et avec un dessein*. Son désir est de continuer ainsi et de faire le meilleur usage de tout le temps dont elle dispose avec le corps.

Une personne de grande sagesse a d'ailleurs besoin de peu de sommeil.

Veux-tu dire que tu peux deviner le degré d'évolution d'une personne d'après la quantité de sommeil dont elle a besoin ?

On pourrait presque dire cela. Mais parfois, une âme choisit de quitter le corps pour le pur plaisir. Elle peut ne pas chercher le réveil de l'esprit ni le rajeunissement du corps. Elle peut tout simplement choisir de recréer la pure extase de connaître l'Unité. Alors, il ne serait pas toujours juste d'affirmer que plus une personne prend de sommeil, moins elle est évoluée.

Toutefois, il ne s'agit pas d'une coïncidence si, à mesure que les êtres deviennent de plus en plus conscients de ce qu'ils font à leur corps – et du fait qu'ils ne sont *pas* leur corps, mais ce qui va *avec* leur corps –, ils ont la volonté et la capacité de passer de plus en plus de temps avec leur corps, et ainsi de sembler « avoir besoin de moins de sommeil ».

Ainsi, certains êtres choisissent même de faire l'expérience d'oublier le fait qu'ils sont avec le corps, et l'unité de l'âme, tout à la fois. Ces êtres peuvent entraîner une partie d'eux-mêmes à ne pas s'identifier au corps alors qu'ils sont encore avec lui, faisant ainsi l'expérience de l'extase de savoir *qui ils sont vraiment*, sans avoir à perdre, pour cela, l'état de veille humaine.

Comment font-ils cela ? Comment puis-je y arriver ?

Comme Je l'ai déjà dit, c'est une question de conscience ; il s'agit d'atteindre un état de conscience totale. Tu ne peux faire la conscience totale, tu ne peux qu'être totalement conscient.

Comment ? *Comment ?* Pourrais-tu me fournir *certains* outils ?

La méditation quotidienne est l'un des meilleurs outils avec lesquels on puisse créer cette expérience. Grâce à elle, tu peux élever ton énergie vitale jusqu'au chakra le plus élevé... et même *quitter ton corps tout en restant « conscient ».*

En méditation, tu te mets en position de disponibilité afin de faire l'expérience de la conscience totale, pendant que ton corps est à l'état de veille. Cet état de disponibilité s'appelle *l'éveil véritable.* Pour l'expérimenter, tu n'as pas à t'asseoir. La méditation n'est qu'un truc, qu'un « outil », comme tu le dis. Mais pour en faire l'expérience, tu n'es pas *obligé* d'être en position assise.

Tu dois également savoir que la méditation en position assise n'est pas le seul genre de méditation qui soit. Il y a aussi la méditation en arrêt. La méditation en marchant. La méditation dans l'action. La méditation sexuelle.

C'est l'état *d'éveil véritable.*

Lorsque tu te trouves dans cet état, arrête-toi net, arrête d'aller où tu t'en vas, cesse de faire ce que tu fais, *arrête-toi* tout simplement un instant et contente-toi d'« être » juste là où tu te trouves. Tu deviens *juste,* exactement où tu es. S'arrêter, ne serait-ce qu'un instant, peut être une bénédiction. Regarde autour de toi, lentement, et attarde-toi à ces choses que tu ne remarquais pas alors que tu les croisais : l'odeur profonde de la terre juste après la pluie, cette boucle de cheveux au-dessus de l'oreille gauche de ta bien-aimée, à quel point c'est bon de voir jouer un enfant.

Lorsque tu marches dans cet état, tu respires chaque fleur, tu voles avec chaque oiseau, tu sens chaque crissement sous ton pied. Tu rencontres sagesse et beauté. Car la sagesse se trouve partout où se forme la beauté. Et la beauté se forme partout, à partir de l'étoffe de la vie. Tu n'as pas à la chercher. Elle vient à toi.

Et tu n'as pas à quitter ton corps afin d'en faire l'expérience. C'est l'état d'éveil véritable.

Lorsque tu « fais » dans cet état, tout ce que tu fais se transforme en méditation et, par conséquent, en cadeau, en offrande, de toi à ton âme et de ton âme au Tout. En lavant la vaisselle, tu apprécies la chaleur de l'eau qui caresse tes mains et tu t'émerveilles du prodige des deux – l'eau et la chaleur. En travaillant devant l'ordinateur, tu vois les mots apparaître à l'écran devant toi, en réponse à la commande de tes doigts, et le pouvoir de l'esprit et du corps te rend euphorique lorsqu'il est harnaché pour exécuter tes ordres. En préparant le dîner, tu sens l'amour de l'univers qui t'a apporté cette nourriture et, en retour, tu verses dans la préparation de ce repas tout l'amour de ton être, tel un cadeau. Peu importe qu'il s'agisse d'un repas extravagant ou non. On peut remplir d'amour une simple soupe au point de la rendre délicieuse.

Tu n'as pas à quitter le corps pour faire l'expérience de cela. C'est l'état d'éveil véritable.

Lorsque tu vis l'échange d'énergie sexuelle dans cet état, tu sais *qui tu es* dans la plus grande vérité. Le coeur de ton partenaire devient ta maison. Le corps de ton partenaire devient le tien. Ton âme ne s'imagine plus séparée de quoi que ce soit.

Tu n'as pas à quitter ton corps pour expérimenter cela. C'est l'état d'éveil véritable.

Lorsque tu es en état d'empressement, tu es en état d'éveil. Un sourire peut t'y emmener. Un simple sourire. Arrête tout, pour un moment, et souris. De rien. Juste parce que c'est bon. Juste parce que ton coeur sait un secret. Et parce que ton âme connaît ce secret. Souris-en. Souris beaucoup. Cela guérira tous tes maux.

Tu me demandes des outils, et Je te les donne.

Respire. C'est un autre outil. Respire longuement et profondément. Respire lentement et doucement. Respire le doux néant de la vie, si plein d'énergie, si plein d'amour. C'est l'amour de Dieu que tu respires. Respire profondément, et tu pourras le sentir. Respire très, très profondément, et cet amour te fera pleurer.

De joie.

Car tu as rencontré ton Dieu, et ton Dieu t'a présenté ton âme.

Lorsque cette expérience a eu lieu, la vie n'est plus jamais la même. Les gens disent être « rendus au sommet de la montagne » ou avoir glissé dans l'extase sublime. Leur être est à jamais transformé.

Merci. Je comprends. Ce sont les choses simples. Les gestes simples, et les plus purs.

Oui, mais sache ceci : certaines gens méditent pendant des années et n'en font jamais l'expérience. L'important, c'est ton degré d'ouverture, de volonté, et aussi ton abandon de toute attente.

Devrais-je méditer tous les jours ?

Comme en toute chose, il n'y a ici ni obligations ni interdits. L'important n'est pas ce que tu dois faire, mais ce que tu choisis de faire.

Certaines âmes cherchent à marcher dans la conscience. Quelques autres reconnaissent que dans cette vie-ci, la plupart des gens sont somnambules, inconscients. Ils vont dans la vie sans conscience. Mais les âmes qui marchent dans la conscience choisissent une voie différente. Elles choisissent un autre chemin.

Elles cherchent à faire l'expérience de la paix et de la joie, de l'absence de limites et de la liberté, de la sagesse et de l'amour qu'apporte l'Unité, non seulement lorsqu'elles ont quitté le corps ou qu'il est « tombé » (endormi), mais aussi lorsqu'il est levé.

D'une âme qui crée une telle expérience, on dit : « Le sien s'est élevé. »

D'autres, dans le prétendu Nouvel Âge, appellent cela un processus d'« élévation de la conscience ».

Peu importe les termes utilisés (les mots constituent la forme de communication la moins fiable), tout cela revient à vivre dans la conscience qui, ensuite, devient conscience totale.

Et de quoi finis-tu par devenir totalement conscient ? De *qui tu es*.

La méditation quotidienne est une façon d'y arriver. Mais elle exige de l'engagement, du dévouement – une décision de chercher l'expérience intérieure et non la récompense extérieure.

Et rappelle-toi ! le secret se trouve dans les silences. Ainsi, le son le plus doux est le son du silence. C'est le chant de l'âme.

Si tu crois aux bruits du monde plutôt qu'aux silences de ton âme, tu seras perdu.

En somme, la méditation quotidienne est *vraiment* une bonne idée.

Une bonne idée ? Oui. Mais, une fois de plus, retiens ce que Je viens de dire ici. On peut entendre le chant de l'âme de bien des façons. On peut entendre le doux son du silence à maintes reprises.

Certains entendent le silence dans la prière. Certains psalmodient en travaillant. Certains cherchent les secrets dans la contemplation tranquille ; d'autres, dans un cadre moins contemplatif.

Lorsqu'on atteint la maîtrise – ou même lorsqu'on en fait l'expérience intermittente –, les bruits du monde peuvent être atténués, les distractions calmées, même quand on y est plongé. Toute la vie devient une méditation.

Toute la vie *est* une méditation dans laquelle tu contemples le divin. Cela s'appelle l'éveil ou l'attention véritable.

Ainsi vécue, toute la vie est remplie de bénédictions. La lutte, la douleur et l'inquiétude disparaissent. Il n'y a que l'expérience, à laquelle tu peux donner l'étiquette voulue. Tu peux choisir d'appeler tout cela la perfection.

Alors, utilise ta *vie* comme une méditation, ainsi que tous les événements. Marche en état d'éveil, et non comme si tu étais endormi. Bouge dans l'attention, et non dans la distraction, et ne t'attarde pas dans le doute et la peur, ni dans la culpabilité et la récrimination envers toi-même, mais réside dans la splendeur permanente, avec l'assurance d'être aimé de façon grandiose. Toujours, tu ne fais qu'Un avec moi. Tu es à jamais bienvenu. Bienvenue chez toi.

Car chez toi, c'est en mon coeur, et le mien dans le tien. Je t'invite à voir cela dans la vie comme tu le verras sûrement dans la mort. Alors, tu sauras que la mort n'existe pas et que ce que tu appelles vie et mort font partie de la même expérience sans fin.

Nous sommes tout ce qui est, tout ce qui a jamais été, et tout ce qui sera à jamais, dans les siècles des siècles.

Amen.

10

Je t'aime, le sais-tu ?

Oui. Je t'aime aussi. *Le sais-Tu ?*

Je commence à le ressentir. Vraiment.

Bien.

11

Veux-tu me parler de l'âme, s'il te plaît ?

Bien sûr. J'essaierai de te l'expliquer en tenant compte des limites de ta compréhension. Mais ne te laisse pas aller à la frustration si certaines choses n'ont « aucun sens » pour toi. Essaie de te souvenir que tu portes cette information à travers un filtre unique – un filtre que tu as conçu pour t'empêcher de trop te rappeler.

Dis-moi encore pourquoi j'ai fait cela.

Si tu te rappelais tout, la partie serait finie. Tu es venu pour une raison particulière, et ton divin dessein serait contrecarré si tu comprenais comment tout s'emboîte. À ce niveau de conscience, certaines choses resteront toujours un mystère, et c'est bien ainsi.

Alors, n'essaie pas de résoudre tous les mystères. Pas d'un seul coup, en tout cas. Accorde une chance à l'univers. Cela se déroulera en temps voulu.

Jouis de l'expérience du devenir.

Hâte-toi lentement.

Exactement.

C'est ce que disait mon père.

Ton père était un homme sage et merveilleux.

Peu de gens le décriraient ainsi.

Peu de gens l'ont connu.

Ma mère l'a connu.

Oui, c'est vrai.

Et elle l'a aimé.

Oui, c'est vrai.

Et elle lui a pardonné.

Oui, c'est vrai.

Tous ses comportements blessants.

Oui. Elle a compris, aimé et pardonné, et en cela, elle était, et reste toujours, un merveilleux modèle, une bienheureuse enseignante.

Oui. Alors... veux-tu me parler de l'âme ?

Que veux-tu savoir ?

Commençons par la première question, la plus évidente : je connais déjà la réponse, mais elle nous donne un point de départ. L'âme humaine existe-t-elle ?

Oui. C'est le troisième aspect de ton être. Tu es un être en trois parties composé d'un corps, d'un esprit et d'une âme.

Je sais où se trouve mon corps ; je peux le voir. Et je pense savoir où se trouve mon esprit – il est dans la partie de mon corps appelée ma tête. Mais je ne suis pas certain d'avoir aucune idée d'où...

Minute. Attends. Tu as tort sur un point. Ton esprit n'est pas dans ta tête.

Ah non ?

Non. Seul ton cerveau se trouve dans ton crâne. Ton esprit n'y est pas.

Où est-il, alors ?

Dans chaque cellule de ton corps.

Ho !

Ce que tu appelles l'esprit est en fait une énergie. C'est... la pensée. Et la pensée est une énergie et non un objet.

Ton cerveau est un objet. C'est un mécanisme physique, biochimique – le plus grand, le plus sophistiqué, mais pas le seul des mécanismes du corps humain avec lesquels le corps traduit, ou convertit en impulsions physiques, l'énergie de ta pensée. Ton cerveau est un transformateur. Ton corps entier aussi. Chacune de tes cellules renferme de petits transformateurs. Les biochimistes ont souvent fait remarquer à quel point chaque cellule – les cellules sanguines, entre autres – semble avoir sa propre intelligence. En fait, c'est le cas.

Cela ne vaut pas seulement pour les cellules, mais pour de plus grandes parties du corps. Chaque homme au monde connaît une partie de son corps en particulier qui semble souvent avoir ses idées à elle...

Oui, et chaque femme sait à quel point les hommes tombent dans l'absurdité quand ils laissent cette partie-là de leurs corps influencer leurs choix et leurs décisions.

Certaines femmes utilisent cette connaissance pour contrôler les hommes.

C'est indéniable. Et certains hommes contrôlent les femmes à travers les choix qui sont faits et les décisions qui sont prises à partir de cette partie du corps.

C'est indéniable.

Tu veux savoir comment arrêter ce cirque ?

Absolument !

C'est ce que signifiaient les propos sur l'élévation de l'énergie vitale de façon à inclure les sept chakras.

Lorsque tes choix et tes décisions proviennent d'un endroit plus grand que le lieu limité que tu as décrit, il est impossible, pour les femmes, de te contrôler, et tu ne cherches jamais à le faire non plus.

La seule raison pour laquelle les femmes recourent à de tels moyens de manipulation et de contrôle, c'est qu'il ne semble y avoir aucune autre solution – du moins, aucune qui soit aussi efficace –, et sans moyens de contrôle, les hommes deviennent souvent... eh bien... incontrôlables.

Mais si les hommes faisaient plus souvent montre de leur nature supérieure et si les femmes faisaient davantage appel à cette partie des hommes, la prétendue « guerre des sexes » serait terminée. Comme la plupart des autres guerres sur votre planète d'ailleurs.

Comme Je l'ai souligné plus tôt, cela ne veut pas dire que les hommes et les femmes doivent abandonner le sexe, ni que le sexe fait partie de la nature inférieure de l'être humain. Cela signifie que l'énergie sexuelle à elle seule – lorsqu'elle n'est pas élevée vers les chakras supérieurs et combinée aux autres énergies qui rendent une personne entière – produit des choix et des résultats qui ne *reflètent* pas la personne entière. On ne peut pas prétendre que ce soit magnifique.

La *totalité de toi* est la magnificence même, mais tout ce qui est moindre que la totalité de toi n'est pas magnifique. Alors, si tu veux être assuré de produire un choix ou un résultat qui ne soit pas magnifique, prends une décision uniquement à partir de ton chakra racine. Puis, observe les résultats.

Ils sont tout à fait prévisibles.

Hum ! Je crois savoir cela.

Bien sûr que tu le savais. La plus grande question qu'affronte la race humaine n'est pas : Quand vas-tu apprendre ? mais *Quand vas-tu agir à partir de ce que tu as déjà appris ?*

Ainsi, l'esprit est dans chaque cellule...

Oui. Et comme il y a plus de cellules dans ton cerveau que nulle part ailleurs, il semble que ton esprit y soit. Mais ce n'est là que le centre de traitement principal, et non le seul.

Bien. Je comprends. Alors, où est l'âme ?

Où crois-tu qu'elle soit ?

Derrière le troisième œil ?

Non.

Au milieu de ma poitrine, à droite de mon cœur, juste en dessous du sternum ?

Non.

D'accord, je donne ma langue au chat.

Elle est partout.

Partout ?

Partout.

Comme l'esprit.

Houp ! Minute ! L'esprit n'est pas partout !

Ah non ? Je croyais que tu venais de dire qu'il se trouvait dans chaque cellule du corps.

Ce n'est pas « partout ». Des espaces existent entre les cellules. En fait, ton corps est constitué de quatre-vingt-dix-neuf pour cent d'espace.

C'est là que se trouve l'âme ?

L'âme est partout, dans, à travers et autour de toi. C'est ce qui te contient.

Minute ! Minute, à ton tour ! On m'a toujours enseigné que le corps est le contenant de l'âme. Qu'entendait-on alors par : « Ton corps est le temple de ton être » ?

Une figure de style.
Elle est utile pour aider les gens à comprendre qu'ils sont plus que leur corps ; qu'il y a quelque chose de plus grand qu'eux. C'est le cas. Littéralement. *L'âme est plus grande que le corps.* Elle ne se transporte pas dans le corps, mais transporte le corps en *elle*.

Je t'écoute, mais j'ai encore de la difficulté à imaginer cela.

As-tu jamais entendu parler de l'« aura » ?

Oui. Oui. Est-ce cela, l'âme ?

C'est la meilleure approximation qu'on puisse en trouver dans votre langue, dans votre forme de compréhension, pour vous donner une image d'une réalité énorme et complexe. L'âme, c'est ce qui te retient ensemble – tout comme *l'Âme de Dieu est ce qui contient l'univers et le retient ensemble.*

Sensass ! C'est le contraire parfait de tout ce que j'ai jamais pensé.

Accroche-toi, mon fils. Les contraires ne font que commencer.

Mais si l'âme est, en un sens, l'« air qui est en nous et qui nous entoure », et si l'âme de chacun est la même, où une âme finit-elle et où une autre commence-t-elle ?
Attends, ne me le dis pas, ne me le dis pas...

Tu vois ? Tu connais déjà la réponse !

Il n'y a pas d'endroit où « finit » une autre âme et où la nôtre « commence » ! Tout comme il n'y a nulle part où « s'arrête » l'air du salon et où « commence » l'air de la salle à manger. *C'est le même air. C'est la même âme !*

Tu viens de découvrir le secret de l'univers.

Et si tu es ce qui contient l'univers, tout comme nous sommes ce qui contient nos corps, alors il n'existe aucun endroit où tu « finis » et où nous « commençons » !

Hum !

Tu peux bien te racler la gorge autant que tu le veux. Pour moi, c'est une révélation miraculeuse ! Dis donc, je savais que j'avais toujours compris cela – mais maintenant, je le *comprends* !

C'est merveilleux. N'est-ce pas, que ça l'est ?

Tu vois, ce qui m'empêchait de saisir, auparavant, c'est que le corps est un contenant distinct, ce qui nous permet de distinguer ce corps- « ci » de ce corps- « là », et puisque j'ai toujours cru que l'âme résidait dans le corps, je faisais donc la différence entre cette âme- « ci » et cette âme- « là ».

Tout naturellement, oui.

Mais si l'âme est partout à l'intérieur et *à l'extérieur* du corps – dans son « aura », comme tu dis –, alors où une aura « finit-elle » et où une autre « commence-t-elle » ? Je peux le voir maintenant pour la première fois, vraiment, en termes physiques, comment il se peut que les âmes n'aient aucun contour et qu'il est vrai aussi, du point de vue physique, que *nous ne faisons tous qu'Un* !

Bravo ! C'est tout ce que Je peux dire. Bravo !

J'ai toujours cru que c'était une vérité *métaphysique*. Maintenant, je vois que c'est une vérité *physique*. Merde ! la religion est devenue de la science !

Ne dis pas que Je ne te l'ai pas dit.

Mais attends. S'il n'existe aucune frontière entre les âmes, cela veut-il dire qu'il n'y a pas d'âme individuelle ?

Eh bien, oui et non.

Une réponse qui sied vraiment à Dieu.

Merci.

Mais sérieusement, j'espérais une réponse plus claire.

Hé ! accorde-moi une chance. On va tellement vite que ta main te fait mal à force d'écrire.

Tu veux dire de griffonner furieusement.

Oui. Alors, reprenons notre souffle. Tout le monde relaxe. Je vais vous expliquer tout cela.

D'accord. Vas-y. Je suis prêt.

Tu te souviens de la divine dichotomie ? Je t'en ai parlé bien des fois.

Oui.

Eh bien, c'en est une autre. En fait, c'est la plus grande.

Je vois.

Il est important d'apprendre à connaître la divine dichotomie et de la comprendre à fond, si on veut vivre avec grâce dans notre univers.

Elle soutient qu'il est possible, pour deux vérités apparemment contradictoires, d'exister simultanément dans le même espace.

Sur votre planète, actuellement, les gens ont de la difficulté à accepter cette idée. Ils aiment l'ordre, et tout ce qui ne cadre pas avec cette image est automatiquement rejeté. Voilà pourquoi, lorsque deux réalités commencent à s'affirmer et semblent se contredire, on suppose immédiatement que l'une d'elles doit être fausse. Il faut beaucoup de maturité pour voir et accepter qu'en fait, elles sont peut-être vraies toutes les deux.

Mais dans le domaine de l'absolu – par opposition au domaine du relatif dans lequel tu vis –, il est très clair que la seule vérité qui est *tout ce qui existe* produit parfois un effet qui, lorsqu'on le voit en termes relatifs, ressemble à une contradiction.

Cela s'appelle la divine dichotomie, et c'est une partie très réelle de l'expérience humaine. Et comme Je l'ai dit, il est quasi impossible de vivre dans la grâce sans accepter cela. On est toujours en train de grogner, de se mettre en colère, de tout démolir, cherchant vainement la « justice » ou tentant sincèrement de réconcilier des forces contraires qui ne peuvent l'être, mais qui, *par la nature même de la tension entre elles*, produisent exactement l'effet désiré.

En fait, le domaine du relatif est structuré par ce genre de tensions, comme celle entre le bien et le mal. Dans la réalité ultime, il n'y a ni bien ni mal. Dans le domaine du relatif, il n'y a que de l'amour. Mais dans le domaine du relatif, vous avez créé l'expérience de ce que vous « appelez » le mal, et vous l'avez fait pour une très bonne raison. Vous vouliez *faire l'expérience* de l'amour, et non seulement « savoir » que l'amour est *tout ce qui existe*, mais vous ne pouvez faire l'expérience d'une chose lorsqu'il n'y a rien d'autre qu'elle. Ainsi, vous avez créé dans votre réalité (et vous continuez de le faire chaque jour) une polarité du bien et du mal, en utilisant l'un pour expérimenter l'autre.

Nous sommes donc ici confrontés à une divine dichotomie – deux vérités apparemment contradictoires qui existent en même temps, au même endroit. Précisément : le bien et le mal n'existent pas.

Tout ce qui existe est amour.

Merci de me l'expliquer. Tu as déjà traité de ce sujet, mais merci de m'aider à mieux comprendre encore la divine dichotomie.

De rien.

Maintenant, comme Je l'ai dit, la divine dichotomie la plus grande est celle que nous sommes en train d'examiner.

Il n'y a qu'Un Seul Être, et par conséquent, Une Seule Âme. Et l'Être unique comprend bien des âmes.

Voici comment fonctionne cette dichotomie. Tu viens de t'expliquer à toi-même qu'il n'y a aucune séparation entre les âmes. L'âme est l'énergie vitale qui existe à l'intérieur et autour (telle l'aura) de tous les objets physiques. En un sens, c'est ce qui « retient » en place tous les objets physiques. L'«Âme de Dieu» retient l'univers, l'«âme de l'homme» retient chaque corps humain individuel.

Le corps n'est pas un contenant, une « coquille » pour l'âme ; l'âme est un contenant pour le corps.

C'est cela.

Mais il n'y a pas de « frontière » entre les âmes – il n'y a aucun endroit où « une âme » finit et où « une autre » commence. Ainsi, en réalité, une seule âme retient tous les corps.

C'est juste.

Mais cette âme unique « se sent comme » une seule bande d'âmes individuelles.

En effet, c'est ainsi qu'elle se sent – en fait, c'est ainsi que Je me sens – et c'est voulu.

Peux-tu expliquer comment ça fonctionne ?

Oui.
Alors qu'il n'y a pas de séparation véritable entre les âmes, il est vrai que l'étoffe de l'Âme unique est rendue manifeste dans la réalité physique à des vitesses différentes, produisant des degrés de densité autres.

Des vitesses différentes ? Quand la vitesse est-elle arrivée ?

Toute la vie est une vibration. Ce que vous appelez la vie (vous pourriez tout aussi bien l'appeler Dieu) est pure énergie. Cette énergie est toujours en vibration constante. Elle se déplace sous forme d'ondes. Les ondes vibrent à des vitesses différentes, produisant des degrés variables de densité, ou de lumière. En retour, cela produit ce que vous appelleriez de multiples « effets » dans le monde physique – en fait, divers objets physiques. Mais tandis que les objets sont différents et distincts, l'énergie qui les produit est exactement la même.

Permets-moi de revenir à l'exemple que tu as utilisé plus tôt : l'air entre ton salon et la salle à manger. C'est là un bon exemple de l'imagerie, qui est tout simplement apparue devant toi. Une inspiration.

Devine d'où.

Oui, c'est moi qui te l'ai donnée. Alors, comme tu disais, il n'y a aucun lieu précis entre les deux endroits physiques où l'« air du salon » s'arrête et où l'« air de la salle à manger » commence. Et c'est vrai. Mais il y a *vraiment* un endroit où l'« air du salon » devient moins dense. Où il se dissipe et devient « plus léger ». Tout comme l'« air du salon ». Plus on s'éloigne de la salle à manger, moins on sent l'odeur du dîner !

Ainsi, l'air de la maison est *le même air* partout. Il n'y a pas d'« air séparé » dans la salle à manger, mais cet air donne vraiment l'impression d'être un « autre air ». Tout d'abord, il ne sent pas la même chose !

Parce que l'air a pris des caractéristiques autres, il donne l'impression d'être un *air différent*. Mais tel n'est pas le cas. C'est le *même* air, apparemment différent. Dans le salon, tu sens le feu de foyer ; dans la salle à manger, tu sens le dîner. Tu peux même aller dans une pièce et dire : « Ouf, l'air est lourd. Faisons entrer un peu d'air ici », comme s'il n'y avait pas d'air du tout. Et pourtant, il y a là autant d'air qu'il en faut. Ce que tu veux, c'est changer ses caractéristiques.

Pour cela, tu fais donc entrer de l'air de l'extérieur. Mais c'est le même air, ça aussi. Il n'y a qu'un seul air, qui circule dans tout, à travers tout et autour de tout.

C'est super ! Je saisis tout. J'adore ta façon de m'expliquer l'univers par des moyens que je peux complètement saisir.

Eh bien, merci ! Je fais de mon mieux. Alors, laisse-moi poursuivre.

S'il te plaît.

Comme l'air de ta maison, l'énergie de la vie – ce que nous appellerons l'« Âme de Dieu » – revêt des caractéristiques différentes lorsqu'elle entoure des objets physiques divers. En effet, cette énergie se coagule d'une façon particulière pour *former* ces objets.

À mesure que les particules d'énergie se joignent pour former la matière physique, elles deviennent très concentrées. Écrasées. Poussées les unes vers les autres. Elles commencent à « ressembler » et même à « donner l'impression d'être » des unités distinctes. C'est-à-dire qu'elles commencent à avoir l'air « séparées », « différentes », de toute autre énergie. Mais tout cela, c'est *la même énergie qui se comporte autrement.*

C'est cet acte même de se comporter différemment qui fait en sorte que *ce qui est Tout* peut se manifester en tant que *ce qui est multiple.*

Comme Je l'ai expliqué dans le tome 1, *ce qui est* ne pouvait pas faire l'expérience de soi-même en tant que *ce qu'il est* avant qu'il ne développe cette *capacité de se différencier.* Ainsi, *ce qui est Tout* s'est séparé en *ce qui est ceci* et en *ce qui est cela.* (J'essaie ici de simplifier ce raisonnement.)

Les « grumeaux d'énergie » qui se sont coagulés en unités distinctes qui contenaient des êtres physiques sont ce que vous avez choisi d'appeler des « âmes ». Ce dont nous parlons ici, ce sont des parties de moi devenues vous tous. D'où la divine dichotomie : Nous ne faisons qu'Un. Nous sommes plusieurs.

Ouf ! c'est brillant.

À qui le dis-tu ! Je poursuis ?

Non, arrête ici. Ça m'ennuie.
Oui, bien sûr, continue !

D'accord.

À mesure que l'énergie se coagule, elle devient, comme Je l'ai dit, très concentrée. Mais plus on s'éloigne du point de cette concentration, plus l'énergie se dissipe. L'« air s'amincit ». L'aura pâlit. L'énergie ne disparaît jamais entièrement, car elle ne le peut pas. C'est l'étoffe dont tout est fait. C'est *tout ce qu'il y a*. Mais elle peut devenir très très mince, très subtile – presque « absente ».

Par contre, à un autre endroit (comprendre : une autre partie de soi-même), elle peut à nouveau se coaguler, une fois de plus « se grumeler » pour former ce que vous appelez la matière et ce qui « ressemble » à une unité distincte. À présent, les deux unités semblent séparées l'une de l'autre, mais en vérité, aucune séparation n'existe.

Voilà, en termes très, très simples et élémentaires, l'explication de ce qui sous-tend tout l'univers physique.

Ouf ! Mais comment tout cela peut-il être vrai ? Comment puis-je savoir si je n'ai pas inventé tout cela ?

Vos scientifiques découvrent déjà que les briques de toute la vie sont les mêmes.

Ils ont rapporté des pierres de la Lune et y ont découvert de la matière qu'on trouve dans les arbres. Ils dissèquent un arbre et y découvrent la même matière qu'en toi.

Je te dis ceci : Nous sommes tous de la *même étoffe*.

Nous sommes tous de la même énergie, coagulée, comprimée de façons différentes pour former des formes autres et de la matière différente.

Rien n'a d'importance* en soi. C'est-à-dire que rien ne peut, tout seul, *devenir matière*. Jésus disait : « Sans le Père, Je ne suis rien. » Le Père de tout est pure pensée. C'est l'énergie de la vie. C'est ce que vous avez choisi d'appeler Amour absolu. C'est le Dieu et la Déesse, l'Alpha

---

* *Nothing «matters»*. *Matter* = matière ; *to matter* = avoir de l'importance. (N.D.T.)

et l'Oméga, le Commencement et la Fin. C'est le Tout-en-Tout, Celui-Qui-Bouge-Sans-Bouger, la Source première. C'est ce que tu cherches à comprendre depuis le début des temps. Le Grand Mystère, l'Énigme Sans Fin, la vérité éternelle.

Nous ne faisons qu'Un, et par conséquent, c'est CE QUE TU ES.

12

La lecture de ces paroles me remplit d'émerveillement et de vénération. Merci d'être ici avec moi, de cette façon. Merci d'être ici
avec nous tous. Car des millions de gens ont lu le texte de ces
dialogues, et des millions d'autres le feront. Et ta venue dans nos
cœurs constitue un cadeau époustouflant.

**Mes êtres les plus chers – J'ai toujours été dans vos coeurs. Je suis
heureux que vous puissiez maintenant *m'y sentir*.**

**J'ai toujours été avec vous. Je ne vous ai jamais quittés. Je suis
vous, et vous êtes moi, et nous ne serons jamais séparés, *jamais*, car
c'est *impossible*.**

Mais certains jours, je me sens si horriblement seul. À certains
moments, j'ai l'impression d'être seul à livrer cette bataille.

**C'est que tu m'as quitté, mon enfant. Tu as abandonné ta con-
science de moi. Mais là où il y a conscience de moi, tu ne pourrais jamais
être seul.**

Comment puis-je rester dans ma conscience ?

**Apporte ta conscience aux autres. Non pas en cherchant à les
convertir, mais par l'exemple. Sois la source de l'amour que Je Suis dans
la vie de tous les autres. Car ce que tu offres aux autres, tu le donnes à
toi-même. Car nous ne faisons qu'Un.**

Merci. Oui, tu m'as déjà donné cette indication. Sois la source.
Tout ce dont tu veux faire l'expérience en toi-même, as-tu dit,
sois-en la source dans la vie des autres.

Oui. C'est le grand secret. C'est la sagesse sacrée. Fais aux autres ce que tu voudrais que l'on te fasse.

Tous tes problèmes, tous tes conflits, toutes tes difficultés à créer sur ta planète une vie de paix et de joie proviennent du fait que tu n'arrives pas à comprendre et à suivre cette simple directive.

Je saisis. Une fois de plus, tu l'as dit d'une façon si simple, si claire, que je saisis. J'essaierai de ne jamais la « perdre » à nouveau.

Tu ne peux « perdre » ce que tu donnes. Rappelle-toi toujours cela.

Merci. Puis-je maintenant te poser quelques autres questions à propos de l'âme ?

J'ai un commentaire plus général à apporter sur la vie telle qu'elle est pour toi.

S'il te plaît.

Tu viens d'affirmer avoir l'impression d'être seul, à certains moments, à livrer ce combat.

Oui.

Quel combat ?

C'était une figure de style.

Je ne crois pas. Je crois que c'était une véritable indication de ta conception réelle de la vie et de celle de bien des gens.

Vous la percevez comme « combat » – comme une sorte de lutte en cours.

Eh bien, il m'a parfois semblé qu'il en était ainsi.

En soi, il n'en est pas ainsi, et il ne sera jamais nécessaire qu'il en soit ainsi.

Pardonne-moi, mais j'ai de la difficulté à le croire.

C'est exactement pour cette raison que cela n'a pas été ta réalité. Car tu rendras réel ce que tu croiras tel. Mais Je te dis ceci : Ta vie n'a jamais été destinée à être une lutte et ne doit pas en devenir une, ni maintenant ni jamais.

Je t'ai offert les outils avec lesquels créer la réalité la plus grandiose. Tu as tout simplement choisi de ne pas les utiliser. Ou, pour être plus précis, tu les as *mal employés*.

Les trois outils auxquels je fais référence appartiennent à la création. Nous en avons beaucoup parlé au cours de notre dialogue. Sais-tu lesquels ?

La pensée, la parole et l'action.

Bien. Tu t'en souviens. J'ai un jour inspiré à Mildred Hinckley, l'un de mes maîtres spirituels, la phrase suivante : « Vous êtes nés avec le pouvoir créatif de l'univers sur le bout de votre langue. »

Voilà une affirmation aux implications renversantes. Tout comme cette vérité, d'un autre de mes maîtres : « Il te sera fait selon ce que tu crois. »

Ces deux affirmations ont un rapport avec la pensée et la parole. Un autre de mes maîtres a dit ceci, à propos de l'action :
« Le commencement est Dieu. La fin est l'action. L'action est Dieu en création – ou l'expérience de Dieu. »

Tu as dit cela, dans le tome 1.

Le tome 1 est arrivé par ton intermédiaire, mon fils, comme tous les grands enseignements ont été inspirés par moi et transmis par l'intermédiaire de formes humaines. Ceux qui se laissent émouvoir par ces inspirations et qui les partagent courageusement en public sont mes plus grands maîtres.

Je ne suis pas sûr de me classer dans cette catégorie.

Les paroles que tu as été inspiré à partager ont touché des millions de gens.

Des *millions*, mon fils.

Elles ont été traduites en vingt-quatre langues. Elles ont fait le tour du monde.

Selon quelle mesure accorderais-tu le statut de grand maître ?

Selon la mesure de ses actions, et non de ses paroles.

C'est une réponse très intelligente.

Et mes actions, dans cette vie-ci, ne sont pas à mon grand avantage et ne me qualifient certainement pas pour être un maître.

Tu viens d'écarter la moitié des maîtres qui ont jamais vécu.

Que dis-tu là ?

Je répète ce que J'ai dit par le biais de Judith Schucman, dans *A Course in Miracles* : On enseigne ce qu'on a à apprendre.

Crois-tu avoir à démontrer la perfection avant de pouvoir enseigner comment l'atteindre ?

Et même si tu as fait ta part de ce que tu appellerais des erreurs...

... plus que ma part...

... tu as également fait montre d'un grand courage en transmettant cette conversation avec moi.

Ou d'une grande imprudence.

Pourquoi insistes-tu pour te rabaisser ainsi ? Vous le faites *tous* ! Chacun de vous ! Vous niez votre propre grandeur comme vous niez l'existence de moi *en vous*.

Pas moi ! Je n'ai *jamais* nié cela !

Quoi ?

Eh bien, pas récemment...

Je te le dis, avant le chant du coq, tu m'auras renié trois fois.
Chaque fois que tu te sous-estimes, tu me renies.
Chaque fois que tu te rabaisses en paroles, tu me renies.
Chaque geste qui passe par toi-même et qui appartient à un rôle marqué par l'inadéquation, le manque, ou une insuffisance quelconque, constitue un geste de reniement. Non seulement en pensée, non seulement en parole, mais en action.

Vraiment, je ne...

... Laisse ta vie ne représenter rien d'autre que la version la plus grandiose de la vision la plus grande que tu aies jamais eue de *qui tu es*.
Alors, quelle est la vision la plus grande que tu aies jamais eue de toi-même ? N'est-ce pas qu'un jour tu deviendrais un grand maître ?

Eh bien...

N'est-ce pas ?

Oui.

Alors *qu'il en soit ainsi*. Et il en est ainsi. Jusqu'à ce qu'à nouveau tu le renies.

Je ne le renierai plus.

Vraiment ?

Non.

Prouve-le.

Le prouver ?

Prouve-le.

Comment ?

Dis, maintenant : « Je suis un grand maître. »

Euh...

Vas-y, dis-le.

Je suis... tu vois, le problème, c'est que tout cela sera publié. Je suis conscient du fait que tout ce que j'écris sur ce bloc paraîtra un jour sous forme imprimée. Les gens vont lire ces lignes jusqu'à Peoria.

À Peoria ? Ha ! Pense à Beijing !

D'accord, en Chine, aussi. C'est ce que je veux dire. Les gens m'ont continuellement posé des questions – m'ont harcelé – à propos du tome 3 depuis le mois qui a suivi la parution du tome 2 ! J'ai tenté d'expliquer pourquoi c'est si long. J'ai essayé de les amener à comprendre ce que c'est que de me livrer à ce dialogue en sachant que le *monde entier* regarde et attend. La situation n'est pas la même qu'avec les tomes 1 et 2. Ces deux dialogues étaient menés dans le vide. Je ne savais même pas qu'ils deviendraient des livres.

Oui, tu le savais. Au fond de ton coeur, tu le savais.

Eh bien, j'espérais peut-être que non. Mais aujourd'hui, je *sais*, et je n'écris pas de la même façon sur ce bloc.

Parce que maintenant, tu sais que tout le monde lira chacun des mots que tu écris.

Oui. Et tu veux me faire dire que je suis un grand maître. C'est difficile devant tous ces gens.

Tu veux que je te demande de te déclarer en privé ? Est-ce ainsi que tu penses gagner ton pouvoir personnel ?

Si Je t'ai demandé de déclarer *qui tu es* en public, c'est précisément parce que tu es en public, ici. Toute *l'idée* consistait à t'amener à le déclarer à la face de tous.

Une déclaration publique est la façon la plus élevée de créer une vision.

La vie est la version la plus grandiose de la vision la plus grande que tu aies jamais à propos de *qui tu es*. Commence à la vivre en la déclarant.

Publiquement.

Afin de la rendre ainsi, la première étape consiste à *affirmer* qu'elle est ainsi.

Mais la modestie ? Et le décorum ? Est-ce convenable de déclarer notre idée la plus grandiose à propos de nous-mêmes à tous ceux que nous voyons ?

Chaque grand maître l'a fait.

Oui, mais pas de façon arrogante.

À quel point est-il « arrogant » de dire : « Je suis la vie et la voie » ? Est-ce assez arrogant, d'après toi ?

Alors, tu as dit que tu ne me nierais plus jamais, mais tu as passé les dix dernières minutes à essayer de te justifier de le faire.

Je ne te nie pas. Nous parlons ici de ma plus grande vision de moi.

Ta plus grande vision de toi, c'est moi ! C'est *qui je suis* !
Lorsque tu renies la meilleure part de toi, tu *me* renies. Et je te le dis, avant l'aube demain, tu l'auras fait trois fois.

À moins que non.

À moins que non. C'est vrai. Et tu es le seul à pouvoir décider, à pouvoir choisir.
Alors, connais-tu un grand maître qui ait jamais été un grand maître en privé ? Le Bouddha, Jésus, Krishna – tous ont été des maîtres en public, non ?

Oui. Mais il y a de grands maîtres qui ne sont pas largement connus. Ma mère en était un. Tu viens de le dire, plutôt. Il n'est pas nécessaire d'être très connu pour être un grand maître.

Ta mère était un avant-coureur. Un messager. Celle qui a préparé la voie. Elle t'a préparé à la voie en te montrant la voie. Mais toi aussi, tu es un maître.
Et même si tu sais que ta mère était un bon maître, elle ne t'a apparemment pas enseigné à ne jamais te nier. Mais cela, tu l'enseigneras aux autres.

Oh, je désire tellement cela ! C'est ce que je veux faire !

Tu ne dois pas seulement « vouloir ». Tu n'auras peut-être pas ce que tu « veux » car tu ne fais que déclarer que tu le « désires », et c'est là que tu seras laissé – en train de désirer.

D'accord ! D'accord ! Je ne « veux » pas, je *choisis* !

C'est mieux. C'est beaucoup mieux. Alors, que choisis-tu ?

Je choisis d'enseigner aux autres de ne jamais se nier.

Bien, et quoi d'autre choisis-tu d'enseigner ?

Je choisis d'enseigner aux autres de ne jamais te nier – Dieu. Car te nier, c'est se nier soi-même, et se nier soi-même, c'est te nier.

Bien. Et choisis-tu d'enseigner cela au petit bonheur, presque « par hasard » ? Ou de façon grandiose, comme à dessein ?

Je choisis la deuxième option. Comme l'a fait ma mère. Ma mère m'a *vraiment* enseigné à ne jamais me renier. Elle m'y initiait chaque jour. C'est la personne qui m'a le plus encouragé. Elle m'a appris à avoir confiance en moi, et en toi. C'est le genre de maître que je devrais être. Je choisis d'être ce maître de toute la grande sagesse que ma maman m'a inculquée. Elle a fait un enseignement de *toute sa vie*, pas seulement de ses paroles. *C'est ce qui caractérise un grand maître.*

Tu as raison, ta mère était un grand maître. Et tu avais raison concernant ta vérité plus grande. Une personne n'a pas à être largement connue pour être un grand maître.
Je te « testais ». Je voulais voir jusqu'où tu irais dans cette direction.

Et suis-je « allé » là où j'étais « censé aller » ?

Tu es allé là où vont tous les grands maîtres. Vers ta propre sagesse. Vers ta propre vérité. C'est le lieu où tu dois toujours aller, car c'est l'endroit où tu dois te retourner et d'où tu dois venir en maître au monde.

Je sais. Je sais cela.

Et quelle est ta propre vérité la plus profonde à propos de *qui tu es* ?

Je suis...
... un grand maître.
Un grand maître de la vérité éternelle.

Voilà, tu l'as. Dit calmement, prononcé sourdement. Voilà, tu l'as. Tu connais cette vérité dans ton coeur et tu as tout simplement laissé parler ton coeur.

Tu ne te vantes pas, et personne n'y verra de la vantardise. Tu ne te glorifies pas, et personne n'y verra de la glorification. Tu ne te frappes pas la poitrine, tu ouvres ton coeur, et cela fait une grande différence.

Chacun sait *qui il est*. C'est une grande ballerine, ou un grand avocat, ou un grand acteur, ou un grand joueur de premier-but. C'est un grand détective, un grand vendeur, un grand parent, un grand architecte ; un grand poète ou un grand leader, un grand constructeur ou un grand guérisseur. Et chacun est une grande personne.

Chacun sait *qui il est* dans son coeur. S'il ouvre son coeur, s'il partage avec d'autres son désir, s'il vit sa vérité, il remplit le monde de magnificence.

Tu es un grand maître. Et d'après toi, d'où te vient ce don ?

De toi.

Alors, lorsque tu déclares être *qui tu es*, tu ne fais que proclamer *qui Je suis*. Déclare toujours que Je suis la source, et personne ne s'objectera du fait que tu révèles ta grandeur.

Mais tu m'as toujours incité à me déclarer moi-même en tant que source.

Tu *es* la source – de tout ce que *Je suis*. Le grand maître qui t'est le plus familier de ta vie a dit : « Je suis la vie et la voie. »

Il a également dit : « Toutes ces choses me viennent du Père. Sans le Père, je ne suis rien. »

Et il a dit aussi : « Le Père et moi ne faisons qu'Un. »
Comprends-tu ?

Nous ne faisons qu'Un.

Exactement.

Ce qui nous ramène à l'âme humaine. Puis-je maintenant poser quelques autres questions à ce propos ?

Vas-y.

D'accord. Combien y a-t-il d'âmes ?

Une seule.

Oui, au sens large. Mais combien y a-t-il d'« individualisations » de *celle qui est tout* ?

Dis donc, J'adore ce mot. J'aime la façon dont tu l'as utilisé. L'unique énergie qui est *toute énergie* s'individualise en un grand nombre de parties différentes. J'aime ça.

Je suis heureux. Alors, combien d'individualisations as-tu créées ? Combien d'âmes y a-t-il ?

Je ne peux répondre à cette question en termes compréhensibles pour toi.

Mets-moi à l'épreuve. Est-ce un nombre constant ? Un nombre changeant ? Un nombre infini ? As-tu créé de « nouvelles âmes » depuis le « contingent originel » ?

Oui, c'est un nombre constant. Oui, c'est un nombre changeant. Oui, c'est un nombre infini. Oui, J'ai créé de nouvelles âmes, et non, Je n'en ai pas créé.

Je ne comprends pas.

Je sais.

Alors, aide-moi.

As-tu vraiment dit ça ?

Dit quoi ?

« Alors, aide-moi, mon Dieu*. » ?

Ah, c'est brillant ! D'accord, je vais comprendre ça, même si c'est la dernière chose que je fais, alors aide-moi, mon Dieu.

Je vais acquiescer à ta requête. Comme tu es déterminé, Je vais t'aider – mais Je tiens à t'aviser qu'il est difficile de saisir ou de comprendre l'infini d'une perspective qui est finie. Nous allons néanmoins nous y attaquer.

Super !

Oui, super ! Eh bien, commençons par remarquer que tes questions laissent entendre qu'il existe une réalité appelée le temps. En fait, une telle vérité n'existe pas. Il n'y a qu'un seul instant, et c'est l'éternel instant du *maintenant*.

Toutes les choses qui sont jamais arrivées, arrivent maintenant et arriveront jamais, se produisent dans cet instant. Rien n'est arrivé

* *"So help me God"* = « Je le jure », phrase utilisée au cours d'assermentations (N.D.T.)

« avant », car il n'y a *pas* d'avant. Rien n'arrivera « après », car il n'y a *pas* d'après. C'est toujours et seulement *maintenant.*

Dans le maintenant des choses, Je suis en changement constant. Par conséquent, le nombre de façons par lesquelles J'« individualise » (j'aime ton mot !) est à la fois *toujours différent* et *toujours le même.* Étant donné qu'il n'y a que maintenant, le nombre d'âmes est toujours constant. Mais étant donné que tu as pensé à maintenant sous l'angle de maintenant et *avant,* il est toujours changeant. Nous avons touché à ce sujet plus tôt en traitant de la réincarnation, des formes de vie inférieures et du « retour » des âmes.

Puisque Je suis toujours changeant, le nombre d'âmes est infini. Mais de n'importe quel « point dans le temps », il semble être fini.

Eh oui, il y a de « nouvelles âmes » au sens où elles se sont permis – ayant atteint l'ultime conscience et s'étant unifiées avec l'ultime réalité – de tout « oublier » volontairement et de « recommencer ». En fait, elles ont décidé de passer à un nouveau point de la Roue cosmique, et certaines ont choisi de redevenir de « jeunes âmes ». Mais toutes les âmes font partie du contingent original, puisque toutes sont en voie d'être créées (ont été créées, seront créées) dans *l'unique instant du maintenant.*

En somme, le nombre est infini et fini, changeant et inchangé, selon le point de vue.

À cause de cette caractéristique de l'ultime réalité, on m'appelle souvent *celui-qui-bouge-sans-bouger.* Je suis ce qui est toujours en mouvement, et n'a jamais bougé, est toujours changeant et n'a jamais changé.

D'accord. Je saisis. Rien n'est absolu avec toi.

Sauf que tout est absolu.

À moins que non.

Exactement. *Précisément*. Tu saisis vraiment. Bravo.

Eh bien, en vérité, je crois que j'ai toujours compris ces choses.

Oui.

Sauf lorsque je ne les comprenais pas.

C'est vrai.

À moins que non.

Exactement.

Ta-dam ! Alors, tu es Abbott et je suis Costello, et tout cela n'est qu'un spectacle de vaudeville.

Sauf lorsque ce ne l'est pas. Il y a des moments et des événements qu'il faut prendre très au sérieux.

À moins que non.

À moins que non.

Alors, pour revenir une fois de plus au sujet des âmes...

Eh, quel beau titre pour un livre : *Le Sujet des âmes* !

Nous allons peut-être l'écrire.

Tu plaisantes ? Nous l'avons déjà fait.

À moins que non.

C'est vrai.

À moins que non.

On ne sait jamais.

Sauf quand on sait.

Tu vois ? Tu piges. Tu te rappelles, maintenant, comment c'est vraiment, et tu t'en amuses ! À présent, tu to cons plus « léger ». Ton visage s'illumine. C'est ce que veut dire l'illumination.

C'est cool.

Très cool. T'es hot !

Ouais. C'est ce qu'on appelle « vivre à l'intérieur de la contradiction ». Tu en as souvent parlé. Bon, pour revenir aux âmes, quelle est la différence entre une vieille âme et une âme jeune ?

Un corps d'énergie (c'est-à-dire, une part de moi) peut se concevoir « jeune » ou « vieux », selon ce qu'il choisit après avoir atteint l'ultime conscience.

Lorsqu'elles retournent à la Roue cosmique, certaines âmes choisissent d'être vieilles, et d'autres, d'être « jeunes ».

En effet, si l'expérience appelée « jeune » n'existait pas, aucune ne pourrait faire l'expérience appelée « vieille ». Certaines âmes se sont donc « portées volontaires » pour être appelées « jeunes », et certaines pour être appelées « vieilles », afin que l'unique âme, qui est en réalité *tout ce qui est*, puisse se connaître intégralement.

De même, certaines âmes ont choisi d'être appelées « bonnes », et d'autres, « mauvaises », exactement pour la même raison. Voilà pourquoi aucune âme n'est jamais punie. Car pourquoi l'unique âme voudrait-elle punir une partie d'elle-même d'être une portion du Tout ?

Tout cela est merveilleusement expliqué dans le livre de contes pour enfants *The Little Soul and The Sun,* qui le montre assez clairement pour qu'un enfant le comprenne.

Tu as une manière si éloquente de dire les choses, une façon si claire d'articuler des concepts affreusement complexes, que même un enfant peut les saisir.

Merci.

Alors, voici une autre question à propos des âmes. Existe-t-il des « âmes sœurs » ?

Oui, mais pas au sens où vous l'entendez.

Quelle est la différence ?

Vous avez teinté de romantisme l'idée d'« âme soeur », de façon qu'elle sous-entend « votre autre moitié ». En vérité, l'âme humaine – la partie de moi qui « individualise » – est beaucoup plus grande que vous ne l'avez imaginé.

Autrement dit, ce que j'appelle l'âme est plus vaste que je ne le pense.

Beaucoup plus grande. Ce n'est pas l'air d'une seule pièce. C'est l'air de toute une maison. Et cette maison possède plusieurs pièces. L'« âme » ne se limite pas à une seule identité. Ce n'est pas l'« air » de la salle à manger. De même, l'âme n'est pas « séparée » en deux individus appelés âmes soeurs. Ce n'est pas l'« air » de la combinaison salon-salle à manger. C'est l'« air » de *toute la maison.*

Et dans mon royaume, il y a plusieurs maisons. Et tandis que le même air circule autour de, dans et à travers chaque maison, l'air des

pièces d'une maison peut donner l'impression d'être « plus étouffant ». On peut donc entrer dans ces pièces et s'exclamer : « Comme cela semble "étouffant", ici ! »

Alors, tu comprends cela : il n'y a qu'une seule âme. Mais ce que vous qualifiez d'âme individuelle est immense et plane au-dessus et à travers des centaines de formes physiques, ainsi qu'à l'intérieur de celles-ci.

En même temps ?

Le temps n'existe pas. Je ne peux répondre qu'en disant : « Oui et non. » Certaines des formes physiques enveloppées par ton âme « vivent maintenant », selon ta compréhension. D'autres se sont individualisées dans des formes qui sont maintenant ce que vous appelez « mortes ». Et certaines autres encore ont enveloppé des formes qui vivent dans ce que vous désignez le « futur ». Tout cela arrive maintenant, bien entendu, et pourtant, votre invention appelée le temps sert d'outil et vous permet un plus grand sentiment de l'expérience réalisée.

Alors, ces centaines de corps physiques que mon âme a « enveloppées » – tu as employé un mot intéressant – sont toutes mes « âmes sœurs » ?

C'est plus proche de l'exactitude que votre façon d'utiliser le terme, oui.

Et certaines de mes âmes sœurs ont déjà vécu ?

Tel que tu le décrirais, oui.

Ouf. Minute ! Je pense que j'ai *pigé* quelque chose ! Ces parties de moi qui ont vécu « auparavant » sont-elles ce que je décrirais à présent comme mes « vies antérieures » ?

C'est bien pensé ! Tu piges ! Oui ! Certaines d'entre elles sont *vraiment* les « autres vies » que tu as vécues avant. Mais certaines ne le sont pas. Et d'autres parties de ton âme enveloppent à présent des corps qui seront vivants dans ce que tu appelles ton avenir. Et d'autres encore sont incarnées sous différentes formes vivant à présent sur votre planète.

Lorsque tu rencontres l'une d'elles, tu peux immédiatement ressentir un sentiment d'affinité. Parfois, tu peux même dire : « Nous devons avoir passé une "vie antérieure" ensemble. » Et tu auras raison. Vous aurez passé une « vie antérieure » ensemble. Soit sous *la même forme physique*, soit sous deux formes dans le même continuum espace-temps.

C'est fabuleux ! Cela explique tout !

Oui, c'est vrai.

Sauf une chose.

Laquelle ?

Quand je *sais* que j'ai passé une « vie antérieure » avec quelqu'un – je le *sais* ; je le sens dans ma chair. Et pourtant, quand je le lui mentionne, cette personne n'en a pas du tout l'impression. Que faut-il comprendre ici ?

Tu confonds tout simplement le « passé » avec l'« avenir ».

Hein ?

Tu as *vraiment* traversé une autre vie avec elle – seulement, il ne s'agit pas d'une vie *antérieure*.

C'est une « vie future » ?

Précisément. Tout arrive dans l'éternel instant de maintenant, et tu

es conscient de ce qui, en un sens, n'est pas encore *survenu.*

Alors, pourquoi ne se « rappelle-t-elle » pas l'avenir, aussi ?

Ce sont des vibrations très subtiles, et certains d'entre vous y sont plus sensibles que d'autres. Cela varie aussi selon les personnes. Tu peux être plus « sensible » à ton expérience « passée » ou « future » avec une personne plutôt qu'avec une autre. Cela signifie habituellement que tu as passé cette autre période en tant que partie de ton âme immense enveloppant le même corps, tandis que lorsque subsiste encore cette sensation de s'« être déjà rencontrés », sans qu'elle soit aussi forte, cela peut vouloir dire que vous avez partagé la même « période » ensemble, mais non le même corps. Vous étiez (ou serez) peut-être mari et femme, frère et soeur, parent et ami, amant et bien-aimée.

Ce sont des liens puissants, et il est naturel que vous les sentiez lorsque vous vous « rencontrez à nouveau » pour la « première fois » dans « cette vie ».

Si ce que tu affirmes est juste, cela expliquerait un phénomène que je n'ai jamais pu éclaircir : celui d'après lequel plus d'une personne dans cette « vie » prétend se souvenir d'avoir été Jeanne d'Arc. Ou Mozart. Ou une autre personne célèbre appartenant au « passé ». J'ai toujours cru que c'était là un argument en faveur de ceux qui allèguent que la réincarnation constitue une fausse doctrine, car comment plus d'une même personne pourrait-elle prétendre avoir été la même personne ? Mais maintenant, je vois de quelle façon c'est possible ! En fait, plusieurs des êtres sensibles qui sont maintenant enveloppés par une seule âme se « r-appellent » (retrouvent l'appel) de la partie de leur âme simple qui était (qui est *maintenant*) Jeanne d'Arc ou autre.

Dieu du ciel ! ça fait éclater les limites et ça rend toutes les choses possibles. À l'avenir, dès que je me surprendrai à dire que « c'est impossible », je saurai que tout ce que je fais, c'est de démontrer qu'il y a beaucoup plus de choses que je ne sais pas.

Voilà une bonne chose à se rappeler. Une très bonne chose à se rappeler.

Et si nous pouvons avoir plus d'une « âme sœur », cela expliquerait comment il nous est possible de faire l'expérience de ces intenses « sentiments d'âmes sœurs » avec plus d'une personne par vie – et même avec plus *d'une personne à la fois* !

En effet.

Alors, il est *vraiment* possible d'aimer plus d'une personne à la fois !

Bien entendu.

Non, non. Je veux dire, avec le genre d'amour intense et personnel que nous réservons habituellement à une seule personne – ou du moins, à une personne *à la fois* !

Pourquoi voudrais-tu « réserver » l'amour ? Pourquoi voudrais-tu le garder « en réserve » ?

Parce que ce n'est pas bien d'aimer plus d'une personne « ainsi ». C'est une trahison.

Qui t'a appris ça ?

Tout le monde. Tout le monde me répète ça. Mes parents m'ont dit ça. Ma religion défend le même principe. Ma société me dit ça. Tout le monde s'entend là-dessus !

Ce sont certains des « péchés du père » qui sont transmis au fils.
Ta propre expérience ne t'enseigne qu'une chose – qu'aimer *pleinement* chaque personne est ce que tu peux faire de plus joyeux. Mais tes parents, tes maîtres, tes prêtres prêchent autre chose – que tu

ne peux aimer « ainsi » qu'une personne à la fois. Et nous ne parlons pas seulement de sexe. Si tu estimes qu'une personne est aussi spéciale qu'une autre *d'une façon ou d'une autre*, on te fait souvent sentir que tu as trahi cette autre.

C'est ça ! Exactement ! C'est la perception que les gens en ont !

Ainsi, tu n'exprimes pas d'amour véritable, mais une variété contrefaite.

Dans quelle mesure l'amour véritable permettra-t-il de s'exprimer dans le cadre de l'expérience humaine ? Quelles limites allons-nous imposer (en fait, certains diraient *devons-nous* imposer) à cette expression ? Si toutes les énergies sociales et sexuelles étaient relâchées, quel serait le résultat ? La liberté sociale et sexuelle illimitée est-elle l'abdication de toute responsabilité, ou son expression absolue ?

Toute tentative de restreindre l'expression naturelle de l'amour est un reniement de l'expérience de la liberté – donc, un renoncement de l'âme même. Car l'âme *est* la liberté personnifiée. Dieu *est* liberté, par définition – car Dieu est sans limites et sans restriction d'*aucune* sorte. L'âme est Dieu en miniature. Par conséquent, l'âme se rebelle chaque fois qu'on lui impose des limites et meurt chaque fois qu'elle accepte des limites extérieures.

Dans cet esprit, la naissance elle-même représente une mort, et la mort, une naissance. Car, à la naissance, l'âme se trouve contrainte par les affreuses limites d'un corps, et au moment de la mort, elle échappe à nouveau à ces contraintes. Elle fait de même durant le sommeil.

Ayant retrouvé la liberté, l'âme vole – et se réjouit à nouveau dans l'expression et l'expérience de sa véritable nature.

Mais sa vraie nature peut-elle être exprimée et vécue lorsqu'elle est avec le corps ?

C'est la question que tu poses – et elle mène à la raison même et au but de la vie elle-même. Car si la vie dans le corps n'est rien de plus qu'une prison ou une limite, alors à quoi bon, et quelle peut être sa fonction, et même sa justification ?

Oui, je suppose que c'est cela, ma question. Et je la pose au nom de tous les êtres, partout, qui ont ressenti les affreuses contraintes de l'expérience humaine. Et je ne parle pas, à présent, de limites physiques...

... Je sais que ce n'est pas de cela dont tu parles...

... mais des limites émotionnelles et psychologiques.

Oui, Je sais. Je comprends. Mais tes préoccupations se rapportent toutes à la même grande question.

Oui, très bien. Mais laisse-moi finir. Toute ma vie, j'ai été profondément frustré par l'incapacité du monde à me laisser aimer chaque personne de la manière exacte dont je le voulais.

Quand j'étais jeune, il ne fallait pas parler aux inconnus, ni rien dire d'inconvenant. Je me rappelle un jour où je marchais dans la rue avec mon père et où nous avons rencontré un pauvre homme mendiant des sous. Je me suis immédiatement senti malheureux pour cet homme et j'ai voulu lui donner quelques-unes des pièces que j'avais dans ma poche, mais mon père m'a interrompu et m'a éloigné de cet individu en me disant : « C'est de la racaille, c'est rien que de la racaille. » C'était là l'étiquette qu'il donnait à tous ceux qui n'étaient pas à la hauteur de ses définitions de la dignité humaine.

Plus tard, je me suis rappelé une expérience ayant trait à mon frère aîné, qui ne vivait plus avec nous et qu'on n'avait pas laissé entrer la veille de Noël en raison d'une dispute qu'il avait eue avec mon père. J'adorais mon frère et je voulais qu'il soit avec nous ce soir-là, mais mon père l'a retenu sur le balcon avant et l'a empêché d'entrer. Ma mère était consternée (c'était son fils d'un mariage précédent), et j'étais tout simplement perplexe. Comment pouvions-nous ne pas aimer ou désirer voir mon frère la veille de Noël, uniquement à cause d'une dispute ?

Quel genre de discorde pouvait bien gâcher ce Noël, alors que même les guerres étaient suspendues le temps d'une trêve de 24 heures ? Mon petit cœur de sept ans aurait tellement voulu savoir !

En grandissant, j'ai appris que la colère seule n'empêchait pas l'amour de circuler, mais aussi la peur. C'est pour cela que nous ne devions pas parler aux inconnus – et pas seulement lorsque nous étions des enfants sans défense. Une fois devenus adultes aussi. J'ai appris qu'il n'était pas correct de rencontrer et d'accueillir des inconnus avec joie et ouvertement, et qu'il fallait respecter une certaine étiquette vis-à-vis des gens auxquels on venait d'être présentés – et cela n'avait aucun sens pour moi. Je voulais *tout* savoir à propos de cette nouvelle personne, et je désirais qu'elle sache tout de *moi* ! Mais *non*. Selon les règles, nous devions attendre.

Et maintenant, dans ma vie d'adulte, j'ai appris que les règles sont encore plus rigides et limitatives lorsque la sexualité entre en jeu. Et je *ne comprends toujours pas*.

Je me rends compte que je veux simplement aimer et être aimé – que je veux seulement aimer tout le monde de la façon qui me semble naturelle, qui me fait du bien. Mais la société impose des règles et des lois si rigides, que même si un partenaire consent à une expérience avec laquelle la *société* n'est pas d'accord, les deux amoureux sont mal jugés et condamnés.

Qu'est-ce que tout cela signifie ?

Eh bien, tu viens de le dire. C'est de la peur.
Tout cela, c'est de la peur.

Oui, mais ces peurs sont-elles justifiées ? Ces restrictions et ces contraintes ne sont-elles pas appropriées, étant donné les comportements de notre race ? Un homme rencontre une femme plus jeune, tombe amoureux (ou « dans le désir ») d'elle et quitte sa femme. Je ne retiens qu'un exemple. Et celle-ci se retrouve seule avec les enfants et sans possibilité d'emploi à trente-neuf ou à quarante-trois ans – ou pire, elle est abandonnée à soixante-quatre ans par un homme de soixante-huit ans tombé amoureux d'une femme plus jeune que sa fille.

Supposes-tu que l'homme que tu décris a cessé d'aimer sa femme de soixante-quatre ans ?

À le voir, on dirait bien.

Non. Ce n'est pas sa femme qu'il n'aime plus, et de qui il cherche à s'échapper. Ce sont les limites qu'on s'évertue à lui imposer.

Oh ! foutaises. C'est du désir pur et simple. C'est un pépère qui essaie tout simplement de retrouver sa jeunesse et qui veut être avec une jeune femme parce qu'il est incapable de maîtriser ses appétits et de respecter sa promesse envers la partenaire qui est restée avec lui tout au long des années de vaches maigres.

Bien sûr. Tu viens de le décrire à la perfection. Mais rien de ce que tu as dit n'a changé une seule chose à ce que j'ai affirmé. Dans presque tous les cas, cet homme n'a pas cessé d'aimer sa femme. Ce sont les limites imposées par sa femme, ou celles imposées par la jeune femme qui ne veut pas être en relation avec lui s'il reste avec sa femme, qui provoquent cette rébellion.

Ce que J'essaie de faire ressortir ici, c'est que l'âme se rebellera toujours devant les limites. De toutes sortes. C'est ce qui a engendré *chaque* révolution dans l'histoire de l'humanité, et pas uniquement la révolution qui pousse un homme à quitter sa femme – ou une femme, à soudainement quitter son mari. (Ce qui, à propos, se produit aussi.)

Tu ne suggères certainement pas l'abolition totale des limites de comportement ! Ce serait l'anarchie. Le chaos social. Tu ne proposes sûrement pas que les gens s'offrent des « aventures » – ou adoptent, Dieu m'en garde, le *mariage ouvert* !

Je ne défends pas et je n'évite pas de défendre quoi que ce soit. Je ne suis ni « pour » ni « contre » quoi que ce soit. La race humaine continue d'essayer de faire de moi le genre de Dieu qui est « pour » ou « contre », et Je ne suis pas cela.

J'observe tout simplement que telle est la réalité. Je vous regarde créer vos propres systèmes de bien et de mal, de pour et de contro, ot J'observe afin de voir si vos idées actuelles à ce propos vous sont utiles, étant donné les choix et les désirs que vous déclarez en tant qu'espèce et en tant qu'individus.

Alors, la question du « mariage ouvert » ?

Je ne suis ni pour ni contre le « moriage ouvert ». Que tu le sois ou non dépend de ce que tu décides vouloir donner à ton mariage, et en retirer. Et ta décision quant à cela crée *qui tu es* par rapport à l'expérience que tu appelles « mariage ». Car c'est comme Je te l'ai dit : chaque geste est un geste d'autodéfinition.

Lorsqu'on prend quelque décision que ce soit, il est important de s'assurer que l'on répond à la bonne question. La question concernant le prétendu « mariage ouvert », par exemple, n'est pas : « Aurons-nous un mariage ouvert dans lequel chaque partenaire aura le droit d'avoir des contacts sexuels avec d'autres personnes ? » La question est plutôt : « Qui suis-je – et qui sommes-nous – devant l'expérience appelée mariage ? »

La réponse à cette question se trouvera dans la réponse à la question plus vaste de la vie : qui suis-je – point – relativement à quoi que ce soit, en relation avec quoi que ce soit ; *qui suis-je, et qui est-ce que je choisis d'être ?*

Comme Je l'ai dit à maintes reprises tout au long de ce dialogue, la réponse à cette question est la réponse à toute question.

Mon Dieu, ça me frustre. Car la réponse à cette question est si vaste et si générale qu'elle ne répond à aucune autre question.

Ah, vraiment ? Alors, quelle est ta réponse à cette question ?

Selon ces livres – selon ce que tu sembles dire dans ce dialogue – je suis « amour ». C'est *qui je suis vraiment*.

Excellent ! Tu as appris ! C'est juste. Tu es amour. Tout est amour. Alors, tu es amour, Je suis amour, et il n'y a rien qui ne soit amour.

Et la peur ?

La peur, c'est ce que tu n'es pas. La peur est une fausse preuve qui paraît vraie. La peur est le contraire de l'amour que tu as créé dans ta réalité afin de pouvoir connaître de façon expérientielle *ce que tu es.*

C'est ce qui est vrai dans le monde relatif de ton existence : En l'absence de ce que tu n'es pas, ce que tu es... n'est pas.

Oui, oui, nous avons déjà vu cela un certain nombre de fois au cours de notre dialogue. Mais j'ai l'impression que tu as esquivé ma plainte. J'ai déclaré que la réponse à la question Qui sommes-nous ? (c'est-à-dire l'amour) est si vaste qu'elle en devient une non-réponse – une absence de réponse – à presque toute autre question. Tu dis que c'est la réponse à chaque question, et je réplique que ce n'est la réponse à aucune – encore moins à une question aussi précise que « Notre mariage devrait-il être un mariage ouvert ? ».

Si cela s'avère exact pour toi, c'est que tu ne sais pas ce qu'est l'amour.

Quelqu'un le sait-il ? La race humaine tente de résoudre cette question depuis le commencement des temps.

Qui n'existe pas.

Qui n'existe pas, oui, je sais. C'est une figure de style.

Permets-moi de voir si je peux trouver, en utilisant tes « figures de style », quelques mots et quelques façons d'expliquer ce qu'est l'amour.

Super ! Ce serait merveilleux.

Le premier mot qui me vient à l'esprit est « illimité ». Ce qui est amour est illimité.

Eh bien, nous sommes en plein où nous étions lorsque nous avons entamé ce sujet. Nous tournons en rond.

Les cercles sont bons. Ne les rejette pas. Continue de tourner en rond : continue de tourner autour de la question. Tourner en rond est une bonne chose. Répéter est correct. Revoir, réaffirmer est bien.

Je deviens parfois impatient.

***Parfois* ? C'est drôlement amusant.**

D'accord, d'accord, poursuis ce que tu disais.

L'amour est ce qui est illimité. Il n'a ni commencement ni fin. Ni avant ni après. L'amour a toujours été, est toujours et sera toujours.
Alors, l'amour est également toujours. C'est la réalité de toujours.
Revenons à un autre mot que nous avons déjà employé : la liberté. Car si l'amour est illimité et toujours, alors l'amour est... libre. L'amour est ce qui est parfaitement libre.
Dans la réalité humaine, tu découvriras que tu as toujours cherché à aimer et à être aimé. Tu découvriras que tu aspireras sans cesse à ce que cet amour soit illimité. Et tu découvriras que tu voudras toujours être libre de l'exprimer.

Dans chaque expérience de l'amour, tu chercheras la liberté, l'absence de limites et l'éternité. Tu ne l'obtiendras peut-être pas, mais c'est ce que tu chercheras. Tu le chercheras parce que c'est ce qu'est l'amour, et au fond de toi, tu le sais, car tu es amour. Et par l'expression de l'amour, tu désires connaître et faire l'expérience de *qui* et de *ce que tu es*.

Tu es la vie exprimant la vie, l'amour exprimant l'amour, Dieu exprimant Dieu.

Tous ces mots sont donc synonymes. Dis-toi qu'ils représentent la même notion :

Dieu

Vie

Amour

Illimité

Éternel

Libre

Tout ce qui n'est pas l'une de ces choses n'est *aucune* d'elles.

Tu es tout cela, et tôt ou tard, tu chercheras à faire l'expérience de toi-même en tant que *tout cela.*

Qu'entends-tu par « tôt ou tard » ?

Tout dépend à quel moment tu surmontes ta peur. Comme Je l'ai expliqué, la peur est une fausse preuve qui paraît vraie. C'est ce que tu n'es pas.

Tu chercheras à faire l'expérience de *ce que tu es* lorsque tu auras cessé de faire l'expérience de ce que tu n'es pas.

Qui veut expérimenter la peur ?

Personne ne veut le faire ; on vous l'enseigne.

Un enfant n'éprouve aucune peur. Il se croit capable de tout. Un enfant n'éprouve aucun manque de liberté, non plus. Il pense pouvoir aimer tout le monde. Un enfant ne ressent aucun manque de vie non plus. Les enfants s'imaginent qu'ils vivront éternellement – et les gens qui agissent comme des enfants croient que rien ne peut les blesser. Un enfant ne connaît rien d'impie, non plus – jusqu'à ce que les adultes lui enseignent des choses impies.

Par conséquent, les enfants courent nus et donnent des accolades à tout le monde, sans s'en préoccuper. Si seulement les adultes pouvaient en faire autant !

Eh bien, les enfants le font avec la beauté de l'innocence. Les adultes ne peuvent retrouver cette innocence, car lorsqu'ils « se déshabillent », cette histoire de sexe est toujours présente à leur esprit.

Oui. Et bien sûr, Dieu nous en garde, « cette histoire de sexe » ne peut être innocente et librement vécue.

En fait, Dieu nous en garde, vraiment. Adam et Ève étaient parfaitement heureux quand ils couraient nus dans le jardin d'Éden, jusqu'à ce que Ève goûte au fruit de *l'arbre de la connaissance du bien et du mal*. Alors, tu nous as condamnés à notre état actuel, car nous sommes tous coupables de ce péché originel.

Je n'ai rien fait de tel.

Je sais. Mais il fallait que je tire un coup sur la religion organisée.

Essaie d'éviter cela si tu le peux.

Oui, il faut. Les partisans de la religion organisée n'ont pas tellement le sens de l'humour.

Te voilà reparti.

Pardon.

Je disais... que vous survivrez en tant qu'espèce pour faire l'expérience d'un amour illimité, éternel et libre. L'institution du mariage a été votre tentative de création de l'éternité. Avec elle, vous êtes tombés d'accord pour devenir partenaires à vie. Mais cela n'a pas vraiment engendré un amour « illimité » et « libre ».

Pourquoi pas ? Si le mariage est librement choisi, n'est-il pas une expression de la liberté ? Et affirmer qu'on démontrera sexuellement son amour à personne d'autre que son conjoint, représente non pas une limite, mais un choix. Et un choix ne constitue pas une limite ; il est *l'exercice de la liberté*.

Pourvu que cela continue d'être un choix, oui.

Eh bien, il le faut. C'était la promesse.

Oui – et c'est là que les problèmes commencent.

Aide-moi.

Écoute, il peut venir un temps où, dans une relation, vous voudriez faire l'expérience d'un degré élevé de particularité. Ce n'est pas qu'une personne soit plus spéciale qu'une autre à vos yeux. C'est plutôt que la façon dont vous choisissez de démontrer à une personne la profondeur de l'amour que vous avez pour tous les gens – et pour la vie même – est unique à cette personne.

En effet, la façon dont vous démontrez à présent votre amour envers chaque personne que vous aimez *vraiment* est unique. Vous ne démontrez jamais votre amour de façon identique à deux personnes. Parce que vous êtes une créature et un créateur d'originalité, tout ce que vous créez est original. Aucune pensée, parole ou action ne peut être répétée. Vous ne pouvez pas répéter, vous ne pouvez que créer.

Sais-tu *pourquoi* il n'y a pas deux flocons de neige semblables ?
Parce qu'il est *impossible* qu'ils le soient. La « création » n'est pas la
duplication, et le Créateur ne peut que créer.

Voilà pourquoi il n'y a pas deux flocons de neige pareils, ni deux
personnes identiques, ni deux pensées, ni deux relations, ni rien d'autre.

L'univers – et chaque chose – existe au singulier, et vraiment *rien
d'autre n'y ressemble.*

C'est encore là la divine dichotomie. Tout est singulier, mais
tout est Un.

Exactement. Chaque doigt de ta main est différent, mais c'est la
même main. L'air de ta maison est le même partout, mais l'air d'une pièce
à une autre ne l'est pas et laisse une impression carrément différente.

Le même phénomène existe avec les gens. Tous ne font qu'Un, mais
il n'y a pas deux personnes similaires. Par conséquent, on ne peut aimer
deux personnes de la même façon, même si on essayait – et on ne
voudrait jamais, car l'amour est une réponse unique à ce qui reste unique.

Alors, quand tu démontres ton amour à une personne, tu le fais
d'une façon qui est impossible avec une autre. Tes pensées, tes paroles
et tes gestes – tes réponses – sont littéralement impossibles à repro-
duire – uniques... tout comme la personne pour laquelle tu éprouves ces
sentiments.

Si le temps est venu où tu désires cette démonstration spéciale avec
une seule personne, alors choisis-la, comme tu le dis. Annonce-la, et
déclare-la. Mais fais de ta déclaration une annonce, d'un instant à un
autre, de ta *liberté* et non de ton *obligation* continue. Car l'amour
véritable est toujours libre, et l'obligation ne peut exister dans l'espace
de l'amour.

Si tu considères ta décision d'exprimer ton amour d'une façon
particulière, auprès d'un seul être distinct, comme une promesse sacrée
à laquelle tu ne manqueras jamais, le jour viendra peut-être où tu feras
l'expérience selon laquelle la promesse est une obligation – et tu en

auras du ressentiment. Mais si tu considères cette décision non pas comme une promesse faite une seule fois, mais comme un choix libre, refait à maintes reprises, ce jour de ressentiment ne viendra jamais.

Rappelle-toi ceci : Il n'y a qu'une promesse sacrée, et c'est de *dire et vivre ta vérité.* Toutes les autres promesses sont des renonciations à la liberté, et cela ne pourra jamais être sacré. Car la liberté, c'est *qui vous êtes.* Si tu renonces à la liberté, tu renonces à toi-même. Et ce n'est pas un sacrement, mais un blasphème.

13

Ouf ! Voilà des paroles dures. Tu veux dire que nous ne devons jamais rien promettre à personne ?

La plupart d'entre vous vivent d'une façon telle, actuellement, que chaque promesse comporte un mensonge. Le mensonge, c'est d'affirmer que vous savez maintenant comment, à un moment donné, vous vous sentirez par rapport à telle chose et ce que vous voudrez en faire. Vous ne pouvez le savoir si vous vivez comme un être réactif – ce que vous êtes dans l'ensemble. Ce n'est que lorsque vous vivez comme un être créatif que votre promesse ne contient aucun mensonge.

Les êtres créatifs peuvent savoir comment, à n'importe quel moment de l'avenir, ils se sentiront par rapport à une chose, car ils *créent* leurs sentiments, au lieu d'en faire l'expérience.

Ce n'est qu'en créant ton avenir que tu peux le *prédire.* À moins de prédire ton avenir, tu ne pourras rien promettre de sincère en ce qui le concerne.

Mais même celui qui crée et présage son avenir a le pouvoir et le droit de changer. Le changement est un droit fondamental de toutes les créatures. En effet, c'est plus qu'un « droit », car un « droit », c'est ce qui est *accordé.* Le « changement », lui, est ce qui est.

Le changement est.

Tu es ce qui est changement.

On ne peut te *donner* cela. Tu *es* cela.

À présent, puisque tu *es* « changement » – et puisque le change-ment est la seule chose constante en ce qui te concerne –, tu ne peux sincèrement promettre de toujours être le même.

Tu veux dire qu'il n'y a aucune constante dans l'univers ? Que dans toute créativité, rien n'est immuable ?

Le processus que vous appelez la vie est un processus de recréation. Toute la vie se recrée constamment à nouveau, à chaque instant présent. Dans ce processus, l'identité est impossible, car si une chose est identique, c'est qu'elle n'a pas du tout changé. Mais si l'identité est impossible, la similitude ne l'est pas. La similitude résulte du processus de transformation qui produit une version remarquablement similaire de ce qui s'est déjà passé.

Lorsque la créativité atteint un niveau élevé de similitude, on appelle cela l'identité. Et de la grossière perspective que vous offre votre point de vue limité, c'est bien le cas.

En termes humains, il semble donc y avoir une grande constance dans l'univers. Les choses ont l'air de se ressembler, de se produire de façon semblable, et de *réagir* de manière identique. Une certaine cohérence apparaît.

C'est bien, car cela te fournit un cadre au sein duquel tu peux envisager et faire l'expérience de ton existence sur le plan physique.

Mais Je te dis ceci. Du point de vue de la vie entière – de ce qui est physique comme de ce qui ne l'est pas –, l'apparence de constance disparaît. On vit les choses telles qu'elles *sont vraiment* : en changement constant.

Selon toi, les changements sont parfois si délicats, si subtils, que, de notre point de vue moins perspicace, ils semblent être les mêmes – parfois exactement – alors qu'en fait, tel n'est pas le cas.

Précisément.

Il n'y a pas « deux jumeaux identiques ».

Exactement. Tu as parfaitement saisi.

Mais nous pouvons nous recréer à nouveau sous une forme

suffisamment similaire pour produire un *effet* de constance.

Oui.

Et nous pouvons le faire dans les relations humaines, en ce qui concerne *qui nous sommes*, et dans notre comportement.

Oui, même si la plupart d'entre vous trouvent cela très difficile.

Car la constance véritable (par opposition à l'apparence de constance) enfreint la loi naturelle, comme nous venons de l'apprendre, et qu'il faut un grand maître pour même créer *l'apparence* de l'identité.

Un maître peut surmonter chaque tendance naturelle (rappelle-toi, la tendance naturelle est au changement) à apparaître sous une forme identique. En réalité, il ne peut apparaître d'instant en instant d'une même façon. Mais il peut surgir avec suffisamment de similitude pour créer *l'apparence* de l'identité.

Mais les gens qui ne sont pas des « maîtres » apparaissent tout le temps « d'une façon identique ». J'en connais dont le comportement et l'apparence sont si prévisibles qu'ils pourraient servir de tuteurs à des plantes.

Oui, le faire *intentionnellement* exige beaucoup d'efforts.

Le maître est celui qui crée intentionnellement un niveau élevé de similitude (ce que tu appelles la « cohérence »). Un disciple est celui qui crée de la cohérence sans nécessairement en avoir l'intention.

Une personne qui réagit toujours de la même façon devant certaines circonstances, par exemple, dira souvent : « Je n'y pouvais rien. »

Un maître ne dirait *jamais* cela.

Même si la réaction d'une personne reflète un comportement admirable – pour lequel elle recevra des louanges – sa réponse sera souvent : « Eh bien, ce n'était rien. C'était automatique, vraiment. N'importe qui pourrait le faire. »

Un maître ne ferait *jamais* cela, non plus.

Donc, un maître est une personne qui – littéralement – sait ce qu'elle fait.

Il sait également *pourquoi.*

Les gens qui n'ont pas atteint la maîtrise ne savent souvent ni l'un ni l'autre.

Est-ce pour ce motif qu'il est si difficile de tenir parole ?

C'est l'une des raisons. Comme Je l'ai dit, à moins de pouvoir prédire ton avenir, tu ne peux rien promettre avec sincérité.

Une seconde raison pour laquelle les gens trouvent difficile de tenir parole tient au fait que leurs promesses entrent en conflit avec l'authenticité.

Qu'entends-tu par là ?

Je veux dire que leur vérité, qui est en évolution, diffère de l'annonce qu'ils en ont faite. Ainsi, ils sont en conflit profond. À quoi dois-je obéir : à ma vérité ou à ma promesse ?

Un conseil ?

Je t'ai déjà donné ce conseil : *Te trahir toi-même afin de ne pas trahir quelqu'un d'autre, cela reste une trahison.* C'est la plus haute trahison.

Mais cela entraînerait partout des manquements à des promesses ! Aucune parole de personne n'aurait d'importance vis-à-vis de *quoi que ce soit.* On ne pourrait compter sur quiconque pour quoi que ce soit !

Oh ! tu t'attendais donc à ce que les autres tiennent parole, n'est-ce pas ? Pas étonnant que tu aies été si malheureux.

Qui affirme que je l'ai été ?

Tu veux dire que c'est de cela que tu as l'air quand tu es heureux ?

Très bien. D'accord. J'ai été malheureux. Parfois.

Oh ! pas *mal* souvent. Même quand tu avais toutes les raisons d'être heureux, tu t'es permis d'être malheureux – en te demandant, inquiet, si tu serais capable de conserver ton bonheur.

Et la raison pour laquelle tu as même eu à t'inquiéter de cela est la suivante : *le fait de « garder ton bonheur » dépendait, dans une large mesure, de la parole des autres.*

Tu veux dire que je n'ai pas le droit de croire – du moins d'espérer – que les autres tiendront parole ?

Pourquoi voudrais-tu donc une telle chose ?

L'unique raison pour laquelle une personne ne tiendrait pas parole envers toi, ce serait parce qu'elle ne veut pas – ou qu'elle a l'impression de ne pas pouvoir, ce qui revient au même.

Et si une personne ne voulait pas remplir sa promesse envers toi, ou si, pour une raison quelconque, elle ne croyait pas pouvoir le faire, pourquoi donc voudrais-tu qu'elle le fasse ?

Veux-tu vraiment que quelqu'un respecte un accord contre son gré ? Crois-tu vraiment qu'il faut obliger quelqu'un à faire des choses qu'il ne croit pas pouvoir faire ?

Pourquoi voudrais-tu obliger quiconque à faire une chose contre sa volonté ?

Eh bien, entre autres, parce que le laisser s'en tirer sans remplir sa promesse me nuirait – à moi ou à ma famille.

Ainsi, afin d'éviter un tort, tu es prêt à en infliger un.

Je ne vois pas comment on pourrait porter atteinte à quelqu'un en lui demandant tout simplement de tenir parole.

Mais il doit le considérer comme une atteinte, sinon il tiendrait volontiers parole.

Alors, *je* dois subir l'atteinte, ou voir mes enfants et ma famille la subir, plutôt que de « porter atteinte » à celui qui m'a fait une promesse, en lui demandant tout simplement de la remplir.

Crois-tu vraiment que si tu obliges un autre à respecter une promesse, tu auras échappé à l'atteinte ?

Je te dis ceci : De plus grands torts ont été commis par des personnes menant une vie de désespoir tranquille (à faire ce qu'elles croyaient « devoir » faire) que par des personnes faisant ce qu'elles voulaient.

Quand tu donnes de la liberté à une personne, tu *écartes* le danger, tu ne l'augmentes pas.

Oui, « ficher la paix » à quelqu'un à propos d'une promesse ou d'un engagement peut donner l'impression de te porter atteinte à court terme, mais cela ne te nuira jamais à long terme. Car lorsque tu redonnes sa liberté à l'autre, tu te redonnes aussi ta liberté. Dès lors, tu te libères des souffrances et des chagrins, ainsi que des attaques à ta dignité et à ton amour-propre qui suivront inévitablement lorsque tu obligeras une autre personne à remplir une promesse malgré elle.

L'atteinte à long terme sera beaucoup plus considérable que l'atteinte à court terme – comme l'ont découvert presque tous ceux qui ont contraint quelqu'un à tenir parole.

Cette même idée s'applique-t-elle en affaires ? Comment pourrait-on faire des affaires de cette façon ?

En réalité, c'est la seule manière saine de mener des affaires.

Le problème, à l'heure actuelle, dans votre société, c'est que celle-ci

est fondée sur la force. La force juridique (que vous appelez « force de loi ») et, trop souvent, la force physique (que vous appelez les « forces armées » du monde).

Vous n'avez pas encore appris à utiliser l'art de la persuasion.

S'il n'y avait pas la force juridique – la « force de loi » des tribunaux –, comment pourrions-nous « persuader » les entreprises de respecter les clauses de leurs contrats et les modalités de leurs accords ?

Dans le cadre de votre éthique culturelle actuelle, c'est peut-être l'unique moyen. Mais lorsqu'aura changé votre éthique culturelle, votre façon actuelle d'empêcher les entreprises – et les individus, d'ailleurs – de manquer à leurs engagements paraîtra très primitive.

Peux-tu expliquer ?

Pour vous assurer du respect des engagements de chacun, vous recourez actuellement à la force. Lorsque votre éthique culturelle aura changé jusqu'à inclure l'idée que vous ne faites tous qu'Un, vous n'emploierez jamais la force, car cela ne nuirait qu'à vous-mêmes. Vous ne frapperez pas votre main gauche avec votre main droite.

Même si la main gauche était en train de nous étrangler ?

Cela aussi sera impossible. Vous cesserez de vous étrangler vous-mêmes. Vous cesserez de vous « mordre le nez pour contrarier votre visage ». Vous cesserez de rompre vos engagements. Et, bien sûr, vos engagements mêmes seront très différents.

Vous cesserez de donner un objet de valeur à quelqu'un uniquement s'il a une valeur quelconque à vous offrir en échange. Vous ne vous retiendrez jamais de donner ni de partager quelque chose, même si vous n'obtenez pas ce que vous appelez un juste retour.

Vous donnerez et partagerez automatiquement. Ainsi, il y aura beaucoup moins de contrats à rompre, car un contrat signifie *l'échange* de biens et de services, tandis que votre vie concernera le don de biens et de services, *peu importe* qu'un échange se produise ou non.

Mais ce genre de don à sens unique constituera votre salut, car vous aurez découvert ce dont Dieu a fait l'expérience : que ce que vous donnez à un autre, vous le donnez à vous-même. Ce qu'on envoie nous revient.

Tout ce qui vient de nous nous revient.

Au septuple. Alors, il n'est pas nécessaire de se soucier de ce qu'on « retire ». Il faut plutôt se soucier de ce qu'on « donne ». La vie consiste à donner de son mieux, et non à recevoir de son mieux.

Vous ne cessez d'oublier. Mais vivre, ce n'est pas oublier. Vivre, c'est par-donner*, et pour y arriver, vous devez être indulgent envers les autres – surtout ceux qui ne vous ont pas donné ce que vous comptiez *recevoir* !

Ce revirement entraînera un changement intégral de votre profil culturel. Aujourd'hui, ce que vous appelez le « succès », dans votre culture, se mesure largement à la quantité de ce que vous « obtenez », à la quantité d'honneurs, d'argent, de pouvoir et de biens que vous amassez. Dans la nouvelle culture, le « succès » se mesurera à l'aune de ce que vous amenez les autres à amasser.

Ironiquement, plus vous amènerez les autres à amasser, plus vous amasserez, sans effort. Sans « contrats » ni « accords », sans « marchandage » ni « négociations », sans poursuites ni tribunaux pour vous obliger à vous donner l'un à l'autre ce qui était « promis ».

Dans l'économie future, vous n'agirez plus en vue du profit personnel, mais en vue de la croissance personnelle, ce qui sera votre profit. Mais le « profit » en termes matériels viendra à vous lorsque vous deviendrez une version plus grande et plus grandiose de *qui vous êtes vraiment*.

---

*For getting = pour recevoir ; *forgetting* = oublier ; *for giving* = pour donner ; *forgiving* = pardonner.

Il vous semblera très primitif, alors, d'utiliser la force pour obliger une personne à vous donner une chose parce qu'elle a « dit » qu'elle le ferait. Si un autre individu ne respecte pas une entente, vous lui permettrez tout simplement de suivre son chemin, de faire ses choix et de créer sa propre expérience de lui-même. Et ce qu'il ne vous aura pas donné ne vous manquera pas, car vous saurez qu'il en « reste davantage » – et que la source n'est pas cet individu, mais *vous*.

Ouf. Je pige. Mais j'ai l'impression qu'on s'est vraiment éloignés du sujet. Toute cette discussion a commencé quand je t'ai posé une question à propos de l'amour – en te demandant si les humains se permettraient jamais de l'exprimer sans limites. Et cela a mené à une question sur le mariage ouvert. Puis, on s'est encore très éloignés du sujet.

Pas vraiment. Toutes ces questions sont pertinentes. Et c'est une introduction parfaite à tes questions sur les prétendues sociétés éclairées ou plus évoluées. Car, dans les sociétés hautement évoluées, il n'y a ni « mariage » ni « affaires » – ni, d'ailleurs, aucune des constructions sociales artificielles que vous avez créées pour structurer votre société.

Oui, alors, on y arrive. Pour l'instant, je veux tout simplement conclure cette question. Tu as affirmé des choses intrigantes. Si je comprends bien, tout cela revient au fait que la plupart des humains ne peuvent tenir parole et que, par conséquent, nous ne devons pas les y contraindre. Cela saborde l'institution du mariage, ni plus ni moins.

J'aime ton emploi du mot « institution ». La plupart des gens mariés ont l'impression d'être *vraiment* en « institution ».

Ouais, une institution psychiatrique ou pénitentiaire – ou tout au moins une institution de haut savoir !

Exactement. Précisément. C'est ainsi que la plupart des gens le vivent.

Bon, je plaisantais avec toi, je n'ai pas dit « la plupart des gens ». Des millions de gens adorent encore l'institution du mariage et tiennent à la protéger.

J'appuie ton affirmation. La plupart des gens ont beaucoup de difficulté en ce qui concerne le mariage et n'aiment pas l'effet qu'il leur fait.
Vos statistiques mondiales sur le divorce le prouvent.

Veux-tu dire que le mariage doit disparaître ?

Je n'ai aucune préférence à cet égard, seulement...

... je sais, je sais. Des observations.

Bravo ! Tu continues de vouloir faire de moi un Dieu à préférences, ce que je ne suis pas. Merci de bien vouloir cesser.

Eh bien, nous venons de saborder non seulement le mariage, mais aussi la religion !

Il est vrai que les religions ne pourraient exister si la race humaine entière comprenait que Dieu n'a pas de préférences, car la religion prétend affirmer les préférences de Dieu.

Et si tu n'as *vraiment* aucune préférence, alors la religion doit être un mensonge.

Eh bien, voilà un terme sévère. Je dirais que c'est plutôt une fiction, une chose que vous avez inventée.

Comme nous avons inventé la fiction selon laquelle Dieu préfère que nous soyons mariés ?

Oui. Je ne préfère rien de la sorte. Mais Je remarque que vous le faites.

Pourquoi ? Pourquoi préférons-nous le mariage, si nous le savons si difficile à vivre ?

Parce que c'est la seule façon que vous avez trouvée de croire mettre du « toujours » ou de l'éternité dans votre expérience de l'amour.

C'était la seule façon pour une femme de garantir son soutien et sa survie, et pour un homme, de se garantir la constante présence du sexe et de la compagnie.

On créa donc une convention sociale. On marchanda quelque chose. Tu me donnes ceci, et je te donne cela. En ce sens, cela ressemblait beaucoup à une entreprise. On signa un contrat. Et puisque les deux parties avaient besoin de faire respecter ce contrat, on a dit que c'était là un « pacte sacré » avec Dieu – qui punirait ceux qui ne le respecteraient pas.

Plus tard, lorsque cela n'a pas fonctionné, vous avez créé des lois humaines pour le faire respecter.

Mais même cela n'a pas donné les résultats escomptés.

Ni les prétendues lois de Dieu ni les lois de l'homme n'ont pu empêcher les gens de rompre leurs voeux de mariage.

Comment expliquer cet aboutissement ?

Simplement parce que ces voeux, tels que vous les avez normalement ébauchés, enfreignent la seule loi importante.

Qui est ?

La loi naturelle.

Mais c'est naturel pour la vie d'exprimer l'Unité. N'est-ce pas ce que je comprends de tout cela ? Et le mariage en est notre plus belle expression. Tu sais : « Ce que Dieu a uni, que l'homme ne le sépare pas », et ainsi de suite.

Tel que vous le pratiquez, le mariage n'est pas particulièrement joli. En effet, il viole deux des trois aspects de la nature de chaque être humain.

Voudrais-tu les énoncer à nouveau ? Je crois que je commence tout juste à relier tout ça.

D'accord. Encore une fois.

Vous êtes amour.

L'amour est illimité, éternel et libre.

Voilà donc ce que vous êtes. Voilà la nature de *qui vous êtes*. Vous êtes illimités, éternels et libres, par nature.

Ainsi, toute construction artificielle, sociale, morale, religieuse, philosophique, économique ou politique qui enfreint ou subordonne votre nature représente une atteinte contre vous-même – et vous vous élèverez contre elle.

D'après toi, qu'est-ce qui a donné naissance à votre pays ? N'était-ce pas : « Donnez-moi la liberté, ou donnez-moi la mort » ?

Eh bien, vous avez abandonné cette liberté, dans votre pays, et vous l'avez abandonnée dans votre vie. Tout cela pour la même chose : la sécurité.

Vous avez tellement peur de *vivre* – si peur de la *vie même* – que vous avez cédé la nature même de votre être en échange de la sécurité.

Avec l'institution appelée mariage, vous avez tenté de créer de la sécurité, tout comme avec l'institution appelée gouvernement. En fait, ce sont deux formes d'une même réalité – deux constructions sociales artificielles conçues pour gouverner le comportement mutuel.

Bonté du Ciel ! je n'ai jamais vu les choses ainsi. J'ai toujours cru que le mariage était l'ultime proclamation de l'amour.

Tel que vous l'avez imaginé, oui, mais pas tel que vous l'avez construit. Dans ce dernier cas, c'est l'ultime proclamation de la peur.

Si le mariage vous permettait de vivre votre amour d'une façon illimitée, éternelle et libre, alors ce serait l'ultime proclamation de l'amour.

Dans le contexte actuel, vous vous mariez en vue de réduire votre amour à une *promesse* ou à une *garantie*.

Le mariage est un effort en vue de garantir que « ce qui est ainsi » sera « toujours ainsi ». Si vous n'aviez pas besoin de cette garantie, vous n'auriez nul besoin du mariage. Pourquoi cette garantie ? D'abord pour créer de la sécurité (au lieu d'en créer à l'intérieur de vous) ; ensuite, si cette sécurité n'est pas éternelle, pour utiliser cette garantie afin de vous punir mutuellement, puisque la promesse de mariage rompue peut maintenant former la base de la poursuite lancée.

Vous avez donc trouvé le mariage fort utile – mais pour les mauvaises raisons.

Le mariage est également une tentative, de votre part, de garantir que vous n'aurez jamais pour un autre les sentiments mutuels que vous éprouvez. Ou du moins, que vous ne les *exprimerez* jamais de la même façon avec un autre.

C'est-à-dire sexuellement ?

C'est-à-dire sexuellement.

Finalement, le mariage, tel que vous l'avez construit, est une façon d'affirmer : « Cette relation est particulière. Je tiens à elle par-dessus toutes les autres. »

Qu'y a-t-il de mal à cela ?

Rien. Ce n'est pas une question de « bien » ou de « mal ». Le bien et le mal n'existent pas. L'important, c'est : Cela vous sert-il ou non ? Cela vous permet-il de vous recréer dans la prochaine image la plus grandiose de *qui vous êtes vraiment*?

Si ce *qui vous êtes vraiment* est un être qui dit : « Cette relation –
et uniquement celle-ci – est plus particulière qu'aucune autre », alors
votre construction du mariage vous l'accorde parfaitement. Mais vous
trouverez peut-être intéressant de remarquer que presque aucun maître
spirituel reconnu n'est marié.

Parce que les maîtres sont chastes. Qu'ils n'ont aucune activité
sexuelle.

Non. Parce qu'ils ne peuvent sincèrement affirmer la même chose
que votre présente construction du mariage, à savoir : qu'une personne
soit plus spéciale pour eux qu'une autre.

Ce n'est pas le genre d'affirmation que fait un maître, et ce n'est
pas le genre d'affirmation que ferait Dieu.

En fait, vos voeux de mariage, tels que vous les construisez présentement, vous poussent à faire une affirmation très indivine. Le comble de
l'ironie, c'est que cette promesse, qui est pour vous la plus sacrée, Dieu
ne la ferait jamais.

Mais afin de justifier vos craintes humaines, vous avez imaginé un
Dieu qui *agit comme vous.* Par conséquent, vous parlez de la « promesse » de Dieu à son « peuple élu » et d'alliances entre Dieu et ceux
qu'Il aime d'une manière spéciale.

Comme vous ne pouvez supporter de penser que Dieu n'aime *personne* d'une manière plus spéciale que d'autres, vous créez des fictions
à propos d'un Dieu qui n'aime que certaines personnes pour certaines
raisons. Et vous appelez ces fictions des religions. Je les appelle des
blasphèmes. Car toute pensée que Dieu aime une personne plus qu'une
autre est fausse – et tout rituel qui vous demande de faire la *même
affirmation* n'est pas un sacrement, mais un sacrilège.

Oh ! mon Dieu, arrête ! *Arrête* ! Tu démolis tout ce que j'ai
jamais pensé du mariage ! C'est impossible que Dieu écrive cela.
Dieu ne dirait jamais de telles choses sur la religion et le mariage !

Ce dont nous parlons ici, c'est de la religion et du mariage, tels que vous les avez construits. Mes paroles te paraissent dures ? Je te dis ceci : Vous avez abâtardi la parole de Dieu afin de justifier vos peurs ainsi que le traitement malsain que vous vous infligez les uns les autres.

Vous ferez dire à Dieu tout ce que vous voulez afin de continuer à vous limiter les uns les autres, de vous blesser les uns les autres et de vous *tuer les uns les autres* en mon nom.

Ouais ! depuis des siècles, vous avez invoqué mon nom, brandi Mon drapeau et porté des croix sur vos champs de batailles, tout cela pour prouver que J'aime un peuple plus qu'un autre et que je vous *demanderais de tuer pour le prouver.*

Mais Je vous dis ceci : *Mon amour est illimité et inconditionnel.*

C'est la seule chose que vous ne puissiez entendre, l'unique vérité que vous ne puissiez accepter, car le fait qu'elle englobe tout détruit non seulement l'institution du mariage (telle que vous l'avez construite), mais aussi chacune de vos religions et de vos institutions gouvernementales.

Car vous avez créé une culture fondée sur l'exclusion et l'avez appuyée sur le mythe culturel d'un Dieu qui exclut.

Mais la culture de Dieu est fondée sur l'inclusion. Dans l'amour de Dieu, tout le monde est inclus. Dans le royaume de Dieu, *tout le monde est invité.*

Et cette vérité est ce que vous appelez un blasphème.

Et vous devez l'appeler ainsi. Car si c'est vrai, tout ce que vous avez créé dans votre vie est faux. Toutes les conventions et les constructions humaines sont erronées dans la mesure où elles ne sont pas illimitées, éternelles et libres.

Comment une chose peut-elle être « erronée » s'il n'y a ni « bien » ni « mal » ?

Une chose n'est erronée que dans la mesure où elle ne fonctionne pas pour remplir son rôle. Si une porte ne s'ouvre ni ne se ferme, on ne dira pas que cette porte est « mauvaise ». On dira tout simplement que son installation ou son fonctionnement sont défectueux – parce qu'elle ne remplit pas son rôle.

Tout ce que vous construisez dans votre vie, dans votre société humaine, et qui ne vous permet pas d'atteindre votre but, celui de devenir humain, est erroné. C'est une construction erronée.

Et mon but, en devenant humain, est quoi encore ?

De décider et de déclarer, de créer et d'exprimer, de faire l'expérience et de réaliser, *qui tu es vraiment*.

À chaque moment, de te re-créer à nouveau, selon la version la plus grandiose de ta vision la plus grande de qui tu es vraiment.

Ceci est ton but en devenant humain et le but de toutes vies.

Alors où cela nous a-t-il menés ? Nous avons détruit la religion, dissous le mariage et dénoncé les gouvernements. Où en sommes-nous ?

Tout d'abord, nous n'avons rien détruit, dissous ou dénoncé. Si une construction que vous avez créée ne fonctionne pas et ne produit pas ce que vous vouliez, le fait de mettre en évidence le problème n'est ni détruire, ni dissoudre, ni dénoncer la construction.

Essaie de te rappeler la différence entre le jugement et l'observation.

Eh bien, je ne vais pas me mettre à discuter avec toi ici, mais une grande partie de ce qui vient d'être dit m'a semblé, à moi, renfermer des jugements.

Nous sommes contraints, ici, par les affreuses limites des mots. Il y en a vraiment peu, et nous devons sans cesse utiliser les mêmes, même s'ils ne portent pas toujours la même signification ni le même genre de pensées.

Tu dis que tu « aimes » les banana splits, mais sûrement pas de la même façon que tu aimes ton amoureuse. Alors, tu vois, vous avez très peu de mots, vraiment, pour décrire vos sentiments.

En communiquant avec toi ainsi – avec des mots – je me suis permis d'éprouver ces limites. Et Je te concède que, parce qu'une part de ce langage a également été utilisée par toi pour *porter des jugements*, il serait facile de conclure que Je porte des jugements quand Je les utilise. Permets-moi de t'assurer ici que je n'en fais pas. Tout au long de ce dialogue, J'ai tout simplement tenté de te dire comment arriver là où tu dis vouloir aller et de décrire le plus efficacement possible ce qui barre ta route ; ce qui t'empêche d'y aller.

Alors, en ce qui concerne la *religion*, tu dis vouloir chercher à vraiment connaître et aimer Dieu. Je te fais tout simplement observer que vos religions ne t'y mènent pas.

Vos religions ont érigé Dieu en Grand Mystère et vous ont amenés à le craindre plutôt qu'à l'aimer.

De même, la religion a fait peu pour que vous changiez vos comportements. Vous vous entretuez encore, vous vous condamnez, vous vous donnez « tort ». En réalité, vos religions vous ont encouragés dans ce sens.

Je te fais donc tout simplement remarquer que tu dis vouloir que la religion t'amène à tel endroit, mais qu'elle te mène plutôt à tel autre.

Tu désires que le mariage te conduise au pays de la béatitude éternelle, ou du moins à un niveau raisonnable de paix, de sécurité et de bonheur. Comme pour la religion, votre invention appelée mariage y arrive au début, lorsque vous en êtes encore aux premières expériences, mais plus vous entretenez cette expérience, plus elle vous mène là où vous dites ne pas vouloir aller.

Presque la moitié des gens mariés dissolvent leur mariage au moyen du divorce, et parmi ceux qui demeurent mariés, beaucoup sont désespérément malheureux.

Vos « unions bénies » vous entraînent vers l'amertume, la colère et le regret. Certaines – et pas seulement un petit nombre restreint – vous mènent à un espace de tragédie absolue.

Vous dites vouloir que vos *gouvernements* assurent la paix, la liberté et la tranquillité du pays, et J'observe que, tels que vous les avez conçus, ils ne feront rien de cela. Ils vous mènent plutôt à la guerre, à un manque de liberté croissant, ainsi qu'à la violence et au soulèvement à l'intérieur du pays.

Vous n'avez pu résoudre les problèmes fondamentaux, comme nourrir les gens et les garder en santé et en vie, et vous avez encore moins relevé le défi de leur accorder des chances égales.

Des centaines d'entre vous meurent de faim chaque jour sur la planète alors que des milliers d'entre vous jettent quotidiennement assez de nourriture pour ravitailler des pays entiers.

Vous ne pouvez vous acquitter de la simple tâche de donner les restes des nantis aux pauvres – et encore moins déterminer si vous voulez partager vos ressources plus équitablement.

Alors, *ce ne sont pas des jugements*. Ce sont des réalités *observables* dans votre société.

Pourquoi ? Pourquoi est-ce ainsi ? Pourquoi avons-nous fait si peu de progrès dans la conduite de nos affaires ces dernières années ?

Des années ? Plutôt des *siècles*.

D'accord, des siècles.

C'est en raison du premier mythe culturel humain et de tous les autres mythes qui s'ensuivent nécessairement. À moins qu'ils ne changent, rien ne changera. Car vos mythes culturels informent votre éthique, et votre éthique crée vos comportements. Mais un problème surgit : votre mythe culturel est en désaccord avec votre instinct fondamental.

Qu'entends-tu par là ?

Selon le premier mythe culturel, les êtres humains sont intrinsèquement mauvais. C'est le mythe du péché originel. D'après ce mythe, non seulement votre nature fondamentale est mauvaise, mais vous-mêmes êtes *nés* ainsi.

Le second mythe culturel, nécessairement engendré par le premier, est le suivant : ce sont les « plus forts » qui survivent.

Certains d'entre vous sont forts et d'autres, faibles, et pour survivre, vous devez faire partie des forts. Vous faites tout votre possible pour aider votre prochain, mais lorsque votre propre survie est en jeu, vous vous occupez d'abord de vous-mêmes. Vous laissez même mourir les autres. En fait, vous allez plus loin que cela. Si vous êtes confrontés à votre survie et à celle des vôtres, vous tuerez les autres — présumément les « faibles », ce qui vous classera donc parmi les « plus forts ».

Pour certains d'entre vous, il s'agit là de leur « instinct fondamental ». Cela s'appelle l'« instinct de survie », et c'est ce mythe culturel qui a formé une grande part de votre éthique sociale et créé nombre de vos comportements de groupe.

Mais votre « instinct fondamental » n'est pas la survie, mais bien plutôt la justice, l'unité et l'amour. C'est l'instinct fondamental de tous les êtres conscients, partout. C'est votre mémoire cellulaire. C'est votre *nature intrinsèque*. Ainsi explose votre premier mythe culturel. Vous n'êtes pas fondamentalement mauvais, vous n'êtes pas nés dans le « péché originel ».

Si votre « instinct fondamental » était la « survie », et si votre nature fondamentale était le « mal », vous ne vous déplaceriez jamais instinctivement pour sauver un enfant de la chute, un homme de la noyade, ni personne de quoi que ce soit. Et pourtant, lorsque vous agissez à partir de vos instincts fondamentaux, que vous exposez votre nature fondamentale et que vous ne pensez pas à ce que vous êtes en train de faire, c'est exactement de cette façon que vous vous comportez, *même à vos risques*.

Ainsi, votre instinct « fondamental » ne peut être la « survie », et votre nature fondamentale n'est clairement pas le « mal ». Votre instinct et votre nature doivent refléter l'essence de *qui vous êtes* : la justice, l'unité et l'amour.

En examinant les implications sociales de cela, il est important de comprendre la différence entre « justice » et « égalité ». La recherche de l'*égalité*, ou du fait d'être égaux, n'est pas un instinct fondamental chez tous les êtres conscients. En effet, c'est exactement le contraire.

L'instinct fondamental de tout ce qui vit est d'exprimer l'unicité, et non la similitude. Créer une société dans laquelle deux êtres sont véritablement égaux, voilà une chose non seulement impossible, mais indésirable. Les mécanismes sociaux destinés à produire la véritable égalité – autrement dit, la « similitude » économique, politique et sociale – vont à l'encontre, et non dans le sens, de l'idée la plus grandiose et du dessein le plus élevé : que chaque être aura l'occasion de produire le résultat de son désir le plus grand et, ainsi, de se recréer véritablement à nouveau.

Ce qu'il faut, pour cela, ce sont des *chances* égales, et non l'égalité de fait. Cela s'appelle la justice. L'égalité de fait, produite par des forces et des lois extérieures, éliminerait la justice, mais ne la produirait pas. Elle empêcherait une véritable recréation de soi, qui est, partout, le but le plus élevé des êtres illuminés.

Et qu'est-ce qui *créerait* la liberté de chances ? Des systèmes qui permettraient à la société de répondre aux besoins de survie de chaque individu, donnant à tous les êtres l'occasion de poursuivre leur développement personnel et leur création de soi, plutôt que leur survie. Autrement dit, des systèmes qui imitent le système véritable, appelé la vie, dans lequel la *survie est garantie*.

Dès lors, parce que la survie n'est pas un problème dans les sociétés éclairées, ces sociétés ne laisseraient jamais souffrir l'un de leurs membres s'il y avait suffisamment de tout pour tout le monde. Dans ces sociétés, l'intérêt personnel et l'intérêt mutuel restent identiques.

Aucune société créée autour d'un mythe du « mal intrinsèque » ou de la « survie du plus fort » ne songerait à atteindre un tel degré d'intelligence.

Oui, je vois. Et cette question du « mythe culturel » en est une que je veux explorer plus tard en détail, en même temps que les comportements et l'éthique des civilisations plus avancées. Mais j'aimerais revenir une dernière fois aux questions déjà entamées.

L'un des défis que présente le fait de te parler, c'est que tes réponses nous mènent dans des directions si intéressantes que j'oublie parfois où j'ai commencé. Mais cette fois, ce n'est pas le cas. Nous parlions du mariage, de l'amour et de ses exigences.

L'amour n'a pas d'exigences. Voilà pourquoi c'est de l'amour.

Si votre amour l'un pour l'autre comporte des exigences, alors ce n'est pas du tout de l'amour, mais une version contrefaite.

C'est ce que j'ai tenté de te dire ici. C'est ce que j'ai exprimé, d'une dizaine de façons différentes, sur toutes les questions que tu as posées.

Dans le contexte du mariage, par exemple, existe un échange de voeux que l'amour n'exige pas. Mais vous exigez parce que vous ne savez pas ce qu'est l'amour. Ainsi, vous vous promettez mutuellement *ce que l'amour ne demanderait jamais*.

Alors, tu es *vraiment* contre le mariage !

Je ne suis « contre » rien. Je décris tout simplement ce que Je vois. Mais vous pouvez *changer* ce que Je vois. Vous pouvez redessiner votre construction sociale appelée « mariage » de telle sorte qu'elle ne demande pas ce que l'amour ne réclamerait jamais, mais plutôt, déclare *ce que seul l'amour pourrait déclarer*.

Autrement dit, modifier les vœux du mariage.

C'est plus que cela. C'est changer les attentes sur lesquelles sont fondés les voeux. Et elles seront difficiles à rectifier, car c'est votre héritage culturel. À leur tour, elles proviennent de vos mythes culturels.

Nous voilà revenus à cette rengaine sur les mythes culturels : qu'est-ce que tu as contre ?

J'espère vous indiquer la bonne direction. Je vois où vous dites

vouloir aller avec votre société, et Je souhaite trouver des paroles et des termes humains capables de vous y diriger.

Puis-je te tonner un exemple ?

S'il te plaît.

L'un de vos mythes culturels sur l'amour se résume à ceci : il consiste à donner plutôt qu'à recevoir. C'est même devenu un impératif culturel. Et pourtant, cela vous rend fou et vous cause plus de tort que vous ne l'imaginez.

Cela entraîne, et retient, des gens dans de mauvais mariages, cela rend dysfonctionnelles des relations de toutes sortes, mais personne – ni vos parents, vers qui vous vous tournez afin qu'ils vous guident ; ni votre clergé, vers qui vous vous tournez pour qu'il vous inspire ; ni vos psychologues et psychiatres, vers qui vous vous tournez pour qu'ils vous éclairent ; ni même vos écrivains et vos artistes, vers qui vous vous tournez pour qu'ils assument un leadership intellectuel – n'osera mettre en cause le mythe culturel dominant.

Ainsi, on écrit des chansons, on raconte des récits, on tourne des films, on donne des conseils, on offre des prières et on élève des enfants d'une façon qui perpétue le mythe. Alors, il ne vous *reste qu'à vous y conformer, tous.*

Et vous ne le voulez pas.

Mais ce n'est pas vous, le problème, c'est le *mythe.*

L'amour, n'est-ce *pas* donner plutôt que de recevoir ?

Non.

Vraiment ?

Non. Ça ne l'a jamais été.

Mais tu as toi-même dit, il y a juste un moment, que « l'amour n'a aucune exigence », précisant que *c'est là ce qui fait que c'est l'amour.*

Et c'est vrai.

Eh bien, à mon avis, cela ressemble tout à fait à « donner plutôt que recevoir » !

Alors, tu dois relire le chapitre 8 du tome 1. Tout ce à quoi Je fais allusion ici, Je te l'ai expliqué là-dedans. Ce dialogue était destiné à être lu à la suite et considéré comme un tout.

Je sais. Mais pour les lecteurs qui n'ont pas lu le tome 1, pourrais-tu expliquer, s'il te plaît, où tu veux en venir à présent ? Car, franchement, j'aurais moi-même besoin d'une récapitulation, et j'ai maintenant seulement l'impression de *comprendre* cette matière !

D'accord. Voici.
Tout ce que tu fais, tu le fais pour toi.
C'est vrai, parce que tous les autres et toi ne faites qu'Un.
Ce que tu fais pour un autre, tu le fais donc pour toi. Ce que tu négliges de faire pour un autre, tu négliges de le faire pour toi-même. Ce qui est bon pour un autre est bon pour toi, et ce qui est mauvais pour lui l'est pour toi.
C'est la vérité la plus fondamentale. Mais c'est la vérité que tu ignores le plus souvent.
Ainsi, quand tu es en relation avec quelqu'un, cette relation n'a qu'un seul but. C'est un véhicule qui te permettra de décider et de déclarer, de créer et d'exprimer, de vivre et d'accomplir l'idée la plus élevée que tu te fais de *qui tu es vraiment.*
Par conséquent, si *qui tu es vraiment* est une personne prévenante et empressée, attentive et généreuse, compatissante et affectueuse – si tu es ainsi avec d'autres, tu vis l'expérience la plus grandiose pour laquelle tu t'es incarné.

Voilà pourquoi tu t'es incarné. Parce que ce n'est que dans le royaume du physique et du relatif que tu pouvais te connaître sous cette forme. Dans le royaume de l'absolu dont tu viens, cette expérience de connaissance est impossible.

Toutes ces idées, Je te les ai expliquées de façon beaucoup plus détaillée dans le tome 1.

Alors, si *qui tu es vraiment* est un être qui ne s'aime pas et se laisse abuser, blesser et détruire par les autres, alors tu répéteras des comportements qui te permettront de faire l'expérience de cela.

Mais si tu es vraiment une personne prévenante et respectueuse, attentive et généreuse, compatissante et affectueuse, tu t'incluras parmi les gens avec lesquels tu es cela.

En effet, tu *commences* par toi-même. Tu te donnes la première place en ces domaines.

Dans la vie, tout dépend de qui on cherche à être. Si, par exemple, tu cherches à ne faire qu'Un avec les autres (c'est-à-dire à faire l'expérience d'un concept que tu sais déjà vrai), tu te comporteras d'une manière très précise qui te permettra de faire l'expérience et la démonstration de ton Unité. Et lorsque tu poseras certains gestes à la suite de cela, tu n'auras pas l'impression de faire quelque chose pour *quelqu'un d'autre*, mais plutôt pour toi-même.

Il en sera ainsi, peu importe ce que tu cherches à être. Si tu cherches à être amour, tu vivras des moments d'affection avec les autres. Non pas *pour* les autres, mais *avec* les autres.

Remarque la différence. Saisis la nuance. Tu feras des choses affectueuses avec les autres, pour toi-même – afin de pouvoir réaliser et faire l'expérience de l'idée la plus grandiose que tu te fasses de toi-même et de *qui tu es vraiment.*

En ce sens, il est impossible de faire *quoi que ce soit* pour un autre, car chaque acte que tu poses de ta propre volonté n'est littéralement que cela : un « acte ». Tu es un *acteur.* C'est-à-dire que tu crées et joues un rôle. Sauf que tu ne fais pas semblant. Tu es vraiment le personnage de ce rôle.

Tu es un *être* humain. Et ce que tu es, tu le décides et tu le choisis. Votre Shakespeare n'a-t-il pas dit : « Être ou ne pas Être, voilà la question ? »

Et n'a-t-il pas dit aussi : « Sois fidèle à toi-même, et il s'ensuivra, comme la nuit suit le jour, que tu ne pourras tromper personne. »

Si tu es fidèle à toi-même, si tu ne *te trahis pas*, quand tu « auras l'impression » d'être en train de « donner », tu sauras qu'en réalité tu es en train de « recevoir ». Tu te redonneras littéralement à toi-même.

Tu ne peux vraiment rien « donner » à un autre pour la simple raison qu'il n'y a pas d'« autre ». Si nous ne faisons tous qu'Un, alors il n'y a que toi.

Cela me paraît être un « truc » sémantique, une façon de changer les mots pour modifier leur sens.

Ce n'est pas un truc, mais bien *de la magie* ! Et cela n'a rien à voir avec le fait de changer les mots pour en modifier le sens, mais bien plutôt avec le fait de changer les perceptions pour modifier l'expérience.

Toute ton expérience est fondée sur tes perceptions, et celles-ci sont fondées sur ta compréhension, qui, elle, est fondée sur tes mythes. Soit *sur ce qu'on t'a dit*.

À présent, Je te dis ceci : Vos mythes culturels actuels ne vous ont pas servis. Ils ne vous ont pas amenés là où vous dites vouloir aller.

Ou bien vous vous mentez à vous-mêmes à propos de votre préten-due destination, ou bien vous ne voyez pas que vous n'y arrivez pas. Ni en tant qu'individus, ni en tant que pays, qu'espèce ou que race.

D'autres espèces y arrivent-elles ?

Oh oui ! incontestablement.

D'accord, j'ai attendu suffisamment longtemps. Parle-m'en.

Bientôt. Très bientôt. Mais Je veux d'abord te dire comment tu peux modifier ton invention appelée « mariage » de façon qu'elle t'amène là où tu dis vouloir aller.

Oui, eh bien, je veux vraiment le savoir. Je veux vraiment savoir s'il y a *moyen* que les êtres humains puissent exprimer l'amour véritable. Alors, je termine cette section de notre dialogue là où je l'ai commencée. Quelles limites pouvons-nous – en fait, certains diraient devons-nous – donner à cette expression ?

Aucune. Absolument aucune. Et c'est ce que *vos voeux de mariage devraient affirmer.*

C'est étonnant, car c'est exactement ce qu'affirmaient mes vœux de mariage avec Nancy !

Je sais.

Quand Nancy et moi avons décidé de nous marier, j'ai eu l'inspiration soudaine d'écrire de nouveaux vœux de mariage.

Je sais.

Et Nancy s'est jointe à moi. Elle était d'accord : nous ne pouvions échanger les vœux de mariage devenus « traditionnels ».

Je sais.

Nous nous sommes assis et nous avons créé de *nouveaux vœux* qui, eh bien, « défiaient l'impératif culturel », comme tu dirais.

Oui, c'est ce que vous avez fait. J'en étais très fier.

Et en les écrivant, en couchant ces vœux sur papier pour que le pasteur les lise, je crois vraiment que nous étions tous les deux inspirés.

Bien sûr, vous l'étiez !

Tu veux dire que... ?

Qu'est-ce que tu crois ? Que je viens vers toi uniquement quand tu écris des livres ?

Oh !

Oui, oh !
Alors, pourquoi n'insères-tu pas les vœux de mariage ici ?

Hein ?

Vas-y. Tu en as un exemplaire. Insère-les ici même.

Eh bien, nous ne les avons pas créés pour les exposer au monde entier.

Quand ce dialogue a commencé, tu ne croyais pas l'exposer un jour au monde entier.
Vas-y. Insère-les.

Mais je ne veux pas laisser croire aux gens que je leur dis : « Nous avons écrit les vœux de mariage parfaits ! »

Tu t'inquiètes soudainement de ce que les gens diront ?

Allons. Tu sais ce que je veux dire.

Écoute, personne n'affirme que ce sont là les « vœux de mariage parfaits ».

Alors, d'accord.

Ce sont seulement les meilleurs que quiconque ait trouvés jusqu'ici sur votre planète.

Eh... !

Je blaguais. Sourions.
Vas-y. Insère ces voeux. J'en assume la responsabilité. Et les gens vont les adorer. Cela leur donnera une idée de ce dont nous parlons ici. Tu pourrais même inviter d'autres gens à reprendre ces voeux – qui ne sont pas vraiment des « voeux », mais bien plutôt des *affirmations de mariage.*

Alors, d'accord. Voici ce que Nancy et moi nous sommes dit l'un à l'autre quand nous nous sommes mariés... merci pour « l'inspiration » que nous avons reçue :

(Le pasteur :)

Neale et Nancy sont venus ici ce soir pour faire une promesse solennelle et pour échanger un vœu sacré.

Nancy et Neale sont venus rendre *public* leur amour mutuel ; pour annoncer leur vérité ; pour déclarer leur choix de vivre, d'être partenaires et de croître ensemble – à haute voix et en votre présence, désireux de vous amener tous à sentir une partie très réelle et intime de leur décision, et ainsi, de la rendre encore plus forte.

Ils sont également venus en espérant aussi que leur rituel de liaison nous aidera à nous rapprocher *tous*. Si vous êtes ici, ce soir, avec un conjoint ou un partenaire, que cette cérémonie soit un rappel – une nouvelle consécration de votre propre lien amoureux.

Nous commencerons par poser une question : Pourquoi se marier ? Neale et Nancy ont répondu à cette question pour eux-mêmes et m'ont donné leur réponse. À présent, je veux la leur poser une fois de plus afin qu'ils puissent être certains de leur réponse et de leur compréhension, et fermes quant à leur engagement vis-à-vis de la vérité qu'ils partagent.

(Le pasteur prend deux roses rouges sur la table...)

Voici la Cérémonie des Roses, par laquelle Nancy et Neale partagent leur entente et commémorent ce partage.

Alors, Nancy et Neale, vous m'avez dit vous entendre tous les deux sur le fait que vous n'entrez pas dans ce mariage pour des raisons de sécurité...

... que la seule sécurité réelle n'est pas dans la possession ni dans le fait d'être possédé...

... ni en exigeant, en croyant, ou même en espérant que l'autre vous fournira ce dont vous pensez avoir besoin dans la vie...

... mais plutôt en sachant que tout ce dont vous avez besoin dans la vie... tout l'amour, toute la sagesse, toute l'intuition, tout le pouvoir, toute la connaissance, toute la compréhension, toute l'affection, toute la compassion et toute la force... résident *en vous*...

... et que vous ne vous mariez pas dans l'espoir d'obtenir ces choses, mais dans l'espoir *d'offrir* ces cadeaux, afin que l'autre puisse les avoir encore plus abondamment.

Vous entendez-vous fermement là-dessus, ce soir ?

(Ils répondent : « Oui. »)

Et Neale et Nancy, vous m'avez dit vous entendre fermement sur le fait que vous n'entriez pas dans ce mariage afin de vous limiter, de vous contrôler, de vous empêcher de quoi que ce soit ou de vous restreindre l'un l'autre d'aucune façon, de toute expression véritable et de toute célébration honnête de ce qu'il y a de meilleur et de plus élevé en vous – y compris votre amour de Dieu, votre amour de la vie, votre amour des gens, votre amour de la créativité, votre amour du travail, ou *tout* aspect de votre être qui vous représente de façon authentique et qui vous apporte la joie. Vous entendez-vous encore fermement là-dessus ce soir ?

(Ils répondent : « Oui. »)

Finalement, Nancy et Neale, vous m'avez dit ne pas considérer le mariage comme une production *d'obligations*, mais plutôt comme une offre *d'occasions*...

... d'occasions de croître, de pleinement vous exprimer, d'élever votre vie à son potentiel le plus élevé, de guérir chaque idée fausse ou mesquine que vous ayez jamais eue à propos de vous-mêmes et de vivre l'ultime réunion avec Dieu à travers la communion de vos deux âmes...

... que ceci est véritablement une sainte communion... un voyage dans la vie avec quelqu'un que vous aimez comme un partenaire égal, en partageant également l'autorité et les responsabilités inhérentes à tout partenariat, en portant également les fardeaux qui peuvent survenir, en jouissant également des merveilles.

Est-ce la vision dans laquelle vous souhaitez entrer maintenant ?

(Ils répondent : « Oui. »)

Je vous donne maintenant ces roses rouges, qui symbolisent votre compréhension individuelle de ces choses terrestres, afin que vous sachiez et que vous vous entendiez tous les deux sur la façon dont vous vivrez dans la forme corporelle et au sein de la structure physique appelée mariage. Offrez-vous maintenant ces roses, avec amour, comme des symboles de votre *partage* de ces accords et de ces ententes.

À présent, veuillez prendre chacun cette rose blanche. Elle symbolise vos ententes plus larges, votre nature et votre vérité spirituelles. Elle symbolise la pureté de votre Soi réel le plus élevé, et la pureté de l'amour de Dieu qui luit sur vous, maintenant et à jamais.

(Le pasteur donne à Nancy la rose portant l'anneau de Neale sur une tige, et à Neale, la rose portant l'anneau de Nancy.)

Quels symboles avez-vous apportés pour vous rappeler les promesses échangées aujourd'hui ?

(Chacun retire l'anneau de la tige, le donnant au pasteur, qui les tient à la main en prononçant les paroles suivantes...)

Le cercle est le symbole du Soleil, de la Terre et de l'Univers. C'est un symbole de sainteté, de perfection et de paix. C'est aussi le symbole de l'éternité de la vérité spirituelle, de l'amour et de la vie... de ce qui n'a ni commencement ni fin. Et en ce moment, Neale et Nancy choisissent que ce soit aussi un symbole d'unité, mais non de possession ; de jonction, mais non de restriction ; d'encerclement, mais non de piégeage. Car l'amour ne peut être possédé ni restreint. Et l'âme ne pourra jamais être prise au piège.

À présent, Neale et Nancy, veuillez prendre ces anneaux que vous voulez vous donner l'un à l'autre.

(Ils prennent les anneaux l'un de l'autre.)

Neale, s'il te plaît, répète après moi.

Moi, Neale... je te demande, Nancy... d'être ma partenaire, mon amante, mon amie et ma femme... Je t'annonce et déclare mon intention de t'accorder mon amitié et mon amour les plus profonds... non seulement dans tes moments forts... mais aussi dans tes moments faibles... non seulement lorsque tu te rappelleras clairement Qui Tu Es... mais aussi quand tu l'oublieras... non seulement lorsque tu agiras avec amour... mais aussi lorsque tu ne le feras pas... Je t'annonce également... devant Dieu et devant ceux ici présents... que je chercherai toujours à voir en toi la Lumière de la divinité... et chercherai toujours à partager... la Lumière de la divinité en moi... même, et surtout... dans tous les moments de noirceur qui pourront survenir.

J'ai l'intention d'être à jamais avec toi... dans un partenariat sacré de l'âme... afin que nous puissions accomplir ensemble l'œuvre de Dieu... en partageant tout ce qui est bon en nous... avec tous ceux dont nous atteignons la vie.

(Le pasteur se tourne vers Nancy.)

Nancy, choisis-tu de satisfaire à la demande de Neale et d'être son épouse ?

(Elle répond : « Oui. »)

À présent, Nancy, répète après moi, s'il te plaît.

Moi, Nancy... je te demande, Neale... (Elle prononce le même vœu.)

(Le pasteur se tourne vers Neale.)

Neale, choisis-tu de satisfaire à la demande de Nancy et d'être son époux ?

(Il répond : « Oui. »)

Alors, veuillez tous les deux prendre les anneaux que vous allez vous échanger et répétez après moi : Avec cet anneau... je t'épouse... je prends maintenant l'anneau que tu me donnes... *(ils échangent leurs anneaux)*... et le glisse à mon doigt... *(ils glissent les anneaux à leurs doigts)*... afin que tous puissent voir et connaître... mon amour pour toi.

(Le pasteur conclut...)

Nous reconnaissons avec une conscience entière que seul un couple peut s'administrer mutuellement le sacrement du mariage et que lui seul peut le sanctifier. Ni mon Église ni aucun pouvoir qui me soit conféré par l'État ne peut m'accorder l'autorité de déclarer ce que seuls deux cœurs peuvent se déclarer et ce que seules deux âmes peuvent rendre réel.

Ainsi, à présent, dans la mesure où *toi*, Nancy, et *toi*, Neale, avez annoncé les vérités déjà écrites dans vos cœurs et avez été témoins des mêmes vérités en présence de ces gens, vos amis, et de l'unique esprit vivant – nous observons joyeusement que vous vous êtes déclarés... mari et femme.

Joignons-nous à présent dans la prière.

Esprit d'amour et de vie : dans ce vaste monde, deux âmes se sont trouvées. Leurs destinées tisseront maintenant une même trame, et leurs périls et leurs joies ne seront pas séparés.

Neale et Nancy, que votre foyer soit un lieu de bonheur pour tous ceux qui y entreront ; un lieu où jeunes et vieux seront renouvelés en compagnie l'un de l'autre, un lieu de croissance et un lieu de partage, un lieu de musique et un lieu de rire, un lieu de prière et un lieu d'amour.

Que ceux qui sont les plus près de vous soient constamment enrichis par la beauté et l'abondance de votre amour l'un pour l'autre, que votre travail soit une joie de votre vie qui serve le monde et que vos jours sur cette Terre soient bons et longs.

Amen.

Cela me touche tellement ! Je suis si honoré, si béni, d'avoir trouvé quelqu'un dans ma vie qui pouvait prononcer mes paroles avec moi et les sentir. Mon cher Dieu, merci de m'avoir envoyé Nancy !

Tu es un cadeau pour elle aussi, tu sais.

J'espère.

Fais-moi confiance.

Sais-tu ce que je souhaite ?

Non. Quoi ?

Je souhaite que tous les gens puissent prononcer ces *affirmations de mariage*. Qu'ils puissent les découper, ou les copier, et les utiliser pour leur mariage. Je parie que nous allons voir dégringoler le taux de divorce.

Certaines gens auraient beaucoup de difficulté à prononcer ces mots – et beaucoup auraient de la difficulté à y rester fidèles.

J'espère seulement que nous pourrons y rester fidèles ! Le problème, en insérant ces paroles ici, c'est que nous devrons les respecter.

Vous n'envisagiez pas de les respecter ?

Bien sûr que oui ! Mais nous sommes humains, comme n'importe qui. Mais maintenant, si nous échouons, si nous vacillons, si quelque chose devait survenir dans notre relation, ou, bon sang, si nous devions jamais choisir d'y mettre fin sous sa forme actuelle, toutes sortes de gens seraient désillusionnés.

Foutaises. Ils vont savoir que tu es fidèle à toi-même ; ils sauront

que tu as fait un choix ultérieur, un nouveau choix. Rappelle-toi ce que Je t'ai dit dans le tome 1. Ne confonds pas la durée de ta relation avec sa qualité. Tu n'es pas un symbole, Nancy non plus, et personne ne devrait vous placer sur ce plan – et vous ne devriez pas non plus vous y placer. Soyez seulement humains. Soyez seulement pleinement humains. Si, à un moment donné, Nancy et toi sentez le désir de réformer votre relation d'une façon différente, vous aurez parfaitement le droit de le faire. *C'est l'essentiel de tout ce dialogue.*

Et c'était l'essentiel des affirmations que nous avons faites !

Exactement. Je suis heureux que tu voies cela.

Oui, j'aime ces *affirmations de mariage* et je suis content que nous les ayons insérées ! C'est une nouvelle et merveilleuse façon de commencer une vie ensemble. Plus question de demander à la femme de promettre « d'aimer, d'honorer et d'obéir ». Exiger cela était pharisaïque, gonflé et prétentieux de la part des hommes.

Tu as raison, bien sûr.

Et ça l'était encore plus de proclamer qu'une telle prééminence masculine était *ordonnée par Dieu.*

Encore une fois, tu as raison. Je n'ai jamais ordonné rien de tel.

Enfin des paroles de mariage vraiment inspirées par Dieu ! Des paroles qui ne font de *personne* un bien, une propriété personnelle. Des paroles qui disent la vérité à propos de l'amour. Des paroles qui n'imposent aucune limite, mais ne promettent que la liberté ! Des paroles auxquelles tous les cœurs peuvent rester fidèles.

Certains lanceront : « Bien sûr, n'importe qui peut respecter des voeux qui n'engagent à rien ! » Que répondras-tu à cela ?

Je dirai : « Il est beaucoup plus difficile de libérer quelqu'un que de le dominer. Quand on contrôle quelqu'un, on obtient ce qu'on veut. Quand on libère quelqu'un, il obtient ce qu'il veut. »

Tu auras parlé avec sagesse.

J'ai une idée merveilleuse ! Je crois que nous devrions publier un petit livret avec ces *affirmations de mariage*, une sorte de petit livret de prières que les gens pourraient utiliser le jour de leur mariage.

Il contiendrait non seulement ces paroles, mais une cérémonie entière et des observations clés sur l'amour et la relation tirées des trois tomes de ce dialogue, ainsi que certaines prières et médations spéciales sur le mariage – d'ailleurs, tu n'es pas contre le mariage !

Je suis si heureux ! Car j'ai cru un moment que tu étais « anti-mariage ».

Comment pourrais-je être contre le mariage ? Nous sommes tous mariés. Nous sommes mariés *les uns aux autres* – maintenant, et à jamais. Nous sommes unis. Nous ne faisons qu'Un. Notre cérémonie de mariage est la plus grande jamais tenue. Mon voeu envers toi est le voeu le plus grandiose jamais prononcé. Je t'aimerai toujours et te libérerai pour tout. Mon amour ne te liera jamais aucunement, et en raison de cela, tu seras « destiné » à m'aimer – car la liberté *d'être qui tu es* est ton plus grand désir et ton plus grand cadeau.

M'acceptes-tu maintenant pour ton partenaire et cocréateur légalement marié, selon les lois le plus élevées de l'univers ?

Oui.
Et me prends-tu maintenant pour ton partenaire et cocréateur ?

Oui, et Je l'ai toujours fait. Maintenant et dans toute l'éternité, nous ne faisons qu'Un. Amen.

Amen.

14

La lecture de ces paroles me remplit d'émerveillement et de vénération. Merci d'être ici, ainsi, avec moi. Merci d'être ici avec nous
tous. Car des millions de gens ont lu ces dialogues, et des millions
d'autres le feront. Et le fait que tu viennes dans nos cœurs est un
cadeau époustouflant.

Mes êtres les plus chers – **J'ai toujours été dans vos coeurs. Je suis
seulement heureux que vous puissiez maintenant m'y sentir.**
**J'ai toujours été avec vous. Je ne vous ai jamais quittés. Je suis
vous, et vous êtes moi, et nous ne serons jamais séparés, jamais, car ce
n'est pas possible.**

Hé ! minute ! On dirait du déjà-vu. N'a-t-on pas déjà prononcé toutes ces paroles ?

**Bien sûr ! Relis le début du chapitre 12. Seulement, maintenant,
elles ont encore plus de sens que la première fois.**

Ne serait-ce pas épatant si le déjà-vu était réel et si nous étions
vraiment, parfois, en train de faire « à nouveau » l'expérience de
quelque chose afin d'en tirer plus de sens ?

Qu'est-ce que tu crois ?

Je crois que c'est *exactement* ce qui se produit parfois !

À moins que non.

À moins que non !

Bien. Bravo, encore une fois. Tu arrives si vite à comprendre des choses considérables ! C'est fou !

Oui, n'est-ce pas... ? Alors, j'ai besoin de te parler de quelque chose de sérieux.

Oui, Je sais. Vas-y.

Quand l'âme se joint-elle au corps ?

Quand, selon toi ?

Quand elle le choisit.

Bien.

Mais les gens désirent une réponse plus nette. Ils veulent savoir quand commence la vie. La vie telle que nous la connaissons.

Je comprends.

Alors, quel est le signal ? Est-ce lorsque le corps émerge du ventre maternel – la naissance physique ? Est-ce au moment de la conception, de la jonction physique des éléments de la vie ?

La vie n'a pas de commencement, puisqu'elle n'a pas de fin. La vie ne fait que s'étendre ; créer de nouvelles formes.

Ce doit être comme cette matière gluante dans ces lampes de lave chauffantes, si populaires dans les années soixante, où de grosses gouttes reposaient rondes et molles au fond, puis s'élevaient à cause de la chaleur, se séparaient et formaient de nouveaux globules, se rejoignaient en haut, cascadaient ensemble pour former des gouttes encore plus grosses, et recommençaient. Il n'y

avait jamais de « nouvelles » gouttes dans le tube. Tout cela constituait la même matière, qui se reformait en ce qui « ressemblait à »
une chose nouvelle et différente. Les variétés étaient sans fin, et il
était fascinant d'observer le processus se répéter sans cesse.

C'est une merveilleuse métaphore. Il en va ainsi avec les âmes.
L'âme unique – qui est vraiment *tout ce qui est* – se reforme en portions
de plus en plus petites d'elle-même. Toutes les « parties » étaient là au
commencement. Il n'y avait pas de parties « nouvelles », mais seulement
des portions du Tout *qui a toujours été*, se reformant en ce qui « ressemble à » des parties nouvelles et différentes.

Dans une brillante chanson pop, écrite et interprétée par Joan
Osborne, il est demandé : « Et si Dieu était l'un de nous ? Juste un
plouc comme l'un de nous ? » Je vais devoir lui demander de
modifier le vers pour le suivant : « Et si Dieu était l'un de nous ?
Juste une goutte comme l'un de nous ? »

Ah ! C'est très bien. Et tu sais, sa chanson était brillante. Partout,
elle a provoqué des gens qui ne pouvaient supporter l'idée que Je ne sois
pas mieux que l'un d'entre eux.

Cette réaction est un commentaire intéressant, pas tellement
sur Dieu, mais aussi sur race humaine. Si nous trouvons blas-
phématoire que Dieu soit comparé à l'un d'entre nous, qu'est-ce
que cela dit de nous ?

Quoi, en effet ?

Mais tu es *vraiment* « l'un de nous ». C'est exactement ce que
tu dis ici. Alors, Joan avait raison.

Certainement. Elle avait profondément raison.

Je veux revenir à ma question. Peux-tu nous indiquer quoi que ce soit sur le moment où commence la vie telle que nous la connaissons ? À quel moment l'âme entre-t-elle dans le corps ?

L'âme n'entre pas dans le corps. Le corps est enveloppé par l'âme. Tu te rappelles ce que J'ai dit auparavant ? Le corps n'est pas la demeure de l'âme. C'est l'inverse.

Tout est toujours en vie. Rien n'est « mort ». Cet état d'être n'existe pas.

Ce qui est toujours vivant se donne tout simplement une nouvelle forme – une autre forme physique. Cette forme est chargée d'énergie vivante, de l'énergie de la vie, toujours.

La vie – si tu nommes la vie l'énergie que Je suis – est toujours là. Elle n'est jamais *absente*. Puisque la vie ne finit jamais, comment peut-il y avoir un moment où elle *commence* ?

Allons, aide-moi. Tu sais où j'essaie d'en venir.

Oui, Je sais. Tu veux que J'entre dans le débat sur l'avortement.

Oui, c'est ça ! Je l'avoue ! Écoute : je suis avec Dieu et j'ai la chance de poser la question monumentale. Quand la vie commence-t-elle ?

Et la réponse est si monumentale que tu ne pourras pas l'entendre.

Essaie toujours.

Elle ne commence *jamais*. La vie ne « commence » jamais, puisqu'elle ne finit *jamais*. Tu veux aboutir aux détails techniques de la biologie pour concevoir une « règle » fondée sur ce que tu veux appeler la « loi de Dieu », sur la façon dont les gens devraient se comporter – pour ensuite les punir s'ils ne se conduisent pas ainsi.

Qu'y a-t-il de mal à cela ? Cela nous permettrait de tuer impunément des médecins sur les aires de stationnement des cliniques.

Oui, Je comprends. Pendant des années, vous m'avez utilisé et vous avez utilisé ce que vous avez présenté comme étant mes lois, pour justifier toutes sortes de comportements.

Oh, allons ! Pourquoi ne dis-tu pas carrément que le fait de mettre fin à une grossesse est un meurtre !

Vous ne pouvez rien tuer ni personne.

Non. Mais on peut mettre fin à son « individualisation » ! Et dans notre langage, c'est tuer.

Vous ne pouvez pas mettre fin au processus par lequel une partie de moi s'exprime individuellement, d'une certaine façon, sans l'accord de la partie de moi qui s'exprime ainsi.

Quoi ? Que dis-tu ?

Je dis que rien n'arrive contre la volonté de Dieu.
La vie, et tout ce qui se produit, est une expression de la volonté de Dieu – c'est-à-dire de *votre* volonté – devenue manifeste.
Dans ce dialogue, J'ai dit que votre volonté est ma volonté. C'est parce que nous ne faisons qu'Un.
La *vie* est la volonté de Dieu *qui s'exprime parfaitement*. Si une chose était *contre* la volonté de Dieu, elle ne pourrait arriver. Selon la définition de *qui* et de *ce qu'est* Dieu, elle ne pourrait survenir. Crois-tu qu'une seule âme puisse *décider d'une chose*, d'une façon quelconque, pour une autre ? Crois-tu qu'en tant qu'individus, vous puissiez vous atteindre mutuellement si c'est contre la volonté de l'autre ? Une telle conviction serait fondée sur l'idée que vous êtes séparés les uns des autres.

T'imagines-tu pouvoir, toucher le moindrement la vie contre la volonté de Dieu ? Une telle croyance devrait être fondée sur une idée que vous êtes séparés de moi.

Ces deux idées sont fausses.

Il est incommensurablement arrogant de votre part de croire que vous puissiez affecter l'univers sans que l'univers soit en accord.

Vous avez ici affaire à des forces puissantes, et certains d'entre vous s'imaginent plus puissants que la force la plus puissante. Mais ce n'est pas le cas. Et vous n'êtes pas, non plus, *moins* puissants que la force la plus puissante.

Tu veux dire que je ne peux tuer personne sans sa permission ? Tu veux dire que sur un certain plan, tous ceux qui ont jamais été tués avaient *accepté* de l'être ?

Si tu vois et évalues les choses en termes terrestres, rien de cela n'aura de sens pour toi.

Je ne peux m'empêcher de penser en « termes terrestres ». Je suis *ici, maintenant,* sur la Terre !

Je te dis ceci: Tu es « dans ce monde, mais tu n'en fais pas partie ».

Alors, ma réalité terrestre n'est pas la réalité ?

Le croyais-tu vraiment ?

Je ne sais pas.

Tu n'as jamais pensé : « Il se passe quelque chose de plus grand » ?

Eh bien, oui, j'ai sûrement pensé ça.

Eh bien, voilà ce qui se passe. Je suis en train de te l'expliquer.

D'accord. Je pige. Alors, j'imagine que je peux tout simplement aller tuer quelqu'un, parce que je n'aurais pas pu le faire sans
son consentement !

En fait, la race humaine agit ainsi. Il est intéressant de voir que vous
avez autant de difficultés à cet égard, mais que vous continuez de faire
comme si c'était vrai, de toute façon.
   Ou pire encore, que vous tuez des gens contre leur volonté, comme
si cela n'avait aucune importance !

Bon, bien sûr que c'est important ! Seulement, ce que nous
voulons a plus d'importance. Tu ne saisis pas ? À l'instant où nous,
humains, tuons quelqu'un, nous ne nous disons pas que c'est sans
importance. Ce serait désinvolte que de croire cela. Par contre,
nous pensons que ce que nous voulons a davantage d'importance.

Je vois. Alors, il est plus facile pour toi d'accepter qu'il soit correct
de tuer les gens contre leur volonté. Cela, tu peux le faire en toute
impunité. Ce que tu trouves mauvais, c'est de le faire parce que c'est
leur volonté.

Je n'ai jamais dit ça. Ce n'est pas comme ça que les humains
pensent.

Non ? Permets-moi de te montrer à quel point certains d'entre vous
sont hypocrites. Vous dites qu'il est correct de tuer quelqu'un contre sa
volonté, pourvu que vous ayez une raison bonne et suffisante de vouloir
sa mort, comme en temps de guerre, par exemple, ou au cours d'une
exécution — ou s'il s'agit d'un médecin dans le parc de stationnement
d'une clinique d'avortement. Mais si l'autre personne croit avoir une
raison bonne et suffisante de mourir, vous ne pouvez pas l'y aider. Ce
serait un « suicide assisté », et ce serait mal !

Tu te moques de moi.

Non, *tu* te moques de moi. Tu dis que j'approuverais le fait que tu élimines quelqu'un contre sa volonté et que je condamnerais le fait que tu assassines quelqu'un en accord avec sa volonté.

C'est malsain.

Cependant, non seulement tu ne vois pas le caractère malsain, mais tu prétends que ceux qui *soulignent ce caractère malsain* sont malades. Vous êtes sains d'esprit, et eux ne sont que des fauteurs de troubles.

Et c'est le genre de logique tordue à partir de laquelle vous construisez des vies entières et des théologies complètes.

Je ne l'ai jamais vu tout à fait de cette manière.

Je te dis ceci : Le temps est venu pour vous de voir les choses d'une nouvelle façon. C'est le moment de votre renaissance, en tant qu'individus et en tant que société. Vous devez recréer votre monde, avant de le détruire par vos folies.

Maintenant, écoute-moi.

Nous ne faisons tous qu'Un.

Nous ne sommes qu'Un.

Tu n'es pas séparé de moi, et vous n'êtes pas séparés les uns des autres.

Tout ce que nous faisons, nous le faisons de concert, les uns avec les autres. Notre réalité est une réalité cocréée. Si tu mets fin à une grossesse, c'est nous qui mettons fin à une grossesse. Votre volonté est ma volonté.

Aucun aspect particulier de la divinité n'a de pouvoir sur aucun autre aspect de la divinité. Il n'est pas possible pour une âme d'en toucher une autre contre sa volonté. Il n'y a ni victimes ni bourreaux.

Tu ne peux comprendre cela de ton point de vue limité, mais crois-moi il en est ainsi.

Il n'y a qu'une raison d'être, de faire ou d'avoir quoi que ce soit –

c'est d'en faire une affirmation directe de *qui tu es*. Si *qui tu es*, en tant qu'individu ou en tant que société, est qui tu choisis d'être et qui tu veux être, tu n'as aucune raison de changer quoi que ce soit. Si, par contre, tu crois qu'une expérience plus grandiose attend d'être vécue – une expression de la divinité encore plus grande que celle qui se manifeste actuellement –, alors passe à cette vérité.

Puisque nous sommes tous en cocréation, il peut nous être utile de faire de notre mieux pour indiquer aux autres la voie que certaines parts de nous désirent prendre. Tu peux montrer la voie, en faisant la démonstration de la vie que tu aimerais créer et en invitant les autres à suivre ton exemple. Tu peux même dire : « Je suis la vie et la voie. Suivez-moi. » Mais sois prudent. Certaines personnes ont été crucifiées pour s'être permis de telles affirmations.

Merci. J'entends l'avertissement. Je resterai discret.

Je vois que tu y arrives très bien.

Eh bien, quand on prétend mener une conversation avec Dieu, il n'est pas facile de rester discret.

Comme d'autres l'ont découvert.

Ce pourrait être une bonne raison de me taire.

C'est un peu tard.

Alors, à qui la faute ?

Je vois ce que tu veux dire.

D'accord. Je te pardonne.

Vraiment ?

Oui.

Comment peux-tu me pardonner ?

Parce que je peux comprendre pourquoi tu l'as fait. Je comprends pourquoi tu es venu à moi et pourquoi tu as entamé ce dialogue. Et quand je comprends pourquoi une chose a été faite, je peux pardonner toutes les complications qu'elle a pu causer ou créer.

Hum ! Alors, c'est intéressant. Si seulement tu pouvais penser que Dieu est un être aussi magnifique que toi.

Touché !

Tu entretiens une relation étrange avec moi. D'un côté, tu crois que tu ne pourras jamais être aussi magnifique que moi, et de l'autre, tu crois que Je ne peux pas être aussi magnifique que toi.
Ne trouves-tu pas cela intéressant ?

C'est fascinant.

C'est parce que tu crois que nous sommes séparés. Ces pensées te quitteraient si tu croyais que nous ne faisons qu'Un.
Voilà la différence principale entre ta culture – une culture encore « bébé », vraiment ; une culture primitive – et les cultures hautement évoluées de l'univers. La différence majeure est la suivante : dans les cultures hautement évoluées, tous les êtres conscients savent clairement qu'il n'y a aucune séparation entre eux et ce que tu appelles « Dieu ».
Ils savent aussi avec certitude qu'aucune séparation n'existe entre eux-mêmes et les autres. Ils savent que chacun fait une expérience individuelle du Tout.

Ah ! c'est bien. Tu vas maintenant traiter des sociétés hautement évoluées de l'univers. C'est ce que j'attendais.

Oui, Je crois qu'il est temps d'explorer cela.

Mais auparavant, il me faut revenir une dernière fois sur la
question de l'avortement. Dis-tu vraiment que, parce qu'il ne peut
rien arriver à l'âme humaine qui soit contre sa volonté, il est
correct de tuer des gens ? Tu n'approuves pas l'avortement, ou tu
ne nous donnes pas une « porte de sortie » là-dessus, hein ?

Je n'approuve ni ne condamne l'avortement, pas plus que Je
n'approuve ni ne condamne la guerre.

Dans tous les pays, les gens croient que j'acquiesce à la guerre qu'ils
mènent et que je condamne la guerre que mène leur adversaire. Dans
tous les pays, les gens s'imaginent avoir « Dieu de leur côté ». Chaque
cause tient le même raisonnement pour acquis. En effet, chaque personne ressent la même chose – ou du moins espère que tel est le cas –
chaque fois que l'on prend une décision ou que l'on effectue un choix.

Et sais-tu pourquoi toutes les créatures croient que Dieu est de leur
côté ? *Parce que Je le suis.* Et toutes les créatures ont une connaissance
intuitive de ce fait.

Ce n'est qu'une façon de dire : « Ta volonté à ton égard est ma
volonté à ton égard. » Et cela, ce n'est qu'une manière de rappeler que
Je vous ai tous accordé le *libre arbitre.*

Il n'y a pas de libre arbitre si le fait de l'exercer d'une certaine
manière engendre la punition. Ce serait là une parodie du libre arbitre,
une contrefaçon.

Dès lors, en ce qui concerne l'avortement ou la guerre, le fait d'acheter telle voiture ou d'épouser telle personne, d'avoir des relations
sexuelles ou non, de « faire votre devoir » ou pas, il n'y a ni bien ni mal,
et je n'ai aucune préférence en la matière.

Vous êtes satisfaits dans un processus de définition de vous-mêmes.

Chaque geste est un geste d'autodéfinition.

Si vous êtes satisfaits de la forme que vous vous êtes donnée, si cela vous est utile, vous continuerez ainsi. Si vous ne l'êtes pas, vous cesserez. Cela s'appelle l'évolution.

Le processus est lent parce que, à mesure que vous évoluez, vous continuez de changer d'idées à propos de ce qui vous est vraiment utile ; vous continuez de modifier vos concepts du « plaisir ».

Rappelle-toi ce que Je t'ai dit plus tôt. Tu peux déceler le degré d'évolution d'une personne ou d'une société selon la définition que cet être ou cette société accorde au « plaisir ». Et J'ajouterai : selon ce qu'il (ou elle) trouve utile.

S'il te semble utile d'aller à la guerre et de tuer les autres, fais-le. S'il t'est utile de mettre fin à une grossesse, fais-le. La seule chose qui change à mesure que tu évolues, c'est l'idée que tu te fais de ce qui te sert. Et elle est fondée sur ce que tu as l'impression d'essayer de faire.

Si tu veux aller à Seattle, rien ne te sert d'aller à San Jose. Il n'est pas « mauvais du point de vue moral » d'aller à San Jose – cela ne l'est pas utile, tout simplement.

La question de ce que tu essaies de faire, alors, devient une question de *première importance*. Non seulement dans ta vie en général, mais à chaque instant de ta vie en particulier. Car c'est à chaque instant de vie qu'une vie se crée.

Tout cela a été exposé de façon très détaillée au début de notre dialogue sacré, que tu as appelé tome 1. Je le répète ici parce que tu sembles avoir besoin d'un rappel, sinon tu ne m'aurais jamais posé ta question sur l'avortement.

Quand tu commenceras à envisager ton avortement, ou quand tu penseras à fumer cette cigarette, ou quand tu te prépareras à faire frire et à manger cet animal, et quand tu seras tout près de couper le chemin à un conducteur dans la circulation – que l'action soit grande ou petite, que le choix soit majeur ou mineur – il n'y a qu'une question à envisager : Est-ce *qui Je suis vraiment* ? Est-ce qui je choisis maintenant d'être ?

Et comprends ceci : *Aucune action n'est dépourvue de conséquence.*

Tout a une conséquence. La conséquence, c'est qui et ce que tu es.

Voilà ta réponse à la question de l'avortement. Voilà ta réponse à la question de la guerre. Voilà ta réponse à la question du tabac, à la question de la viande et à *toute question que tu t'es jamais posée sur ton comportement.*

Chaque geste est un geste de définition de soi. Tout ce que tu penses, dis et fais déclare : « Voici qui Je suis. »

15

En somme, mes très chers enfants, je veux vous dire que cette question de *qui vous êtes*, et de *qui vous choisissez d'être*, a une grande importance. Non seulement parce qu'elle donne un ton à votre expérience, mais parce qu'elle crée la nature de la mienne.

Toute votre vie, on vous a répété que Dieu vous avait créés. Je viens maintenant vous dire ceci : c'est vous qui créez Dieu.

C'est là une restructuration colossale de votre compréhension des choses, Je le sais. Mais elle vous sera nécessaire afin d'accomplir le travail véritable pour lequel vous êtes venus.

Vous et moi, nous nous trouvons face à un travail sacré. Nous avançons sur un sol sacré.

C'est la Voie.

À chaque instant, Dieu s'exprime en vous, en tant que vous et par votre intermédiaire. Vous aurez toujours le choix quant à la façon dont Dieu sera créé à partir de maintenant, et Elle ne vous enlèvera jamais ce choix et ne vous punira jamais d'avoir fait le « mauvais » choix. Mais vous ne manquez pas de conseils en ces matières et n'en manquerez jamais. Un système de guidage intégré en vous vous indique comment revenir chez vous. C'est la voix qui vous parle toujours de votre choix le plus élevé, qui place devant vous votre vision la plus grandiose. Vous n'avez qu'à entendre cette voix et ne pas abandonner la vision.

Tout au long de votre histoire, Je vous ai envoyé mes maîtres. Chaque jour, mes messagers vous ont annoncé de grandes joies.

Les Saintes Écritures ont été rédigées, et des vies saintes ont été vécues, pour vous permettre de connaître cette vérité éternelle : vous et moi ne faisons qu'Un.

De temps à autre, Je vous envoie des écritures – vous avez l'une d'elles entre les mains. De temps à autre, Je vous envoie des messagers qui cherchent à vous apporter la parole de Dieu.

Écouterez-vous ces mots ? Entendrez-vous ces messagers ? Deviendrez-vous l'un d'eux ?

Voilà la grande question. C'est l'invitation grandiose. C'est la décision glorieuse. Le monde attend votre déclaration. Vous allez déclarer votre façon de vivre votre vie.

La race humaine n'aura aucune chance de se relever de ses pensées les plus inférieures tant que vous ne vous soulèverez pas jusqu'à vos idées les plus élevées.

Ces idées, telles qu'elles s'expriment à travers vous, en tant que vous, créent le gabarit, établissent le décor, servent de modèle pour vous permettre d'atteindre le palier suivant de l'expérience humaine.

Vous êtes la vie et la voie. Le monde vous suivra. Vous n'avez aucun choix concernant cette question. C'est la seule question par rapport à laquelle vous n'avez aucune liberté de choix. C'est tout simplement ainsi. Votre monde suivra l'idée que vous vous faites de vous-même. Il en a toujours été ainsi, il en sera toujours ainsi. D'abord vient la pensée que vous avez de vous-même, puis s'ensuit le monde extérieur de la manifestation physique.

Ce que vous pensez, vous le créez. Ce que vous créez, vous le devenez. Ce que vous devenez, vous l'exprimez. Ce que vous exprimez, vous en faites l'expérience. Ce dont vous faites l'expérience, vous l'êtes. Ce que vous êtes, vous le pensez.

Le cercle est complet.

L'unique travail dans lequel vous êtes engagé vient tout juste de commencer, car maintenant, enfin, vous comprenez ce que vous faites.

C'est vous qui vous êtes amené à savoir cela, c'est vous tous qui vous êtes amenés à vous en préoccuper. Et vous vous préoccupez vraiment, maintenant, plus que jamais, de *qui vous êtes vraiment.* Car maintenant, enfin, vous voyez l'ensemble du tableau.

Qui vous êtes, Je le Suis.

Vous êtes en train de définir Dieu.

Je vous ai envoyé – vous, une part bénie de moi – dans la forme physique, afin de me connaître de façon expérientielle tout comme Je sais ce que Je suis de façon conceptuelle. La vie est pour Dieu un outil qui lui sert à transformer le concept en expérience. Elle vous servira à faire de même. Car vous êtes Dieu, en train de faire cela.

Je choisis de me recréer à nouveau à chaque instant. Je choisis de faire l'expérience de la version la plus grandiose de la vision la plus grandiose que J'aie jamais eue de *qui Je suis*. Je vous ai tous créés afin que vous puissiez me recréer. Voilà notre travail sacré. Voilà notre plus grande joie. Voilà notre raison d'être.

16

La lecture de ces paroles me remplit de respect et de vénération. Merci d'être ici avec moi, ainsi. Merci d'être ici avec nous tous.

De rien. Merci à *toi* d'être ici avec moi.

Il ne me reste que quelques questions, entre autres sur ces « êtres évolués », et je me permettrai de terminer ce dialogue.

Mon bien-aimé, tu ne finiras jamais ce dialogue, et tu n'auras jamais à le faire, non plus. Ta conversation avec Dieu se poursuivra à jamais. Et maintenant que tu y es activement engagé, cette conversation mènera bientôt à l'amitié. Toutes les bonnes conversations finissent par laisser place à l'amitié, et sous peu, votre conversation avec Dieu produira une amitié avec Dieu.

Je le sens. Je sens que nous sommes vraiment devenus *amis*.

Et, comme cela advient dans toutes les relations, cette amitié, si elle est nourrie et entretenue et qu'on la laisse grandir, donnera lieu enfin à un sentiment de communion. Tu auras le sentiment et l'expérience que ton Soi est en *communion avec Dieu*.

Ce sera une sainte communion, car alors, Nous parlerons en tant qu'Un.

Alors, ce dialogue va continuer ?

Oui, toujours.

Et je n'aurai pas à te faire mes adieux à la fin de ce livre ?

Tu n'auras jamais à le faire. Tu n'auras qu'à me saluer.

Tu es merveilleux, tu sais ? Tu es tout simplement merveilleux.

Toi aussi, mon fils. Toi aussi.
Tout comme mes enfants, partout.

As-tu *vraiment* des enfants « partout » ?

Bien sûr !

Non, je veux dire littéralement *partout*. Y a-t-il de la vie sur d'autres planètes ? Tes enfants sont-ils aussi ailleurs dans l'univers ?

Encore une fois, bien sûr.

Ces civilisations sont-elles plus avancées ?

Certaines, oui.

De quelle façon ?

De toutes les manières. Du point de vue technologique. Politique. Social. Spirituel. Physique. Et psychologique.
Par exemple, votre penchant marqué pour les comparaisons et votre constant besoin de décrire une chose comme étant « meilleure » ou « pire », « supérieure » ou « inférieure », « bonne » ou « mauvaise », démontrent à quel point vous êtes dans la dualité ; à quel point vous êtes submergés par la séparation.

Dans des civilisations plus avancées, tu n'observes pas ces caractéristiques ? Et qu'entends-tu par dualité ?

Le degré d'avancement d'une société se reflète, inévitablement, dans le degré de sa pensée dualiste. L'évolution sociale est démontrée par des mouvements vers l'unité, et non vers la séparation.

Pourquoi ? Pourquoi l'unité est-elle un étalon de mesure ?

Parce qu'elle est la vérité. La séparation est l'illusion. Aussi long-temps qu'une société se considère comme séparée – une série ou une collection d'unités séparées –, elle vit dans l'illusion.

Toute la vie sur votre planète est construite sur la notion de séparation, elle-même fondée sur la dualité.

Vous croyez être des familles ou des clans séparés, rassemblés dans des quartiers ou des États séparés, réunis dans des nations ou des pays, formant un monde ou une planète séparés.

Vous tenez votre monde pour le seul monde habité de l'univers. Vous prenez votre pays pour le meilleur de la terre. Vous regardez votre État comme le meilleur du pays, et votre famille, comme la plus merveilleuse de l'État.

Finalement, vous vous trouvez mieux que tous les membres de votre famille.

Oh ! vous prétendez ne rien penser de tel, mais *vous faites comme si vous le pensiez.*

Vos pensées véritables se reflètent chaque jour dans vos décisions sociales, vos conclusions politiques, vos déterminations religieuses, vos choix économiques et vos sélections personnelles en tout, des amis aux systèmes de croyances, jusqu'à votre relation même avec Dieu. C'est-à-dire avec moi.

Vous vous sentez tellement séparés de moi que vous croyez que Je ne vous parlerai même pas. Ainsi, on vous demande de nier l'authenticité de votre propre expérience. Votre expérience, c'est que vous et moi ne faisons qu'Un, mais vous refusez de vous y fier. Ainsi, vous êtes séparés non seulement les uns des autres, mais aussi de votre propre vérité.

Comment une personne peut-elle être séparée de sa propre vérité ?

Lorsqu'elle l'ignore. Quand elle la voit et l'ignore. Ou lorsqu'elle la change, la déforme ou la tord pour l'ajuster à une idée préconçue qu'elle a des choses.

Prends la question par laquelle tu as commencé tout à l'heure. Tu voulais savoir s'il y avait de la vie sur d'autres planètes. Et J'ai répondu : « Bien sûr. » J'ai dit : « Bien sûr » parce que la preuve est évidente. Elle est si évidente que Je suis étonné que tu aies même posé la question.

Mais voilà de quelle manière une personne peut être « séparée de sa propre vérité » : en regardant cette vérité en face, au point de ne pas pouvoir la manquer – puis en reniant ce qu'elle voit.

Le reniement, voilà le mécanisme en cause ici. Et nulle part ce reniement est-il plus insidieux que dans le désaveu de soi.

Tu as passé toute une vie à renier *qui* et *ce que tu es vraiment.*

Il serait déjà triste que tu limites tes répudiations à des choses moins personnelles, telles que la disparition de votre couche d'ozone, le viol de vos forêts primitives, l'horrible traitement que vous infligez à vos jeunes. Mais vous ne vous contentez pas de renier tout ce que vous voyez autour de vous. Vous ne serez pas en paix avant d'avoir également renoncé à tout ce que vous voyez en vous.

Vous voyez en vous la bonté et la compassion, mais vous les reniez. Vous voyez en vous la sagesse, mais vous l'abjurez. Vous voyez en vous d'infinies possibilités, mais vous les reniez. Et vous voyez et faites l'expérience de Dieu en vous, et pourtant vous le reniez.

Vous refusez de croire que Je suis en vous – que Je *suis* vous – et en cela, vous me reniez ma place légitime et évidente.

Je ne t'ai pas renié, et je ne te renie pas.

Tu avoues être Dieu ?

Eh bien, je n'irais pas jusqu'à énoncer *cela*...

Exactement. Et Je te dis ceci : « *Avant le chant du coq, tu m'auras renié trois fois.* »
Par tes pensées mêmes, tu m'auras renié.
Par tes paroles mêmes, tu m'auras renié.
Par tes gestes mêmes, tu m'auras renié.
Tu *sais dans ton coeur* que Je suis avec toi, en toi ; que nous ne faisons qu'Un. Et pourtant, tu me renies.
Oh, certains d'entre vous disent que J'existe bel et bien. Mais loin de vous. Très loin, *là*, quelque part. Et plus vous m'imaginez loin, plus vous vous éloignez de votre propre vérité.
Comme pour tant d'autres choses de la vie – de l'épuisement des ressources naturelles de votre planète, à l'abus perpétré envers les enfants dans tant de vos foyers –, vous le voyez, mais vous ne le croyez pas.

Mais pourquoi ? *Pourquoi* le voyons-nous sans y croire ?

Vous êtes tellement pris dans l'illusion, vous y êtes si profondément enfoncés, que vous ne pouvez voir derrière. En effet, il ne *faut* pas, pour que l'illusion persiste. C'est la divine dichotomie.
Vous devez me renier, si vous voulez continuer à chercher à devenir moi. Et c'est ce que vous voulez faire. Mais vous ne pouvez devenir ce que vous êtes déjà. Alors, le reniement est important. C'est un outil efficace.
Jusqu'à ce qu'il ne le soit plus.
Le maître sait que le reniement convient à ceux qui choisissent de perpétuer l'illusion. Et l'acceptation convient à ceux qui choisissent maintenant de mettre fin à l'illusion.
Acceptation, proclamation, démonstration. Voilà les trois étapes qui

mènent à Dieu. Acceptation de *qui* et de *ce que tu es* vraiment. Proclamation aux yeux du monde entier. Et démonstration de toutes les façons possibles.

L'autoproclamation est *toujours* suivie d'une démonstration. Tu démontreras que ton Soi est Dieu – tout comme tu indiques à présent ce que tu penses de ton Soi. Toute ta vie en est une démonstration.

Mais celle-ci deviendra ton plus grand défi. Car dès que tu cesseras de renier ton Soi, d'autres te renieront.

Dès que tu proclameras ton union avec Dieu, d'autres professeront ton pacte avec Satan.

Dès que tu prononceras la vérité la plus élevée, d'autres diront que tu énonces le blasphème le plus bas.

Et, comme cela advient à tous les maîtres qui démontrent calmement leur maîtrise, tu seras à la fois vénéré et injurié, exalté et dénigré, honoré et crucifié. Car, tandis que pour toi le cycle sera terminé, ceux qui vivent encore dans l'illusion ne sauront pas quoi penser de toi.

Mais que m'arrivera-t-il ? Je ne comprends pas. Je suis confus. N'as-tu pas affirmé, à maintes reprises, que l'illusion devait continuer, que le « jeu » devait se poursuivre afin qu'il y ait un « jeu » ?

Oui, Je l'ai dit. Et c'est vrai. Le jeu continue. Ce n'est pas parce qu'un ou deux d'entre vous mettent fin au cycle de l'illusion que le jeu est fini – pas pour toi, et pas pour les autres joueurs.

Le jeu n'est pas terminé avant que le Tout-en-Tout ne redevienne Un. Même alors, il n'est pas fini. Car à l'instant de la divine réunion, Tout avec Tout, la béatitude sera si magnifique, si intense, que le Je-Nous-Tu éclatera littéralement, dans une grande ouverture de contentement, explosant de joie – et le cycle recommencera à nouveau.

Cela ne finira jamais, mon enfant. Le jeu ne finira *jamais*. Car le jeu, c'est la vie même, et la vie, c'est *qui nous sommes*.

Mais que devient l'élément individuel, ou la « partie du Tout », comme tu l'appelles, qui s'élève à la maîtrise, qui atteint la connaissance totale ?

Ce maître sait que seule une partie de son cycle est complète. Il sait que seule son expérience de l'illusion a pris fin.

À présent, le maître rit, car il voit le plan directeur. Le maître voit que même après qu'il a achevé le cycle, le jeu continue ; l'expérience se poursuit. Le maître voit aussi le rôle qu'il peut maintenant jouer dans l'expérience : celui de mener les autres à la maîtrise. Ainsi, il continue de jouer, mais d'une autre façon, et avec de nouveaux outils. Car le fait de voir l'illusion permet au maître d'en sortir. Le maître le fera de temps à autre lorsque cela conviendra à son dessein et à son plaisir. Ainsi, il proclame et démontre sa maîtrise, et les autres l'appellent Dieu ou Déesse.

Lorsque tous ceux de ta race seront amenés à la maîtrise et l'auront atteinte, l'ensemble de ta race (car ta race *est* un ensemble) se déplacera aisément à travers le temps et l'espace (vous aurez maîtrisé les lois de la physique telles que vous les comprenez), et vous chercherez à aider ceux qui appartiendront à d'autres races et à d'autres civilisations à arriver aussi à la maîtrise.

Comme ceux d'autres races et d'autres civilisations le font maintenant avec nous ?

Exactement. Précisément.

Et ce n'est que lorsque toutes les races de l'univers entier auront atteint la maîtrise...

... Je dirais plutôt que ce n'est que lorsque *Tout ce que Je suis* aura connu l'Unité...

... que prendra fin cette partie du cycle.

Tu l'as sagement énoncé. Car le cycle même ne prendra *jamais* fin.

Parce que la fin même de cette partie du cycle est le cycle même !

Bravo ! *Magnifico !*
Tu as compris !
Alors oui, il y a de la vie sur d'autres planètes. Et, oui, pour une grande part, elle est plus avancée que la vôtre.

Comment ? Tu n'as jamais vraiment répondu à cette question.

Oui, Je l'ai fait. J'ai dit : à tous les points de vue. Technologique. Politique. Social. Spirituel. Physique. Psychologique.

Oui, mais donne-moi des exemples. Ces énoncés sont tellement généraux qu'ils n'ont aucun sens pour moi.

Tu sais, J'aime ta sincérité. Il n'est pas donné à tout le monde de pouvoir regarder Dieu en face et de lui annoncer que ce qu'il dit n'a aucun sens.

Alors ? Que peux-tu y faire ?

Exactement. Tu as exactement la bonne attitude. Car, bien entendu, tu as raison. Tu peux me défier, m'affronter, et me remettre en question autant que tu le veux, et Je ne ferai rien contre cela.
Cependant, Je pourrais faire une sacrée chose, tout comme maintenant, avec ce dialogue. N'est-ce pas un événement sacré ?

Oui. Et il a aidé bien des gens. Il a touché et touche encore des millions de gens.

Je sais. Tout cela fait partie du « plan directeur ». Le plan au moyen duquel vous devenez des maîtres*.

Tu savais depuis le début que cette trilogie aurait un succès considérable, n'est-ce pas ?

Bien sûr ! Qui, d'après toi, en a fait un tel succès ? Qui, selon toi, a fait en sorte que les gens qui sont en train de lire ces pages ont trouvé ce bouquin ?

Je te dis ceci : Je connais chaque personne qui viendra à ces livres. Et je connais la raison de chacune.

Et elles aussi.

Alors, la seule question, c'est : Vont-elles me nier encore ?

Est-ce important pour toi ?

Pas du tout. Un jour, tous mes enfants me reviendront. La question n'est pas de savoir si cela se produira, mais *quand*. Alors, cela peut être important pour eux. Par conséquent, que ceux qui ont des oreilles pour entendre, entendent.

Nous parlions de la vie sur d'autres planètes, et tu étais sur le point de me dire, avec exemples à l'appui, pourquoi la vie y est beaucoup plus avancée que la vie sur Terre.

Du point de vue technologique, la plupart des autres civilisations ont beaucoup d'avance sur vous. Certaines vous suivent, pour ainsi dire, mais peu d'entre elles. La plupart sont loin devant vous.

De quelle façon ? *Donne-moi un exemple.*

D'accord ! le climat. Vous ne semblez pas le maîtriser. (Vous ne pouvez même pas le prédire !) En somme, vous êtes sujets à ses caprices.

---

* *Master plan* – plan directeur – plan maître. (N.D.T.)

Et ce n'est pas le cas dans la plupart des mondes, où les êtres peuvent contrôler la température locale.

Vraiment ? Je croyais que la température d'une planète résultait de sa distance par rapport à son soleil, à son atmosphère, etc.

Ces éléments établissent les paramètres. Ces paramètres laissent beaucoup de jeu.

Comment ? De quelle façon ?

On peut contrôler l'environnement. On peut créer, ou ne pas créer, certaines conditions dans l'atmosphère.

Tu vois, ce n'est pas seulement l'endroit où tu te trouves en relation avec un soleil, mais ce que tu places entre toi-même et ce soleil.

Dans ton atmosphère, tu as mis en place les éléments les plus dangereux – et tu en as enlevé certains des plus importants. Mais vous reniez cela. C'est-à-dire qu'en majorité vous ne l'admettrez pas. Même lorsque les meilleurs parmi vos esprits prouveront hors de tout doute possible le tort que vous êtes en train de causer, vous ne le reconnaîtrez pas. Ces meilleurs esprits, vous les traitez d'énervés, et vous affirmez ne pas être dupes.

Ou vous dites que ces gens intelligents n'ont rien d'autre qu'un motif à défendre, qu'un point de vue à valider et des intérêts personnels à protéger. Mais *vous* seuls avez une vengeance à assumer. Vous seuls cherchez à valider un point de vue. Vous seuls êtes en train de protéger vos intérêts particuliers.

Et votre intérêt premier, c'est vous-mêmes. Chaque preuve, peu importe son caractère scientifique, même démontrable, même irrésistible, sera niée si elle déroge à votre intérêt personnel.

C'est une affirmation plutôt sévère, et je ne suis pas sûr qu'elle soit vraie.

Vraiment ? Alors, tu traites Dieu de menteur ?

Eh bien, je ne l'exprimerais pas comme cela, exactement...

Sais-tu combien de temps il a fallu pour que vos pays s'entendent sur le simple fait de cesser d'empoisonner l'atmosphère avec leurs fluoro-carbures ?

Oui... Eh bien...

Eh bien quoi ? Pourquoi supposes-tu qu'il a fallu tellement de temps ? Laisse tomber. Je vais y répondre. Parce que faire cesser cet empoisonnement allait coûter une forte somme d'argent à bien des grandes entreprises. Parce que cela allait coûter leurs commodités à des individus.

Il a fallu autant de temps parce que pendant des années les gens et les pays ont choisi de nier — ont eu besoin de nier — l'évidence afin de protéger leur intérêt dans l'ordre établi ; afin de conserver les choses telles qu'elles étaient.

Ce n'est que lorsque le taux de cancer de la peau a augmenté de façon alarmante, lorsque les températures ont commencé à s'élever et que les glaciers et les neiges ont commencé à fondre, que les océans se sont réchauffés et que les lacs et les rivières se sont mis à déborder, qu'un plus grand nombre d'entre vous a commencé à faire attention.

Ce n'est que lorsque *votre intérêt personnel* l'exigeait que vous avez vu la vérité que vos meilleurs savants vous avaient pourtant montrée depuis des années.

Qu'y a-t-il de mal dans l'intérêt personnel ? N'avais-tu pas affirmé, dans le tome 1, que l'intérêt personnel était le point de départ ?

C'est ce que J'ai dit, et c'est vrai. Mais dans d'autres cultures et d'autres sociétés sur des planètes différentes, la définition d'« intérêt personnel » est beaucoup plus étendue que dans votre monde. Il est très clair, aux yeux de créatures éclairées, que ce qui nuit à l'un nuira à plusieurs, et que ce qui avantage un petit nombre doit avantager le plus grand nombre, sinon, en définitive, cela n'avantage personne.

Sur votre planète, on observe tout le contraire. Ce qui nuit à l'un est ignoré par le plus grand nombre, et ce qui avantage le plus petit nombre est renié par le plus grand nombre.

La raison ? Votre définition de l'intérêt personnel est très étroite et dépasse à peine l'intérêt de l'individu à l'égard des êtres qui lui sont chers – et encore, seulement lorsqu'ils font ce qu'il leur demande.

Oui, J'ai bien expliqué dans le tome 1 que dans toutes les relations, mieux vaut choisir ce qui se trouve dans le meilleur des intérêts du Soi. Mais J'ai également dit que lorsque vous verrez ce qui est dans votre meilleur intérêt, vous verrez que c'est ce qui constitue également le meilleur intérêt des autres – car vous et les autres ne faites qu'Un.

Vous et tous les autres ne faites qu'Un – et c'est un niveau de connaissance que vous n'avez pas encore atteint.

Tu me demandes de te parler de technologies avancées, et Je te réponds ceci : Vous ne pouvez tirer aucun avantage de technologies avancées sans pensée avancée.

Sans pensée évoluée, la technologie évoluée n'engendre pas l'avancement, mais la mort.

Vous en avez déjà fait l'expérience sur votre planète, et vous êtes tout juste sur le point de l'expérimenter à nouveau.

Qu'entends-tu par là ? De quoi parles-tu ?

Je dis qu'il vous est déjà arrivé sur votre planète d'atteindre les hauteurs – de dépasser les hauteurs, en fait – vers lesquelles vous grimpez lentement, à l'heure actuelle. Vous aviez sur Terre une civilisation plus avancée que celle qui existe à présent. Et elle s'est détruite.

Non seulement l'a-t-elle fait, mais elle a presque détruit tout le reste aussi.

Elle l'a fait parce qu'elle ne savait pas comment gérer les technologies mêmes qu'elle avait développées. Son évolution technologique était si en avance sur son évolution spirituelle qu'elle a fini par faire de la technologie, son Dieu. Les gens vénéraient la technologie et tout ce qu'elle pouvait créer et apporter. Ainsi, ils se retrouvèrent avec tout ce que leur apporta leur technologie déchaînée – c'est-à-dire un désastre du même genre.

Ils ont littéralement mis fin à leur monde.

Tout cela est arrivé ici, sur cette Terre ?

Oui.

Parles-tu de la cité perdue de l'Atlantide ?

Certains d'entre vous l'ont appelée ainsi.

Et de la Lémurie ? Le pays de Mû ?

Cela fait également partie de votre mythologie.

Alors, c'est *vrai* ! Nous avons déjà atteint ce stade-ci !

Oh ! vous l'avez dépassé, mon ami. De loin.

Et nous nous sommes *vraiment* détruits !

Pourquoi es-tu surpris ? Vous faites la même chose, à présent.

Je sais. Nous diras-tu comment nous pouvons cesser ?

Il y a bien d'autres livres consacrés à ce sujet. La plupart des gens les ignorent.

Donne-nous un seul titre ; je te promets que nous ne l'ignorerons pas.

Lis *The Last Hours of Ancient Sunlight*.

Écrit par un dénommé Thom Hartmann. Oui ! J'adore ce livre !

Bien. Ce messager est inspiré. Porte cet ouvrage à l'attention du monde entier.

Je le ferai. Sans faute.

Il traite de tout ce que je dirais ici, en réponse à ta dernière question. Il n'est pas nécessaire que Je réécrive ce livre par ton intermédiaire.

En résumé, il explique quelques-unes des nombreuses façons dont la Terre que vous habitez est en train d'être détruite et la manière dont vous pouvez faire cesser sa ruine.

Jusqu'ici, ce que la race humaine a accompli sur cette planète n'est pas très brillant. En fait, tout au long de ce dialogue, tu as décrit notre espèce comme étant « primitive ». Depuis que tu as fait cette remarque pour la première fois, Je me suis demandé à quoi pouvait bien ressembler la vie dans une culture non primitive. Selon toi, plusieurs de ces sociétés ou de ces cultures existent dans l'univers.

Oui.

Combien ?

Un grand nombre.

Des dizaines ? Des centaines ?

Des milliers.

Des milliers ? Il y a des *milliers* de civilisations avancées ?

Oui. Et il y a d'autres cultures plus primitives que la vôtre.

Quels autres signes indiquent qu'une société est « primitive »,
ou « avancée » ?

Le degré auquel elle applique ce qu'elle comprend.
C'est différent de ce que vous croyez. Vous croyez qu'une société
devrait être qualifiée de primitive ou d'avancée à partir de son degré
d'intelligence. Mais à quoi servent les concepts les plus élevés si vous ne
les appliquez pas ?
La réponse, c'est qu'ils ne servent à rien du tout. En effet, ils sont
dangereux.
C'est la marque d'une société primitive que d'appeler la régression
un progrès. Votre société a régressé, elle n'a pas progressé. Une grande
part de votre monde démontrait plus de compassion il y a soixante-dix
ans qu'aujourd'hui.

Certaines personnes réagiront très mal en entendant cela. Tu
dis ne pas être un Dieu qui juge, mais certaines personnes se sentiront peut-être jugées et méprisées globalement, ici.

Nous avons déjà parlé de cela. Si tu dis vouloir aller à Seattle et
qu'en fait, tu te diriges vers San Jose, l'individu à qui tu demandes des
indications te juge-t-il s'il affirme que tu t'en vas dans une direction qui
ne te mènera aucunement là où tu dis vouloir aller ?

Le fait de nous traiter de « primitifs » n'est pas seulement nous
donner des indications. Le mot *primitif* est péjoratif.

Vraiment ? Mais vous dites admirer tellement l'art « primitif » ! Et une certaine musique est souvent appréciée en raison de ses qualités « primitives » – sans parler de certaines femmes.

Tu utilises le jeu de mots, maintenant, pour te défiler !

Pas du tout. Je te montre tout simplement que « primitif » n'est pas nécessairement péjoratif. Seul ton jugement le rend ainsi. Le mot « primitif » n'est que descriptif. Il énonce tout simplement ce qui est vrai : qu'une chose est aux tout premiers stades de son développement. Il n'indique rien de plus. Il ne la qualifie ni de « bonne » ni de « mauvaise ». C'est *toi* qui lui ajoutes ces significations.

Je ne vous ai pas « donné tort », ici. J'ai tout simplement décrit votre culture comme étant primitive. Cela ne vous paraîtra mauvais que si vous portez un jugement sur le fait d'être primitifs.

Je ne fais aucun jugement semblable.

Comprends ceci : une évaluation n'est pas un jugement. Ce n'est qu'une observation de *ce qui est*.

Je veux que tu saches que Je vous aime. Je ne vous juge d'aucune manière. Je vous regarde et Je ne vois que beautés et merveilles.

Comme dans cet art primitif.

Précisément. J'entends votre mélodie et je ne ressens que de l'excitation.

Comme pour la musique primitive.

Maintenant, tu me comprends. Je sens l'énergie de votre race comme vous sentiriez l'énergie d'un homme ou d'une femme d'une « sensualité primitive ». Et, comme vous, je suis excité.

Cela est vrai à propos de vous et de moi. Vous ne me dégoûtez pas, vous ne me dérangez pas, vous ne me décevez même pas.

Vous m'excitez !

Je suis excité à l'idée de nouvelles possibilités, de nouvelles expériences encore à venir. En vous, je m'éveille à d'autres aventures et à l'excitation d'un mouvement vers des niveaux de magnificence jusque-là inédits.

Loin de me décevoir, vous m'électrisez ! Je suis électrisé par la merveille que vous êtes. Vous croyez être au pinacle du développement humain. J'affirme que *vous n'en êtes qu'au début*. Vous avez à peine commencé à faire l'expérience de votre splendeur !

Vos idées les plus grandioses sont encore inexprimées, et vous n'avez pas encore vécu votre vision la plus grandiose.

Mais attendez ! Regardez ! Remarquez ! Les jours de votre floraison approchent. La tige est forte, et les pétales s'ouvriront bientôt. Et Je te dis ceci : La beauté et le parfum de votre floraison rempliront la Terre, et vous prendrez place dans le jardin des dieux.

17

Voilà ! C'est ça que je veux entendre ! C'est ça que je suis venu vivre ! De l'*inspiration*, pas de l'humiliation.

Tu ne subis d'humiliation que si tu crois en subir. Dieu ne te juge jamais, ne te donne aucun « tort ».

Bien des gens ne saisissent pas cette idée d'un Dieu qui dit : « Le bien et le mal n'existent pas » et qui proclame qu'il ne nous jugera jamais.

Eh bien, faites-vous une idée ! Vous dites d'abord que Je vous juge, puis vous vous fâchez parce que Je ne vous juge pas.

Je sais, je sais. Tout cela est très déroutant. Nous sommes tous très... complexes. Nous ne voulons pas de tes jugements, mais, paradoxalement, nous les voulons. Nous ne recherchons pas tes punitions, mais nous nous sentons perdus s'il n'y en a pas. Et lorsque tu dis, comme dans les deux autres tomes : « Je ne vous punirai jamais », nous ne pouvons pas le croire – et certains d'entre nous sont presque devenus furieux à ce propos. Car si tu ne veux ni nous juger ni nous punir, qu'est-ce qui nous incitera à rester dans le droit chemin ? Et s'il n'y a pas de « justice » au ciel, qui réparera toute l'injustice sur Terre ?

Pourquoi comptes-tu sur le ciel pour corriger ce que tu appelles « l'injustice » ? La pluie ne tombe-t-elle pas des cieux ?

Oui.

Et J'ajoute ceci : La pluie tombe sur les justes comme sur les injustes.

Mais que penser de : « À moi la vengeance, dit le Seigneur » ?

Je n'ai jamais prononcé cette phrase. L'un d'entre vous l'a inventée, et vous autres l'avez cru.

La « justice » n'est pas une action dont vous faites l'expérience après avoir agi d'une certaine manière, mais parce que vous agissez d'une certaine manière. La justice est un acte, et non une punition à cause d'un acte.

Le problème, dans notre société, consiste pour nous à rechercher la « justice » après qu'une « injustice » a été produite, au lieu de « faire justice » au départ.

En plein dans le mille ! Tu as enfoncé le clou !

La justice est une action, et non une *réaction*.

Par conséquent, ne vous attendez pas à ce que, d'une façon ou d'une autre, J' « arrange tout à la fin » en imposant une forme de justice céleste dans l'« au-delà ». Je te dis ceci : Il n'y a pas d'« au-delà », il n'y a que la vie. La mort n'existe pas. C'est en créant et en faisant l'expérience de votre vie, en tant qu'individus et en tant que société, que vous faites la démonstration de ce que vous croyez juste.

Et en cela, tu ne vois pas la race humaine comme étant très évoluée, n'est-ce pas ? Je veux dire : si toute l'évolution était placée sur un terrain de football, où serions-nous ?

À la ligne de douze.

Tu plaisantes.

Non.

Nous sommes à la ligne de douze de l'évolution ?

Et, au cours du dernier siècle seulement, vous êtes passés de la ligne de six mètres à la ligne de douze.

Avons-nous une chance de jamais marquer un toucher ?

Bien sûr ! Si vous cessez de laisser filer le ballon.

Nous l'avons déjà fait ?

Comme Je l'ai mentionné, ce n'est pas la première fois que votre civilisation se trouve aussi près du précipice. Je veux répéter cela, car *il est essentiel que vous l'entendiez.*

À une certaine époque, sur votre planète, la technologie que vous aviez développée était beaucoup plus grande que votre capacité de l'utiliser d'une façon responsable. Vous vous approchez à nouveau du même point dans l'histoire humaine.

Il est essentiel que vous compreniez ceci.

Votre technologie actuelle menace de saper votre capacité de l'utiliser intelligemment. Votre société est à la veille de devenir un produit de votre technologie, au lieu de l'univers.

Lorsqu'une société devient un produit de sa propre technologie, elle se détruit.

Pourquoi donc ? Peux-tu expliquer cela ?

Oui. La question cruciale, c'est l'équilibre entre la technologie et la cosmologie – la cosmologie de toute vie.

Qu'entends-tu par « la cosmologie de toute vie » ?

En langage simple, c'est la façon dont les choses fonctionnent. Le système. Le processus.

Il y a une « méthode derrière ma folie », tu sais.

J'espérais que ce soit le cas.

Et l'ironie est la suivante : une fois que vous saisissez cette méthode, une fois que vous commencez à comprendre de plus en plus comment l'univers fonctionne, vous courez un plus grand risque de provoquer une panne. Sous cet angle, l'ignorance peut être un bonheur suprême.

L'univers en soi constitue une technologie. C'est la plus grande technologie. Elle fonctionne parfaitement. Toute seule. Mais lorsque vous y arrivez et que vous commencez à chambarder les principes et les lois universels, vous courez le risque d'enfreindre ces lois. Et c'est une pénalité de quarante mètres.

Un coup dur pour l'équipe locale.

Oui.

Alors, nous ne sommes pas vraiment à la hauteur ?

Ce ne sera pas long. Il n'y a que vous qui puissiez déterminer si vous êtes ou non à la hauteur. Vous le ferez par vos gestes. Par exemple, vous en savez suffisamment sur l'énergie atomique, à présent, pour vous envoyer au ciel.

Oui, mais nous n'allons pas faire cela. Nous sommes trop brillants. Nous allons nous arrêter.

Vraiment ? Si vous continuez de faire proliférer vos armes de destruction massive comme vous l'avez fait, elles tomberont bientôt entre les mains de quelqu'un qui détiendra le monde en otage – ou le détruira en essayant de le faire.

Vous donnez des allumettes aux enfants, puis vous espérez qu'ils ne feront pas brûler la maison, et vous devez encore apprendre, vous-mêmes, comment utiliser ces allumettes.

La solution à tout cela est évidente. *Enlevez les allumettes des mains des enfants. Puis, jetez vos propres allumettes.*

Mais c'est trop demander à une société primitive que de se désarmer elle-même. Ainsi, le désarmement nucléaire – notre seule solution durable – semble hors de question.

Nous ne pouvons même pas nous entendre sur une halte aux essais nucléaires. Nous sommes une race d'êtres singulièrement incapables de se contenir.

Et si vous ne vous tuez pas à cause de votre folie nucléaire, vous détruirez votre monde par un suicide écologique. Vous êtes en train de démanteler l'écosystème de votre planète et vous continuez d'affirmer le contraire.

Comme si ce n'était pas suffisant, vous êtes en train de jouer avec la biochimie de la vie même. Par le clonage et la manipulation génétique, en ne le faisant pas avec suffisamment de soin pour que cela représente un bienfait pour votre espèce, mais en menaçant plutôt d'instaurer le plus grand désastre de tous les temps. Si vous n'êtes pas prudents, vous ferez en sorte que les menaces nucléaires et écologiques ressembleront à un jeu d'enfant.

En développant des médicaments qui effectuent le travail que votre corps était censé faire, vous avez créé des virus si résistants à l'attaque qu'ils sont sur le point d'éliminer toute votre espèce.

Tu me fais un peu peur, maintenant. Tout est-il perdu ? La partie est-elle terminée ?

Non, mais on en est au quatrième essai avec dix mètres à encore franchir. Il est temps de réciter un *Ave*, et le quart-arrière cherche des receveurs qui soient libres.

Es-tu libre ? Es-tu capable de recevoir ceci ?

Je suis le quart-arrière, et aux dernières nouvelles, toi et moi portons un chandail de la même couleur. Appartenons-nous encore à la même équipe ?

Je croyais qu'il n'y avait qu'une seule équipe ! Qui est dans l'autre équipe ?

Chaque pensée qui ignore notre unité, chaque idée qui nous sépare, chaque action qui proclame que nous ne sommes pas unis. L'« autre équipe » n'est pas réelle, mais elle fait partie de ta réalité, car tu l'y as placée.

Si vous n'êtes pas prudents, votre propre technologie – ce qui a été créé pour vous servir – vous tuera.

J'entends déjà certains répliquer : « Mais qu'est-ce qu'une personne peut faire, à elle seule ? »

Elle peut tout d'abord laisser tomber cette histoire de « qu'est-ce qu'une personne peut faire à elle seule ? ».

Je te l'ai déjà dit : il y a des centaines de livres à ce sujet. *Cessez de les ignorer*. Lisez-les. Mettez-les en pratique. Éveillez les autres à leur existence. Lancez une révolution. Faites-en une révolution de l'évolution.

N'est-ce pas ce qui se passe depuis longtemps ?

Oui et non. Le processus d'évolution se poursuit depuis toujours, bien sûr. Mais maintenant, il prend une nouvelle tournure. Vous êtes à un nouveau tournant. Vous êtes devenus conscients du fait que vous évoluez. Et non seulement du fait que vous évoluez, mais de votre façon d'évoluer. À présent, vous connaissez le processus d'évolution – et de création de votre réalité.

Auparavant, vous vous contentiez d'observer la façon dont votre espèce évoluait. Aujourd'hui, vous y participez consciemment.

Un nombre sans précédent d'individus sont conscients du pouvoir de l'esprit, de leur interconnexion avec tous les aspects de la réalité et de leur identité véritable en tant qu'êtres spirituels.

Un nombre sans précédent de gens vivent dans cet espace, appliquant des principes qui invoquent et produisent des résultats précis, les conséquences désirées et les expériences voulues.

C'est *vraiment* une révolution de l'évolution, car à présent vous êtes en train – en nombre de plus en plus grand – de créer *consciemment* la qualité de votre expérience, l'expression directe de *qui vous êtes vraiment* et la manifestation rapide de *qui vous choisissez d'être*.

C'est ce qui rend cette période particulièrement critique. C'est pourquoi ce moment est crucial. Pour la première fois de votre histoire actuelle (mais non pour la première fois dans l'expérience humaine), vous avez à la fois la technologie et une compréhension de son utilisation suffisantes pour détruire votre monde intégralement. Vous pouvez vraiment vous pousser jusqu'à l'extinction.

Ce sont les arguments précis que développe Barbara Marx Hubbard dans un livre intitulé *Conscious Evolution*.

Oui, c'est cela.

Ce document d'une envergure époustouflante offre des visions merveilleuses sur la façon d'éviter les sinistres résultats des civilisations précédentes et d'instaurer véritablement le paradis sur Terre. Et tu en es sans doute l'inspirateur !

Je crois que Barbara dirait que Je lui ai donné un coup de main...

Tu as déjà reconnu avoir inspiré des centaines d'écrivains – un grand nombre de messagers. Devrions-nous connaître d'autres livres ?

Beaucoup trop pour les énumérer ici. Pourquoi ne pas mener ta propre recherche ? Ensuite, tu pourrais dresser une liste de ceux qui t'ont particulièrement attiré et la partager avec d'autres.

Depuis le début des temps, Je m'exprime par le biais d'auteurs, de poètes et de dramaturges. Depuis des siècles, Je glisse ma vérité dans des paroles de chansons, sur des visages dans des tableaux, dans des formes sculptées et dans chaque battement du coeur humain. Et Je le ferai pendant les siècles à venir.

Chaque personne arrive à la sagesse de la façon qui lui est la plus compréhensible, sur la voie qui lui est la plus familière. Chaque messager de Dieu tire la vérité des moments les plus simples et la partage avec une simplicité égale.

Tu es ce genre de messager. À présent, va dire aux gens de vivre ensemble leur vérité la plus élevée. De partager leur sagesse entre eux. D'éprouver ensemble leur amour. Car ils peuvent exister dans la paix et l'harmonie.

Ainsi, votre société sera aussi élevée que celles dont nous avons discuté déjà.

Alors, la différence principale entre notre société et les civilisations hautement évoluées, ailleurs dans l'univers, se résume à cette idée que nous avons de la séparation.

Oui. Le premier principe directeur d'une civilisation avancée est l'Unité. La reconnaissance de l'Unité et du caractère sacré de toute vie. Ainsi, ce que nous retrouvons dans toutes les sociétés avancées, c'est qu'en aucune circonstance un être n'enlèverait la vie à un autre de sa propre espèce contre sa volonté.

En aucune circonstance ?

Aucune.

Même s'il se faisait attaquer ?

Une telle situation ne se produirait pas au sein de cette société ou de cette espèce.

Peut-être pas au sein de l'espèce, mais de l'extérieur ?

Si un membre d'une espèce hautement évoluée se faisait attaquer par un autre, cela prouverait hors de tout doute que l'agresseur serait le moins évolué des deux. En effet, l'agresseur serait, essentiellement, un être primitif. Car aucun être évolué n'attaquerait personne.

Je vois.

La seule raison pour laquelle un membre d'une espèce en tuerait un autre qui l'attaquerait, ce serait que l'agressé oublierait *qui il est vraiment*.

Si le premier être croyait qu'il s'agit de son corps physique – sa forme physique –, il pourrait alors tuer son agresseur, car il craindrait la « fin de sa propre vie ».

Si, d'un autre côté, le premier être comprenait très bien qu'il n'est pas son corps, il ne mettrait jamais fin à l'existence physique d'un autre – car il n'aurait jamais de raison de le faire. Il déposerait tout simplement son propre corps physique et passerait à l'expérience de son être non physique.

Comme Obi-Wan Kenobi !

Eh bien, exactement. Les créateurs de ce que vous appelez votre « science-fiction » vous mènent souvent à une vérité supérieure.

Je dois m'arrêter ici. Cela semble directement en désaccord avec ce qui a été écrit dans le tome 1.

De quoi s'agissait-il ?

D'après le tome 1, lorsque quelqu'un vous inflige de mauvais traitements, il n'est pas bon de laisser ces abus se poursuivre, et, lorsqu'on agit avec amour, il faut s'inclure soi-même parmi ceux qu'on aime. Et ce livre semblait signifier : faites tout ce qu'il faut pour mettre fin à l'attaque. Il insinuait même que la *guerre* était une bonne réponse à une attaque. Voici une citation précise à cet effet : « ... on ne peut laisser prospérer les despotes ; il faut stopper leur despotisme. »

Il y est dit aussi que « choisir d'être semblable à Dieu ne veut pas dire choisir le martyre. Et certainement pas choisir d'être victime. »

Maintenant, tu avances que les êtres hautement *évolués* ne mettraient jamais fin à la vie physique d'un autre. Comment ces affirmations peuvent-elles être compatibles ?

Relis le contenu du tome 1. Attentivement.

Mes réponses y étaient toutes données et doivent toutes être comprises dans le contexte que tu as créé : le contexte de ta question.

Relis ton affirmation à la page 130 du tome 1. Dans cette affirmation, tu concèdes te trouver à présent au niveau de la maîtrise. Tu reconnais que les paroles et les gestes des autres te blessent parfois. Tu demandes donc comment il vaut mieux réagir à ces expériences où tu rencontres torts et blessures.

Il faut situer toutes mes réponses dans ce contexte.

Tout d'abord, J'ai prédit que le jour viendra où les paroles et les gestes des autres ne te blesseront plus. Comme Obi-Wan Kenobi, tu n'éprouveras aucune blessure, même lorsque quelqu'un te « tuera ».

Voilà le niveau de maîtrise atteint par les membres des sociétés que Je décris à présent. Les êtres de ces sociétés savent très clairement *qui ils sont* et *qui ils ne sont pas*. Il est très difficile de les amener à faire l'expérience d'être « blessés », de « subir un tort », surtout pas en mettant leur corps physique en danger. Ils se contenteraient tout simplement de sortir de leur corps et de te le laisser, si tu sentais le besoin de le blesser à ce point.

Le second point évoqué dans ma réponse à ta question du tome 1, c'est que tu réagis comme tu le fais aux paroles et aux gestes des autres parce que tu as oublié *qui tu es*. Mais, Je le dis ici : cette attitude est correcte. Elle fait partie de ton processus de croissance. Elle fait partie de l'évolution.

Alors, J'ai fait une affirmation très importante. Durant tout ton processus de croissance, « tu devras travailler au niveau où tu te trouves déjà : celui de la compréhension, de la volonté, du souvenir ».

Tout ce que J'ai affirmé à ce moment doit être pris dans ce contexte.

J'ai même dit, à la page 131 : « Je supposerai, pour les fins de cet exposé, que tu es encore en train... de chercher à réaliser (à rendre « réel ») *qui tu es vraiment.* »

Dans ce contexte d'une société d'êtres qui ne se rappellent pas *qui ils sont vraiment*, les réponses que Je t'ai données dans le tome 1 restent valides. Dans ce livre-ci, tu ne m'as pas posé ces questions. Tu m'as demandé de décrire les sociétés hautement évoluées de l'univers.

Non seulement en ce qui a trait au sujet qui nous préoccupe, mais aussi en ce qui concerne tous les autres sujets que nous couvrirons ici, il sera avantageux que tu ne considères pas ces descriptions d'autres cultures comme des critiques de la tienne.

Je ne formule aucun jugement ici. Je ne vous condamne pas si vous faites les choses autrement – si vous réagissez d'une autre manière – que des êtres plus évolués.

Ainsi, J'ai dit que les êtres hautement évolués de l'univers ne « tueraient » jamais un autre être conscient uniquement parce qu'ils sont en colère. D'abord, ils ne ressentiraient pas de colère. Ensuite, ils ne mettraient fin à l'expérience physique d'aucun autre être sans sa permission. Puis, pour répondre d'une façon explicite à ta question précise –, ils ne se sentiraient jamais « attaqués », même de l'extérieur de leur propre société ou espèce, car pour se sentir « attaqué », il faut avoir l'impression que quelqu'un vous prend *quelque chose* – votre vie, vos bien-aimés, votre liberté, votre propriété ou vos biens. Et un être hautement évolué ne ressentirait jamais cela, puisqu'il te donnerait tout simplement tout ce dont tu croirais avoir besoin au point d'être prêt à le prendre de force – même si cela coûtait à l'être évolué sa vie physique –, car cet être évolué sait qu'il peut *tout recréer à nouveau*. Il le donnerait tout naturellement à un être inférieur qui ne le saurait pas.

Par conséquent, les êtres évolués ne sont pas des martyrs ni des victimes du « despotisme » de qui que ce soit.

Mais cela va plus loin. Non seulement l'être évolué sait-il clairement qu'il peut tout recréer à nouveau, mais il sait tout aussi clairement qu'il *n'a pas à le faire*. Il sait avec exactitude qu'il n'a besoin de rien de cela pour être heureux, ou pour survivre. Il comprend qu'il n'a besoin de rien d'extérieur à lui-même et que ce « lui-même » qu'il est n'a rien à voir avec quoi que ce soit de physique.

Les êtres et les races moins évolués ne savent pas toujours cela avec clarté.

En somme, l'être hautement évolué comprend que ses agresseurs et lui ne font qu'Un. Il voit les agresseurs comme une partie blessée de son Soi. Sa fonction, dans ces circonstances, consiste à guérir toutes les blessures afin que le Tout en Un puisse à nouveau se connaître tel *qu'il est vraiment*.

Donner tout ce qu'il a, ce ne serait pas plus grave que de te donner une aspirine.

Ouf ! Quel concept ! Mais j'ai besoin de revenir sur quelque chose que tu as dit plus tôt, à savoir que les êtres hautement évolués...

À partir de maintenant, abrégeons cette appellation en utilisant le sigle « EHE ». Cela évitera les longues redites à répétition.

Bien. Alors, tu disais que les EHE ne mettraient jamais fin à l'expérience corporelle d'un autre être sans sa permission.

C'est juste.

Mais pourquoi un être donnerait-il à un autre la permission de mettre fin à sa vie physique ?

Il pourrait y avoir un certain nombre de raisons. Celui-ci pourrait s'offrir en guise de nourriture, par exemple. Ou pourrait servir à quelque autre nécessité – comme de mettre fin à une guerre.

C'est sans doute pour cela que, même dans notre culture, certains individus ne tueraient aucun animal pour se nourrir ou se vêtir sans en demander la permission à l'esprit de cet être.

Oui. Voilà d'ailleurs comment se comportent vos Amérindiens, qui ne cueilleraient même pas une fleur, un brin d'herbe ou une plante sans susciter cette communication. Toutes vos cultures indigènes font de même. Il est intéressant de constater que ce sont des tribus et des cultures que *vous* qualifiez pourtant de « primitives ».

Oh ! veux-tu me laisser entendre que je ne peux même pas cueillir un radis sans lui demander si c'est correct ?

Tu peux faire tout ce que tu choisis de faire. Tu m'as demandé ce que feraient les EHE.

Les Amérindiens sont donc des êtres hautement évolués ?

Comme dans toutes les races et espèces, certains le sont, et d'autres pas. C'est une question d'individus. En tant que culture, cependant, ils ont atteint un niveau très élevé. Les mythes culturels qui nourrissent une grande part de leur expérience sont très élevés. Mais vous les avez obligés à mélanger leurs mythes culturels avec les vôtres.

Minute ! Que dis-tu là ? L'homme rouge était un sauvage ! C'est pour ça qu'on a dû les tuer par milliers et entasser les autres dans des territoires-prisons qu'on appelle des réserves ! Encore aujourd'hui, nous nous emparons de leurs sites sacrés pour les transformer en terrains de golf. Nous devons le faire. Autrement, ils pourraient *honorer* leurs sites sacrés, se *rappeler* les récits de leur culture et *accomplir* leurs rituels sacrés, et nous ne pouvons permettre ça.

Je vois.

Non, vraiment ! Si nous n'avions pas écrasé et tenté d'effacer leur culture, ils auraient pu influencer la nôtre ! Alors, à quoi aurions-nous abouti ?

Nous respecterions la terre et l'air, et refuserions d'empoisonner nos rivières. Où en serait alors notre industrie !

La population entière se promènerait sans doute encore toute nue, *sans honte* ; se baignerait dans les rivières ; vivrait de la terre au lieu de s'entasser dans des gratte-ciel, des copropriétés et des bungalows, et d'aller travailler dans une jungle d'asphalte.

Au lieu de regarder la télé, nous serions probablement en train d'écouter les enseignements de la sagesse ancienne autour d'un feu de camp ! Nous n'aurions fait *absolument aucun progrès*.

Heureusement que vous savez ce qui vous convient !

18

Parle-moi davantage des civilisations et des êtres hautement évolués. À part le fait qu'ils ne s'entretuent jamais, qu'est-ce qui les différencie de nous ?

Ils partagent.

Hé ! nous partageons, *nous aussi* !

Non, ils partagent *tout*. Avec *tout le monde*. Personne ne se prive de quoi que ce soit. Toutes les ressources naturelles de leur monde, de leur environnement, sont divisées à égalité et distribuées à chacun.

On ne juge pas qu'une nation, un groupe ou une culture « possède » une ressource naturelle uniquement parce qu'elle se trouve à occuper le même emplacement physique.

Il est entendu que la ou les planètes qu'un groupe de l'espèce appelle son « chez-soi » appartiennent à tout le monde – à toute l'espèce de ce système. En effet, la planète, ou le groupe de planètes même, est considérée comme un « système ». Elle est perçue comme un système complet et non comme un ensemble de petites parties ou d'éléments qu'on peut éliminer, décimer ou éradiquer sans nuire au système lui-même.

L'*écosystème*, comme nous l'appelons.

Eh bien, c'est plus que cela. Ce n'est pas seulement l'écologie – cette relation entre les ressources naturelles de la planète et ses habitants. C'est aussi la relation des *habitants* avec eux-mêmes, les uns avec les autres, et avec l'environnement.

C'est l'interrelation de *toutes les espèces de la vie.*

L'« espèsystème » !

Oui ! J'aime ce mot ! C'est un bon mot ! Parce que ce dont nous parlons est plus grand que l'écosystème. C'est vraiment l'*espèsystème.* Ou ce que votre Richard Buckminster Fuller appelait la *noosphère.*

J'aime mieux *espèsystème.* Ce mot est plus facile à comprendre. Je me suis toujours demandé ce que ça pouvait bien signifier, la *noosphère* !

« Bucky » aime ton mot, aussi. Il n'est pas attaché au sien. Il a toujours aimé tout ce qui rendait les choses plus simples ou plus faciles.

Tu parles à cet homme, maintenant ? Tu as changé ce dialogue en séance de spiritisme ?

Disons seulement que J'ai une raison de savoir que l'essence identifiée sous le nom de Richard Buckminster Fuller est ravie de ce nouveau terme.

C'est magnifique. C'est tellement super – de simplement savoir cela !

C'est super. Je suis d'accord.

Ainsi, dans des cultures hautement évoluées, c'est l'*espèsystème* qui importe.

Oui, mais ce n'est pas que les êtres individuels ne comptent *pas.* Bien au contraire. Le fait qu'ils *comptent* se reflète dans le fait même que l'effet sur l'*espèsystème* soit au premier plan lorsqu'on envisage n'importe quelle décision.

Il est entendu que l'*espèsystème* soutient toute la vie et chaque être à un niveau optimal. Par conséquent, ne rien faire de nuisible à *l'espè-système* constitue une affirmation selon laquelle chaque être est important. Non seulement les êtres pourvus d'influence, d'argent, ou encore ceux ayant du pouvoir, une stature imposante ou, présumément, une conscience plus élevée; mais *tous* les êtres, et toutes les espèces, du système.

Comment cela peut-il fonctionner ? Comment cela peut-il être possible ? Sur notre planète, les désirs et les besoins d'une espèce quelconque doivent être subordonnés aux désirs et aux besoins des autres. Autrement, nous ne pourrions faire l'expérience de la vie telle que nous la connaissons.

Vous vous rapprochez dangereusement du moment où vous ne pourrez pas faire l'expérience de « la vie telle que vous la connaissez », précisément parce que vous aurez insisté pour subordonner les besoins de la plupart des espèces aux désirs d'une seule.

L'espèce humaine.

Oui – et pas même tous les *membres* de cette espèce, mais seulement quelques-uns. Pas même le plus grand nombre (ce qui pourrait démontrer une certaine logique), mais de loin *le plus petit*.

Le plus riche et le plus puissant.

Tout à fait.

Ça y est. Une autre tirade contre les riches et les parvenus.

Loin de là. Votre civilisation ne mérite pas de tirade ; pas plus qu'une pièce remplie de petits enfants. Les êtres humains feront ce qu'ils font maintenant – à eux-mêmes et les uns aux autres – jusqu'à ce qu'ils réalisent que tel n'est plus leur intérêt. Aucune quantité de tirades ne changera cela.

Si les tirades modifiaient les choses, vos religions auraient été beaucoup plus efficaces depuis longtemps.

Ouf ! Tu ne rates personne, aujourd'hui, n'est-ce pas ?

Je ne fais rien de la sorte. Ces simples observations te piquent-elles ? Alors, trouves-en la raison. Nous savons cela tous les deux. La vérité nous rend souvent mal à l'aise. Mais ce livre tente d'apporter la vérité. Tout comme d'autres que J'ai inspirés. Et des films. Et des émissions de télévision.

Je ne suis pas certain de vouloir encourager les gens à regarder la télévision.

Pour le meilleur ou pour le pire, la télévision est maintenant le bivouac de votre société. Ce n'est pas le *médium* qui vous mène dans des directions où vous dites ne pas vouloir aller, ce sont les messages que vous permettez qu'on y place. Ne dénonce pas le médium. Tu peux l'utiliser toi-même pour envoyer un message différent...

Permets-moi de revenir en arrière, si je le peux... Puis-je revenir à ma question originale ? Je veux encore savoir comment un *espèsystème* peut fonctionner lorsqu'on traite de façon égale les besoins de toutes les espèces du système.

Les besoins sont tous traités également, mais eux-mêmes ne sont pas tous égaux. C'est une question de proportion et d'équilibre.

Les EHE comprennent profondément que tous les êtres vivants, dans ce que nous avons choisi d'appeler l'*espèsystème*, ont des besoins à combler pour assurer la survie des formes physiques qui créent et soutiennent le système. Ils comprennent aussi que ces besoins ne sont ni identiques ni égaux par rapport aux demandes qu'ils imposent au système même.

Prenons l'exemple de votre propre *espèsystème.*

D'accord...

Utilisons les deux espèces vivantes que vous appelez les « arbres »
et les « humains ».

Je te suis.

De toute évidence, les arbres n'ont pas besoin d'autant d'« entre-
tien » quotidien que les humains. Alors, leurs besoins à tous deux ne sont
pas égaux, mais ils *sont* interreliés. En d'autres termes : une espèce
dépend de l'autre. Vous devez accorder autant d'attention aux besoins
des arbres qu'à ceux des humains, mais ces besoins eux-mêmes ne sont
pas grands. Et, si vous ignorez les besoins d'une espèce vivante, vous le
faites à vos risques.

Le livre que J'ai mentionné plus tôt comme étant d'une importance
cruciale – *The Last Hours of Ancient Sunlight* – décrit tout cela d'une
façon magnifique. Il souligne que les arbres tirent du dioxyde de carbone
de votre atmosphère en utilisant le carbone de ce gaz atmosphérique
pour fabriquer des hydrates de carbone – c'est-à-dire pour croître.

(Presque tout ce dont une plante est constituée, y compris les
racines, les tiges et les feuilles – même les noix et les fruits que porte
l'arbre – sont des hydrates de carbone.)

Entre-temps, la portion oxygène de ce gaz est libérée par l'arbre.
C'est l'« excrément » de l'arbre.

Les êtres humains, par contre, ont besoin d'oxygène afin de survivre.
Sans arbres pour convertir le dioxyde de carbone, qui est abondant dans
votre atmosphère, en oxygène – qui ne l'est *pas* – vous, en tant qu'espèce, *ne pourriez survivre.*

En retour, vous dégagez (expirez) du dioxyde de carbone, dont l'arbre
a besoin pour survivre.

Vois-tu l'équilibre ?

Bien sûr. C'est ingénieux.

Merci. À présent, s'il vous plaît, arrêtez de le détruire.

Oh ! allons ! Pour chaque arbre que nous abattons, nous en plantons deux autres.

Oui, et il ne faudra que 300 ans à ces arbres pour atteindre la force et la taille qui leur permettront de produire autant d'oxygène qu'un grand nombre des arbres anciens que vous coupez.

L'usine d'oxygène que vous appelez la forêt tropicale amazonienne pourra être remplacée, avec sa capacité d'équilibrer l'atmosphère de votre planète, dans, disons, deux ou trois mille ans. Il n'y a pas de quoi s'inquiéter. Vous dégagez des milliers d'acres chaque année, mais il n'y a pas de quoi s'inquiéter...

Pourquoi ? Pourquoi faisons-nous cela ?

Vous dégagez le territoire afin de pouvoir élever du bétail pour ensuite l'abattre et le manger. On rapporte que l'élevage du bétail fournit plus de revenus aux peuples indigènes de la forêt tropicale. Alors, on proclame que tout cela rendra le territoire *productif.*

Mais, dans les sociétés hautement évoluées, l'érosion de l'*espèsystème* n'est pas considérée comme *productive,* mais bien plutôt comme *destructrice.* Alors, les EHE ont trouvé une façon d'équilibrer les besoins totaux de l'*espèsystème.* Ils choisissent de le faire, plutôt que de servir les désirs d'une petite portion du système, car ils réalisent qu'aucune espèce à l'intérieur du système ne peut survivre si le *système même est détruit.*

Dis donc, ça semble évident. Ça semble douloureusement évident.

Au cours des années à venir cette « évidence » pourrait être encore

plus pénible sur la Terre, si votre soi-disant espèce dominante ne se réveille pas.

Je pige. Je pige tout à fait. Et je veux remédier à tout cela, mais je me sens parfois si désespéré ! Que puis-je faire pour susciter un changement ?

Tu n'as rien à faire, mais tu as beaucoup *à être*.

Explique-moi.

Depuis longtemps et sans grand succès, les êtres humains essaient de résoudre les problèmes au niveau du « faire ». C'est qu'ils n'ont pas compris que le changement véritable est toujours accompli au niveau de l'« être », et non du « faire ».

Oh ! vous avez fait quelques découvertes, d'accord, et vous avez fait progresser vos technologies, et ainsi, d'une certaine façon, cela a facilité votre vie – mais il n'est pas évident que vous l'ayez *améliorée*. Et par rapport aux grandes questions de principe, votre progrès a été très lent. Depuis des siècles, vous affrontez sur votre planète un grand nombre des mêmes problèmes de principe.

Votre idée selon laquelle la Terre existe pour l'exploitation des espèces dominantes en est un bon exemple.

Il est clair que vous ne changerez pas ce que vous faites à ce sujet à moins de transformer votre façon d'être.

Vous devez modifier votre conception de qui vous êtes en relation avec votre environnement et de tout ce qui y habite avant d'agir différemment.

C'est une question de conscience. Et avant de pouvoir transformer la conscience vous devez l'élever.

Comment pouvons-nous y arriver ?

Cessez d'être silencieux devant tout cela. Élevez la voix. Faites du grabuge. Soulevez les problèmes. Vous pourriez même éveiller une certaine conscience collective.

Sur une seule question, par exemple. Pourquoi ne pas cultiver du chanvre pour en faire du papier ? Avez-vous seulement une idée du nombre d'arbres nécessaires pour approvisionner votre monde en quotidiens ? Sans compter les verres de carton, les cartons servant à emporter la nourriture et les serviettes de table en papier.

Le chanvre se cultive à bon marché, se récolte aisément et s'utilise non seulement pour fabriquer du papier, mais pour confectionner les cordages les plus solides, les vêtements les plus durables et même certains des remèdes les plus efficaces que votre planète puisse fournir. En fait, on peut planter du cannabis à si bon marché, le récolter si facilement, et l'utiliser à tant d'usages merveilleux, qu'un immense lobby s'y oppose.

Trop de gens y perdraient trop pour permettre au monde de se tourner vers cette simple plante que l'on peut cultiver presque partout.

Ce n'est qu'un exemple de la façon dont l'avidité remplace le bon sens dans la conduite des affaires humaines.

Alors, offre ce livre à tous ceux que tu connais. Non seulement pour qu'ils comprennent cela, mais pour qu'ils saisissent tout le reste de son message. Et il y a encore *beaucoup plus de choses*.

Attends de voir...

Ouais ! mais je commence à me sentir déprimé, comme beaucoup de gens, après leur lecture du tome 2. Va-t-on parler de plus en plus de notre destruction des choses et de nos ratages ? Car je ne suis pas vraiment certain d'être prêt à en entendre davantage...

Es-tu prêt à recevoir de l'inspiration ? À te faire stimuler ? Car le fait d'apprendre à connaître et d'explorer ce que font d'autres civilisations – des civilisations avancées – devrait à la fois t'inspirer et te stimuler !

Songe aux possibilités ! Aux ouvertures ! Aux lendemains dorés juste sur le point d'arriver !

À condition que nous nous *réveillions*.

Vous *allez* vous réveiller ! Vous *êtes* en train de vous réveiller ! Le paradigme est en train de se transformer. Le monde est en train de changer. Cela se passe directement devant toi. *Ce livre fait partie du processus*. Tu en fais partie. Rappelle-toi ! Tu es dans la pièce pour guérir la pièce. Tu es dans l'espace afin de guérir l'espace. C'est ta seule raison d'être ici.

N'abandonne pas ! Jamais ! L'aventure la plus grandiose vient tout juste de commencer !

Très bien. Je choisis d'être inspiré, et non découragé, par l'exemple et la sagesse d'êtres hautement évolués.

Bien. C'est là un choix intelligent, étant donné l'objectif que vous dites vouloir atteindre en tant qu'espèce. En observant ces êtres, vous retiendrez en mémoire bien des enseignements.

Les EHE vivent en unité, en ayant un sentiment profond d'inter-relation. Leurs comportements sont créés par leurs pensées racines – ce que vous pourriez appeler les principes directeurs de base de leur société. Vos comportements aussi sont créés par vos pensées racines – ou les principes directeurs fondamentaux de votre société.

Que sont les principes directeurs fondamentaux d'une société d'EHE ?

Leur premier principe directeur est : Nous formons tous une même entité.

Chaque décision, chaque choix, tout ce que vous appelleriez « morale » et « éthique » est fondé sur ce principe.

Le second principe directeur est : Tout, dans le Un, est en inter-relation.

Selon ce principe, aucun membre d'une espèce ne pourrait, ou ne voudrait, garder quelque chose d'une autre espèce tout simplement parce qu'« il l'a eu en premier » ou que c'est son « bien », ou parce qu'il s'agit « d'une denrée rare ». La dépendance mutuelle de tous les êtres vivants de l'*espèsystème* est reconnue et honorée. Les besoins relatifs de chaque espèce d'organisme vivant au sein du système sont toujours gardés en équilibre – parce qu'ils sont toujours gardés à l'esprit.

Ce second principe directeur signifie-t-il qu'il n'existe aucune propriété personnelle ?

Pas comme vous l'entendez.

Un EHE fait l'expérience de la « propriété personnelle » au sens de détenir une *responsabilité personnelle* pour chaque bonne chose confiée à ses soins. Le mot le plus proche, dans votre langage, pour décrire ce que ressent un être hautement évolué à l'égard de ce que vous appelleriez un « bien précieux », c'est *l'intendance*. Un EHE est un *intendant* et non un propriétaire.

Le mot « posséder » et le concept que vous lui accolez ne font pas partie de la culture des EHE. Aucune « possession » n'existe au sens de « bien personnel ». Les EHE ne possèdent pas ; les EHE caressent. En d'autres termes, ils tiennent, embrassent, aiment et prennent soin des choses, mais ne les possèdent pas.

Les humains possèdent ; les EHE caressent. Dans votre langage, c'est ainsi que l'on pourrait décrire la différence.

Auparavant, dans votre histoire, les humains avaient l'impression d'avoir le droit de posséder personnellement *tout ce sur quoi ils posaient les mains*. Cela comprenait femmes et enfants, le territoire et ses richesses. Les « choses », et toutes les autres « choses » que leurs « choses » pouvaient leur permettre d'obtenir étaient également à eux. Dans la société humaine, cette croyance est encore largement entretenue, aujourd'hui, telle une vérité.

Les humains sont devenus obsédés par ce concept de « propriété ». Les EHE qui vous ont observés de loin ont appelé cela « l'obsession de la possession ».

À présent, maintenant que vous avez évolué, vous comprenez de plus en plus que vous ne pouvez rien posséder réellement, véritablement – surtout pas vos conjoints et vos enfants. Nombre d'entre vous, cependant, s'accrochent à l'idée qu'ils puissent posséder le territoire et tout ce qu'il y a dessus, dessous et au-dessus. (Oui, vous parlez même des « *droits aériens* » !)

Les EHE de l'univers, par contre, saisissent profondément que la planète qu'ils ont sous les pieds est quelque chose qu'aucun d'entre eux ne peut posséder – bien qu'un individu d'une culture hautement évoluée puisse recevoir, par l'intermédiaire des mécanismes de sa société, une parcelle de terre dont il devra s'occuper. S'il est un bon intendant du sol, il peut recevoir la permission (ou on peut lui demander) de transmettre l'intendance à ses enfants, qui la transmettront à leur tour aux leurs. Mais si, à un moment donné, lui ou ses enfants se révèlent de médiocres intendants du sol, le sol cesse de leur être confié.

Oh ! Si c'était le principe directeur sur Terre, la moitié des industries du monde devraient céder leur propriété !

Et l'écosystème du monde s'améliorerait radicalement, du jour au lendemain.

Tu vois, dans une culture hautement évoluée, on ne permettrait jamais à une « compagnie », comme vous dites, de piller le sol pour obtenir un profit, car il serait certain que la qualité de vie des propriétaires et des employés de cette compagnie subirait un tort irrévocable. Où serait alors le profit ?

Eh bien, on n'en ressentirait peut-être pas le tort pendant bien des années, tandis que l'on réaliserait des bénéfices immédiats, sur place. On qualifierait cela de profit à court terme et de perte à long terme. Mais qui se soucie de la perte à long terme, s'il n'est pas là pour en faire l'expérience ?

Des êtres hautement évolués le font. Par ailleurs, ils vivent beaucoup plus longtemps.

Combien de fois plus longtemps ?

Bien des fois. Dans certaines sociétés d'EHE, des êtres vivent à jamais – ou aussi longtemps qu'ils choisissent de rester sous forme corporelle. Par conséquent, dans ces sociétés d'EHE, les individus sont habituellement là pour faire l'expérience des conséquences à long terme de leurs gestes.

Comment arrivent-ils à rester en vie aussi longtemps ?

Bien sûr, ils ne sont jamais sans vie, pas plus que vous, mais Je sais ce que tu veux savoir. Tu veux dire « avec le corps ».

Oui. Comment arrivent-ils à rester aussi longtemps avec le corps ? Comment est-ce possible ?

Tout d'abord, parce qu'ils ne polluent pas leur air, leur eau et leur sol. Ils ne mettent aucun produit chimique dans le sol, par exemple, qui serait ensuite absorbé par les plantes et les animaux, et se retrouverait dans leur corps après consommation de ces plantes et de ces animaux.

En fait, un EHE ne consommerait jamais un animal et bourrerait encore moins le sol, ainsi que les plantes que mange l'animal, de produits chimiques, pour ensuite bourrer l'animal même de produits chimiques, et ainsi le consommer. Un EHE estimerait avec raison que cette pratique est suicidaire.

Alors, les EHE ne polluent pas leur environnement, leur atmosphère et leurs propres corps physiques comme le font les humains. Vos corps sont des créations magnifiques faites pour « durer » infiniment plus longtemps que vous ne le leur permettez.

Les EHE adoptent aussi divers comportements psychologiques qui prolongent également leur vie.

Comme ?

Un EHE ne s'inquiète jamais – et ne comprendrait même pas les concepts humains d'« inquiétude » ou de « stress ». Un EHE ne « haïrait » jamais, ne sentirait jamais de « rage », de « jalousie » ou de panique. Par conséquent, un EHE ne produit pas dans son corps de réactions biochimiques qui le dévoreraient et le détruiraient. Un EHE appellerait cela « se manger soi-même » et ne se consommerait pas plus qu'il ne consommerait un autre être corporel.

Comment un EHE peut-il y arriver ? Les humains sont-ils capables d'une telle maîtrise de leurs émotions ?

Pour répondre à ta première question : Un EHE comprend que toutes les choses sont parfaites, mais qu'il existe dans l'univers un processus qui se résout de lui-même, et qu'ils n'ont qu'à ne pas interférer. Ainsi, un EHE ne s'inquiète jamais, car il comprend ce processus.

Pour répondre à ta seconde question : Oui, les humains possèdent ce genre de maîtrise, mais certains ne croient pas l'avoir, et d'autres choisissent tout simplement de ne pas l'exercer. Les rares individus à faire un effort dans ce sens vivent beaucoup plus longtemps – en supposant que les produits chimiques et les poisons atmosphériques ne les aient pas tués et qu'ils ne se soient pas volontairement empoisonnés autrement.

Minute ! Nous « nous empoisonnons volontairement » ?

Certains d'entre vous, oui.

Comment ?

Comme je l'ai dit, vous avalez des poisons à même la nourriture. D'autres le font à même ce qu'ils boivent. Certains d'entre vous en fument.

Un être hautement évolué trouve ces comportements incompréhensibles. Il ne peut imaginer pourquoi vous laisseriez délibérément entrer dans votre corps des substances qui, vous le savez, ne peuvent vous faire de bien.

Eh bien, nous trouvons *agréable* de manger, de boire et de fumer certaines choses.

Un EHE trouve agréable la *vie* du corps et ne peut s'imaginer faire des choses qui, il le sait d'avance, pourraient la limiter ou y mettre fin, sinon la rendre pénible.

Certains d'entre nous ne croient pas que le fait de manger de la viande rouge en abondance, de boire de l'alcool ou de fumer des plantes *limitera* leur vie ou y mettra fin, ou la rendra pénible.

Alors, vos capacités d'observation sont très émoussées. Elles ont besoin d'être aiguisées. Un EHE vous suggérerait tout simplement de mieux regarder autour de vous.

Eh bien, oui... Que peux-tu m'apprendre d'autre sur la vie dans les sociétés hautement évoluées de l'univers ?

La honte n'existe pas.

Pas de honte ?

Ni de culpabilité.

Et lorsqu'un être se révèle un mauvais « intendant » du sol ? Tu viens de dire qu'on lui en retire la responsabilité ! Cela ne sous-entend-il pas qu'il a été jugé et trouvé coupable ?

Non. Cela signifie qu'il a été observé et trouvé incapable.
Dans des sociétés hautement évoluées, on n'exigerait jamais des êtres de faire une chose pour laquelle ils ont démontré leur incapacité.

Et s'ils le voulaient tout de même ?

Ils ne le « voudraient » pas.

Pourquoi pas ?

Leur propre incapacité éliminerait tout désir. Leur intelligence les amène tout naturellement à reconnaître leur incapacité de faire une chose en particulier qui pourrait causer un tort potentiel à un autre. Ils ne le feraient jamais, car nuire à l'autre, c'est nuire à soi, *et ils le savent.*

Ainsi, c'est encore la « préservation de soi » qui mène l'expérience ! Tout comme sur Terre !

Certainement ! La seule chose qui soit divergente, c'est leur *définition du « Soi ».* Un être humain définit le Soi de façon très étroite. Vous parlez de *votre* Soi, de *votre* famille, de *votre* communauté. Un EHE définit le Soi d'une manière assez différente. Il dit : *le* Soi, *la* famille, *la* communauté.

Comme s'il n'y en avait qu'un.

Il n'y en a qu'un. Tout est là.

Je comprends.

Ainsi, dans une culture hautement évoluée, un être ne pourrait jamais insister pour élever une progéniture s'il démontrait, de façon constante, *sa propre incapacité de le faire.*

Voilà pourquoi, dans les sociétés hautement évoluées, les enfants n'élèvent pas les enfants. Leur progéniture est plutôt confiée aux aînés. Cela ne veut pas dire qu'on arrache cette nouvelle progéniture à ceux qui leur ont donné la vie, qu'on enlève les enfants de leurs bras pour les donner à des quasi-inconnus qui les élèveront. Pas du tout.

Dans ces cultures, les aînés vivent étroitement avec les jeunes. Ils ne sont pas rejetés dans la solitude. Ils ne sont pas ignorés et laissés seuls à résoudre la dernière partie de leur destinée. Ils sont honorés, vénérés et gardés à proximité, au sein d'une communauté affectueuse, tendre et vivante.

Lorsqu'arrive une nouvelle progéniture, les aînés sont tout près, au coeur même de cette communauté et de cette famille. L'éducation des enfants par les aînés est tout aussi organiquement correcte que le fait d'avoir – dans votre société – des parents pour le faire.

La différence est la suivante : bien que ces enfants sachent toujours qui sont leurs « parents » – le terme le plus rapproché dans leur langage serait « donneurs de vie » –, on ne leur demande pas d'apprendre les choses fondamentales de la vie d'êtres qui sont encore *eux-mêmes en apprentissage de ces mêmes choses.*

Dans les sociétés d'EHE, les aînés organisent et supervisent le processus d'apprentissage, de même que le logement, l'alimentation et les soins aux enfants. Ceux-ci sont élevés dans un environnement de sagesse et d'amour, de très grande patience et de profonde compréhension.

Les jeunes qui leur ont donné vie sont habituellement ailleurs, à relever des défis et à faire l'expérience des joies de leur propre jeune vie. Ils peuvent passer autant de temps qu'ils le désirent avec leur progéniture. Ils peuvent même habiter dans le logement des aînés avec leurs enfants afin d'être sur place avec eux dans un environnement « domestique » et pour que les enfants puissent partager un tel cadre avec eux.

Tout cela constitue une expérience très unifiée, intégrée. Mais ce sont les aînés qui élèvent les enfants, qui en prennent la responsabilité. Et c'est un honneur, car c'est sur eux que repose la responsabilité de l'avenir de toute l'espèce. Et dans les sociétés d'EHE, il est entendu que ce serait trop exiger de la part des jeunes.

J'ai déjà touché ce point lorsque nous avons parlé de la façon d'élever vos enfants sur votre planète et de la manière dont vous pourriez changer ce qui est à changer.

Oui. Et merci de l'expliquer davantage, et de souligner comment cela pourrait fonctionner. Mais revenons à notre dialogue. Un EHE ne ressent ni culpabilité ni honte, peu importe ce qu'il fait ?

Non, parce que la honte et la culpabilité sont des sentiments imposés à un être de l'extérieur de lui-même. Elles peuvent ensuite être intériorisées, sans aucun doute, mais elles sont initialement imposées de l'extérieur. *Toujours.* Aucun être divin (et tous les êtres sont divins) ne sait *jamais* que lui-même, ou que ce qu'il fait, est « honteux » ou « coupable », jusqu'à ce que quelqu'un d'extérieur à lui-même lui donne cette étiquette.

Dans votre culture, un bébé a-t-il honte de ses « habitudes d'aller à la toilette » ? Bien sûr que non ! Pas avant que vous ne le lui *disiez.* Un enfant se sent-il « coupable » de se faire plaisir avec ses organes sexuels ? Bien sûr que non ! Pas avant que vous lui *disiez* de se sentir coupable.

Le niveau d'évolution d'une culture se mesure par sa façon de juger qu'un être ou un geste est « honteux » ou « coupable ».

Est-ce qu'*aucun* geste ne peut être qualifié de honteux ? Une personne n'est-elle *jamais* coupable, peu importe ce qu'elle fait ?

Comme Je te l'ai déjà dit, le bien et le mal n'existent pas.

Il y a des gens qui ne comprennent pas encore cela.

Pour bien saisir ce qu'on explique ici, il faut lire ce dialogue *intégralement.* Le fait de tirer des affirmations hors de leur contexte pourrait les rendre incompréhensibles. Les tomes 1 et 2 contiennent des explications détaillées sur la sagesse décrite ci-dessus. Tu me demandes, ici, de décrire les cultures hautement évoluées de l'univers. Elles comprennent déjà cette sagesse.

D'accord. Quelles sont les autres caractéristiques qui différencient ces cultures de la nôtre ?

Bien des choses. Ces êtres ne se font pas concurrence.

Ils savent que lorsque quelqu'un perd, tout le monde perd. Par conséquent, ils ne créent ni sports ni jeux qui enseignent aux enfants (et perpétuent chez les adultes) l'extraordinaire pensée selon laquelle le fait que quelqu'un « gagne » tandis qu'un autre « perd » relève du *divertissement.*

Aussi, comme Je l'ai encore dit, ils partagent tout. Lorsqu'un autre est dans le besoin, ils n'imagineraient jamais garder ou accumuler des choses uniquement à cause de leur rareté. Au contraire, ce serait pour eux *la raison même de les partager.*

Dans votre société, le prix monte lorsqu'une chose est rare et que vous voulez la partager. Ainsi, vous faites en sorte que, si vous allez partager quelque chose que vous « possédez », au moins, vous vous enrichirez en le faisant.

Les êtres hautement évolués sont également enrichis en partageant des choses rares. La seule chose qui soit différente entre les EHE et les humains, c'est la façon dont les EHE définissent « l'enrichissement ». Un EHE se sent « enrichi » lorsqu'il partage tout librement, sans ressentir le besoin d'en tirer « profit ». En effet, c'est ce sentiment qui *constitue* le profit.

Plusieurs principes directeurs dans votre culture sous-tendent vos comportements. Comme Je l'ai mentionné déjà, l'un des plus fondamentaux est la *survie du plus fort.*

On pourrait dire que c'est là votre second principe directeur. Il est à la base de tout ce que votre société a créé. Son économie. Sa politique. Ses religions. Son éducation. Ses structures sociales.

Mais, aux yeux d'un être hautement évolué, ce principe même est un oxymore. Il se contredit lui-même. Puisque le premier principe directeur d'un EHE est *nous ne faisons tous qu'Un*, le « Un » n'est pas « fort » à moins que le « Tout » ne soit « fort ». La survie du « plus fort » est donc impossible – ou la *seule* chose qui soit possible (c'est donc une contradiction) – puisque le « plus fort » n'est pas « fort » à moins que la

survie ne soit impossible.
Me suis-tu ?

Oui. Nous appelons cela le communisme.

Sur votre planète, vous avez rejeté du revers de la main tout système qui ne permet pas l'avancement d'un être aux dépens d'un autre.

Si un système gouvernemental, ou l'économie, exige une tentative de distribution équitable, à « tous », des bénéfices créés par « tous », avec les ressources *appartenant* à « tous », vous dites que ce système gouvernemental viole l'ordre naturel. Mais dans les cultures hautement évoluées, l'ordre naturel EST le *partage équitable*.

Même si une personne ou une collectivité n'a rien fait pour le mériter ? Même si elle n'a d'aucune manière contribué au bien commun ? Même si elle est méchante ?

Le bien commun est la *vie*. Si vous êtes en vie, vous contribuez au bien commun. Il est très difficile pour un esprit d'être dans la forme physique. Accepter de prendre une telle forme équivaut, en un sens, à un grand sacrifice – mais un sacrifice nécessaire, et même apprécié, si le Tout doit se connaître de façon expérientielle et se recréer à nouveau dans la prochaine version la plus grandiose de la plus grande vision qu'il ait jamais entretenue à propos de *qui il est*.

Il est important de comprendre ce que nous sommes venus faire ici.

Nous ?

Les âmes qui composent le collectif.

Tu me perds.

Comme Je l'ai déjà expliqué, il n'y a qu'Une Seule Âme, qu'Un Seul

Être, qu'Une Seule Essence. Certains d'entre vous l'appellent « Dieu ». Cette Seule Essence s'« individualise » sous la forme de chaque chose dans l'univers – autrement dit, *tout ce qui est.* Cela comprend tous les êtres conscients, ou ce que vous avez choisi d'appeler les âmes.

Alors, « Dieu » représente chaque âme qui « existe » ?

Chaque âme qui existe maintenant, ait jamais existé et existera jamais.

Alors, Dieu est un « collectif » ?

C'est le mot que J'ai choisi, parce que c'est celui qui se rapproche le plus, dans votre langage, de la manière dont les choses se passent.

Pas un être unique et impressionnant, mais un collectif ?

Ce n'est pas l'un ou l'autre. Ne pense pas à cocher des cases !

Dieu est les deux ? Un unique Être impressionnant qui correspond au collectif de parties individualisées ?

Bien ! Très bien !

Et pourquoi le collectif est-il venu sur Terre ?

Pour s'exprimer sous forme physique. Pour se connaître dans sa propre expérience. Pour être Dieu, comme Je l'ai déjà expliqué en détail dans le tome 1.

Tu nous a créés pour être toi ?

Nous l'avons fait, en effet. C'est *exactement* pour cette raison que vous avez été créés.

Et les humains ont été créés par un collectif ?

Dans votre propre Bible, on pouvait lire cette phrase : « Créons l'homme à notre image et à notre ressemblance » avant que l'on ne change la traduction.

La vie est le processus par lequel Dieu se crée, puis fait l'expérience de la création. Ce processus de création est continu et éternel. Il se déroule tout le « temps ». La relativité et la dimension physique sont les outils avec lesquels Dieu travaille. L'énergie pure (ce que vous appelez l'esprit) est *ce que Dieu est*. Cette essence est véritablement le Saint-Esprit.

Par un processus à travers lequel l'énergie devient matière, l'esprit s'incarne dans la dimension physique. Pour ce faire, l'énergie ralentit littéralement – en modifiant son oscillation, ou ce que vous appelleriez sa vibration.

Ce qui est Tout le fait par segments. C'est-à-dire que des segments du tout font cela. Ces individualisations de l'esprit sont ce que vous avez choisi d'appeler des âmes.

En vérité, il n'y a qu'une seule âme qui se refaçonne et se reforme. Cela pourrait s'appeler *la reforme*. Vous êtes tous des dieux en formation. (Dieu-*information* !)

Voilà votre contribution, et elle se suffit à elle-même.

Pour simplifier, disons qu'en prenant la forme physique, vous en avez déjà fait assez. Je ne veux rien de plus ; je n'en ai aucun besoin. Vous avez *vraiment* contribué au bien commun. Vous avez permis à ce qui est commun – l'unique élément commun – de faire l'expérience de ce qui est bon. Même vous, avez écrit que Dieu avait créé le ciel et la Terre, et les animaux terrestres, et les oiseaux, et les poissons de la mer, et c'était très bien.

Le « bien » n'existe pas – il ne peut exister – d'une façon expérientielle sans son contraire. Par conséquent, vous avez également créé le mal, qui est la marche arrière, ou la direction contraire, du bien. C'est le contraire de la vie – et ainsi, vous avez créé ce que vous appelez la mort.

Mais dans l'ultime réalité, la mort n'existe pas non plus. Elle n'est qu'une concoction, qu'une invention, qu'une expérience imaginaire, par laquelle la vie acquiert plus de valeur à vos yeux. Ainsi, le « mal » c'est « vivre » à rebours* ! Vous êtes si malins, dans votre langage ! Vous y enfouissez une sagesse secrète que vous ne soupçonnez même pas.

Ainsi, quand vous comprendrez toute cette cosmologie, vous comprendrez la grande vérité. Vous pourriez ensuite ne jamais exiger d'un autre être qu'il vous donne quelque chose en retour de votre partage des ressources et des nécessités de la vie physique.

Aussi beau que cela soit, il y a encore des gens qui appelleraient cela du communisme.

S'ils le veulent, alors qu'ils le fassent. Mais Je te dis ceci : Tant que votre *communauté d'êtres* ne saura pas *être en communauté,* vous ne ferez jamais l'expérience de la sainte communion et ne pourrez savoir *qui Je suis*.

Les cultures hautement évoluées de tout l'univers comprennent profondément tout ce que J'ai expliqué ici. Dans ces cultures, il ne serait aucunement possible de ne pas partager. Il ne serait pas possible, non plus, de songer à « exiger » des « prix » toujours plus exorbitants en proportion de la rareté d'une nécessité. Seules des sociétés extrêmement primitives feraient cela. Seuls des êtres très primitifs verraient là une occasion de saisir la rareté de ce qui est nécessaire à la collectivité. « L'offre et la demande » ne mènent pas le système des EHE.

Elles font partie d'un système qui, selon les humains, contribue à leur qualité de vie et au bien commun. Mais du point de vue d'un être hautement évolué, votre système viole le bien commun, car il ne permet pas que ce qui est bon soit vécu *en commun.*

Une autre caractéristique distinctive et fascinante des cultures hautement évoluées, c'est qu'elles n'ont aucun mot ni son, ni aucune

---

* *Evil* (mal) = *live* (vivre), à l'envers. (N.D.T.)

autre façon de transposer le sens, le concept de « vôtre » et de « mien ». Les biens personnels n'existent pas dans leur langage, et si on devait parler en langage terrestre, on ne pourrait qu'utiliser des articles pour décrire des choses. En utilisant cette convention, « ma voiture » devient « la voiture avec laquelle je suis à présent ». « Mon partenaire », ou « mes enfants », devient « le partenaire » ou « les enfants avec lesquels je suis maintenant ».

L'expression « avec maintenant », ou « en présence de qui », est ce qui se rapproche le plus, dans votre langue, de ce que vous décririez comme la « propriété » ou la « possession ».

Ce dont vous êtes « en présence » devient le cadeau. Ce sont les véritables « présents » de la vie.

Ainsi, dans la langue des cultures hautement évoluées, on ne pourrait même pas parler en termes de « ma vie » ; on ne pourrait que communiquer « la vie en présence de laquelle je suis ».

C'est comme lorsque vous dites être « en présence de Dieu ».

Lorsque vous êtes en présence de Dieu (et vous l'êtes, toutes les fois que vous êtes en présence les uns des autres), vous ne songeriez jamais à garder à l'écart de Dieu ce qui est à Dieu – c'est-à-dire toute partie de *ce qui est*. Vous partageriez naturellement, et en parts égales, ce qui est à Dieu avec *toute partie* de ce qui est Dieu.

En réalité, l'intention spirituelle sous-tend la totalité des structures sociales, politiques, économiques et religieuses de toutes les cultures hautement évoluées. C'est la cosmologie de la vie entière, et seul le fait de ne pas observer cette cosmologie, de ne pas la comprendre et de ne pas vivre en elle, engendre toute la discorde de votre expérience sur la Terre.

19

Les êtres des autres planètes, à quoi ressemblent-ils physiquement ?

À toi de choisir. Il y a là autant de variétés d'êtres que d'espèces vivantes sur votre planète.
En réalité, il y en a davantage.

Y a-t-il des êtres qui nous ressemblent beaucoup ?

Bien sûr, certains s'apparentent exactement – avec des variations mineures.

Comment vivent-ils ? Que mangent-ils ? Comment s'habillent-ils ? De quelle façon communiquent-ils ? Je veux tout savoir sur les ET. Allons, déballe !

Je comprends ta curiosité, mais ces livres ne te sont pas donnés pour la satisfaire. Le but de notre conversation est d'apporter un message à ton monde.

Juste quelques questions. Et c'est plus que de la curiosité. Nous avons peut-être quelque chose à apprendre là-dedans. Ou, plus précisément, à nous r-appeler.

C'est vraiment plus précis. Car vous n'avez rien à apprendre ; vous n'avez qu'à vous rappeler *qui vous êtes vraiment*.

Tu l'as exprimé d'une façon merveilleusement claire dans le tome 1. Ces êtres qui vivent sur d'autres planètes se rappellent-ils *qui ils sont* ?

Comme tu peux t'y attendre, tous les êtres qui sont ailleurs se situent à divers stades de l'évolution. Mais dans ce que tu as appelé ici des cultures hautement évoluées, oui, les êtres se sont rappelé.

Comment vivent-ils ? Travaillent-ils ? Voyagent-ils ? Communiquent-ils ?

Le voyage tel que vous le connaissez dans votre culture n'existe pas dans les sociétés hautement évoluées. Leur technologie dépasse largement la nécessité d'utiliser des carburants fossiles pour conduire des moteurs intégrés à des machines immenses qui déplaceraient des corps.

En plus de la progression amenée par les nouvelles technologies physiques, la compréhension de l'esprit et de la nature même de la dimension physique a également progressé.

Grâce à la combinaison de ces deux types de progrès révolutionnaire, il est devenu possible pour les EHE de désassembler et de réassembler leurs corps à volonté, ce qui permet à l'ensemble des êtres dans la plupart des cultures hautement évoluées d'« être » *partout* où ils le veulent – au moment même où ils le désirent.

Y compris à des années-lumière dans l'univers ?

Oui. Dans la plupart des cas. Ce parcours de « longues distances » à travers les galaxies ressemble à celui d'une pierre glissant par bonds sur l'eau. On ne tente pas de *traverser* la matrice qu'est l'univers ; on « glisse » plutôt *sur* elle. C'est la meilleure image que l'on puisse trouver dans votre langage pour en expliquer la physique.

Quant à ce que vous appelez, dans votre société, le « travail », un tel concept n'existe pas chez la plupart des EHE. On accomplit des tâches et on entreprend des activités, uniquement à partir de ce qu'on aime faire et considère comme l'expression la plus élevée du Soi.

C'est super, mais comment s'effectue le travail domestique ?

Le concept de « travail domestique » n'existe pas non plus. Ce qu'on qualifierait de « domestique » dans votre société, c'est souvent ce qui est le plus respecté dans le monde des êtres hautement évolués. Les EHE qui accomplissent les tâches quotidiennes qui « doivent » l'être afin qu'une société existe et fonctionne sont les « travailleurs » les plus hautement récompensés, les plus hautement décorés au service du Tout. J'écris le mot « travailleurs » entre guillemets puisque, dans l'esprit d'un EHE, il ne s'agit pas d'un « travail », mais de la forme la plus élevée d'accomplissement de soi.

Les idées et les expériences que les humains ont créées autour de l'expression de soi – ce que vous avez appelé le travail – ne font tout simplement pas partie de la culture d'un EHE. La « corvée », les « heures supplémentaires », la « pression » et les autres expériences créées par le moi ne sont pas choisies par les êtres hautement évolués, qui, entre autres choses, n'essaient pas d'« avancer », de « s'élever jusqu'au sommet » ou de « réussir ».

Le concept même de « succès » tel que vous l'avez défini est étranger à un EHE, précisément parce que son contraire – *l'échec* – n'existe pas.

Alors, comment les EHE font-ils l'expérience de l'accomplissement ?

Non pas par la construction d'un système de valeurs élaboré autour de la « compétition », de l'idée de « gagner » et de « perdre », comme cela arrive dans la plupart des sociétés et activités humaines – même (et surtout) dans vos écoles –, mais plutôt par une profonde compréhension de ce qu'est la valeur réelle dans une société et par une véritable appréciation de cette valeur.

Accomplir se définit par « faire ce qui apporte de la valeur », et non par « faire ce qui apporte la "gloire" et la "fortune", que cela ait ou non de la valeur ».

Les EHE ont donc vraiment un « système de valeurs » !

Oh, oui ! Bien sûr. Mais un système très différent de celui de la plupart des humains. Pour eux, la valeur est ce qui produit des bienfaits pour Tout.

Tout comme nous !

Oui, mais vous définissez « bienfait » d'une façon très différente. Vous voyez un plus grand bienfait dans le fait de lancer une petite sphère blanche en direction d'un homme qui porte un bâton, ou d'enlever vos vêtements sur un grand écran argenté, que dans le fait d'aider les enfants à se rappeler les plus grandes vérités de la vie, ou de fournir à une société sa nourriture spirituelle. En réalité, vous honorez et payez les joueurs de baseball et les vedettes du cinéma davantage que vos enseignants et vos prêtres. Ainsi, vous faites tout à l'envers, compte tenu des objectifs que vous proclamez en tant que société.

Vous n'avez pas développé de capacité d'observation très aiguë. Les EHE voient toujours « ce qui est » et font « ce qui fonctionne ». Très souvent, les humains ne le font pas.

Les EHE n'honorent pas les enseignants ou les prêtres parce que c'est « bien au point de vue moral ». Ils le font parce que c'est « ce qui *fonctionne*, étant donné l'objectif qu'ils ont choisi pour leur société.

Mais là où on trouve une structure de valeur, il doit y avoir des « nantis » et des « démunis ». Ainsi, dans les sociétés d'EHE, les enseignants sont riches et célèbres, et les joueurs de baseball sont pauvres.

Il n'y a pas de « nantis » dans une société d'EHE. Personne ne vit dans les profondeurs de la dégradation à laquelle vous avez laissé tomber bien des humains. Et personne ne meurt de faim, comme le font, sur votre planète, quatre cents enfants à l'heure et trente mille personnes par jour. Et aucun individu ne mène une vie de « désespoir tranquille », comme dans les cultures humaines du travail.

Non. Parmi les EHE, il n'y a ni « indigents » ni « pauvres ».

Comment ont-ils réussi à éviter cela ? *Comment ?*

En appliquant deux principes fondamentaux...

Nous ne faisons tous qu'Un.
Il y en a assez pour tout le monde.

Les EHE ont créé une conscience de la suffisance et une conscience qui la crée. Grâce à la conscience qu'ont les EHE de l'interrelation entre toutes choses, rien n'est gaspillé ni détruit des ressources naturelles de la planète mère des EHE. Cela accorde l'abondance à chacun – d'où le principe « il y en a assez ».

La conscience humaine de l'insuffisance – « du fait de ne pas en avoir assez » – est la cause racine de toute inquiétude, de toute pression, de toute compétition, de toute jalousie, de toute colère, de tout conflit et, en définitive, de tous les meurtres sur votre planète.

Cela, plus l'insistance des humains à croire en la séparation plutôt qu'en l'unité de toutes choses, est ce qui a créé quatre-vingt-dix pour cent de la misère de vos vies, de la tristesse de votre histoire et de l'impuissance de vos efforts précédents afin d'améliorer les choses pour tout le monde.

Si vous vouliez transformer ces deux éléments de votre conscience, tout changerait.

Comment ? Je veux bien, mais je ne sais pas *comment*. Donne-moi un outil, pas seulement des lieux communs.

Bien. C'est juste. Alors, voici un outil.

« Fais comme si. »

Fais comme si vous ne *formiez* tous qu'Un seul être. Commence tout simplement à agir ainsi demain matin. Considère chacun comme étant

« toi », mais dans un moment difficile. Considère chacun comme étant
« toi », mais ayant besoin qu'on lui accorde une chance. Considère
chacun comme étant « toi », mais vivant une expérience différente.
Essaie. Promène-toi, demain, en l'essayant. Regarde chacun avec
des yeux neufs.

Commence à agir comme s'« il y avait assez de quelque chose ».
Comme si vous aviez « assez » d'argent, « assez » d'amour, « assez » de
temps. Que ferais-tu alors différemment ? Partagerais-tu plus ouvertement, plus librement, plus équitablement ?

C'est intéressant, car c'est exactement ce que nous faisons
avec nos ressources naturelles, et nous recevons pourtant des
critiques de la part des écologistes. Je veux dire que dans ce cas,
nous faisons comme s'il y en avait « assez ».

Ce qui est vraiment intéressant, c'est que vous agissez comme si les
choses qui, selon vous, vous *font du bien* étaient en *pénurie*. Dès lors
vous en surveillez la réserve de façon très attentive – souvent même en
les accumulant. Mais vous dilapidez votre environnement, vos ressources
naturelles et votre écologie. Par conséquent, on ne peut que présumer
que tout cela ne vous fait pas du bien.

Ou nous « faisons semblant » qu'il *y en a assez.*

Mais ce n'est pas ce que vous faites. Si c'était le cas, vous
partageriez ces ressources d'une façon plus équitable. Aujourd'hui, un
cinquième de la population mondiale utilise les quatre cinquièmes des
ressources mondiales. Et vous ne montrez aucun signe exprimant votre
volonté de changer cette équation.

Il y en a assez pour tout le monde si vous cessez de gaspiller à la
légère tout cela au bénéfice d'une minorité de privilégiés. Si tous les gens
employaient les ressources d'une façon intelligente, vous en utiliseriez
moins que maintenant, alors qu'une minorité de gens les utilisent d'une
façon inintelligente.

Servez-vous des ressources, mais n'en abusez pas. Tel est le discours des écologistes.

Eh bien, me revoilà déprimé. Tu ne cesses de me décourager.

Tu es un phénomène, tu sais ? Tu conduis le long d'une route déserte, perdu, et tu as oublié comment atteindre ta destination. Quelqu'un arrive et *t'indique la direction.* Eurêka ! Tu es en extase, non ? Non. Tu es déprimé.
Étonnant.

Je suis déprimé parce que *je ne nous vois pas prendre cette direction.* Je ne nous vois pas vouloir même la suivre. Je nous vois avancer vers un mur, et oui, ça me déprime.

Tu n'utilises pas tes pouvoirs d'observation. Je vois des centaines de milliers de gens se réjouir en lisant ces lignes. Je vois des millions de gens reconnaître les simples vérités énoncées ici. Et je vois une nouvelle force de changement augmenter en intensité sur votre planète. On se débarrasse de systèmes de pensée entiers. On abandonne des formes de gouvernement. On révise des politiques économiques. On revoit des vérités spirituelles.
Votre race est en train de *se réveiller.*
Les remarques et les observations que recèlent ces pages ne doivent pas être une source de découragement. Le fait que tu *reconnaisses leur vérité* peut être immensément encourageant si tu les laisses être *le carburant du moteur de changement.*
Tu es l'agent de changement. Tu es celui qui peut faire une différence dans la façon dont les humains créent et font l'expérience de leur vie.

Comment ? Qu'est-ce que je peux faire ?

Sois la différence. *Sois* le changement. *Incarne* la conscience de

« Nous ne faisons tous qu'Un » et de « Il y en a assez ».

Transforme ton être, transforme le monde.

Tu t'es donné à toi-même ce livre et tout le contenu des *Conversations avec Dieu,* afin de pouvoir te rappeler une fois de plus comment était la vie d'êtres hautement évolués.

Nous avons déjà vécu ainsi, n'est-ce pas ? Tu l'as déjà mentionné.

Oui, dans ce que vous appelleriez les temps anciens et les civilisations anciennes. La plus grande part de ce que J'ai décrit ici, votre race en a déjà fait l'expérience.

Maintenant, une partie de moi veut être encore *plus* déprimée ! Tu veux dire que nous sommes arrivés là mais que nous avons tout perdu ? À quoi sert de « tourner en rond » ainsi ?

L'évolution ! L'évolution n'est *pas une ligne droite.*

Vous avez une chance, à présent, de recréer les meilleures expériences de vos civilisations anciennes, tout en évitant le pire. Cette fois, vous n'avez pas à laisser les ego personnels et la technologie avancée détruire votre société. Vous pouvez agir différemment. *Vous pouvez créer une différence.*

Cela pourrait être très excitant pour toi, si tu permets que ce le soit.

D'accord. Je pige. Et quand je me permets d'y penser ainsi, ça m'excite *vraiment* ! Et je vais créer une différence ! Parle-m'en davantage ! Je veux me rappeler autant que possible comment c'était dans nos civilisations avancées et comment c'est aujourd'hui chez tous les êtres hautement évolués. Comment vivent-ils ?

Ils vivent par groupes, ou dans ce que votre monde appellerait des communautés, mais la plupart ont abandonné leur version de ce que vous nommez des « villes » ou des « pays ».

Pourquoi ?

Parce que les « villes » sont devenues trop grandes et ne soutenaient plus l'objectif du rassemblement, mais allaient à son encontre. Elles produisaient des « foules d'individus » plutôt qu'une communauté.

C'est la même chose sur cette planète ! On retrouve davantage un sentiment de « communauté » dans nos petites villes et villages – même avec les grands espaces de nos régions rurales – que dans la plupart de nos grandes villes.

Oui. Il n'y a qu'une seule différence, à ce propos, entre votre monde et les autres planètes dont nous parlons maintenant.

Laquelle ?

Les habitants de ces autres planètes ont appris cela. Ils ont observé plus attentivement « ce qui fonctionne ».

Par contre, nous continuons de créer des villes de plus en plus grandes, même si nous voyons qu'elles détruisent notre façon de vivre.

Oui.

Nous sommes même fiers de notre rang ! Une région métropolitaine passe de la douzième à la dixième place dans notre liste des plus grandes villes, et tout le monde pense que ça se fête ! Des Chambres de commerce l'*annoncent* vraiment !

C'est la marque d'une société primitive que de considérer la régression comme un progrès.

Tu as déjà dit ça. Tu me déprimes encore !

Un nombre toujours plus grand de gens ne le font plus. Un nombre de plus en plus grand d'entre vous recréent de petites communautés « volontaires ».

Alors, crois-tu que nous devions abandonner nos mégavilles et retourner à nos villes et villages ?

Je n'ai aucune préférence : vous ferez l'un ou l'autre. Je me contente de formuler une observation.

Comme toujours. Alors, qu'observes-tu quant à la raison pour laquelle nous continuons de migrer vers des villes de plus en plus grandes, même si nous voyons que ce n'est pas bon pour nous ?

Qu'un grand nombre d'entre vous ne voient pas que ce n'est pas bon pour eux. D'après vos croyances, le fait de vous regrouper dans des grandes villes *résout* des problèmes, tandis que cela ne fait qu'en créer.
Il est vrai que les grandes villes offrent des services, des emplois et des divertissements qu'on ne trouve pas et qu'on ne peut retrouver dans des villes et des villages plus petits. Mais votre erreur consiste à dire que ces choses sont valables, alors qu'en fait, elles agissent à votre détriment.

Ah ! Tu as *vraiment* un point de vue là-dessus ! Tu viens de te trahir ! Tu as affirmé que nous avions commis une « erreur ».

Si tu te diriges vers San Jose...

Nous y revoilà...

Eh bien, tu insistes pour appeler mes observations des « jugements », et mes énoncés de faits, des « préférences », et Je sais que tu cherches une plus grande précision dans tes communications et dans tes perceptions, alors Je vais te rappeler cela chaque fois.

Si tu te diriges vers San Jose, tout en disant que tu veux aller à Seattle, est-il mauvais que le passant à qui tu demandes la direction te fasse remarquer que tu as « fait une erreur » ? Est-ce que le passant exprime une « préférence » ?

J'imagine que non.

Tu *imagines que non* ?

D'accord, non.

Alors, que fait-il ?

Il se contente d'énoncer « ce qui est », en tenant compte du lieu où nous disons vouloir aller.

Excellent. Tu y es.

Mais tu as déjà dit ça. Plusieurs fois. Pourquoi suis-je là à toujours maintenir l'idée que tu as des préférences et des jugements ?

Parce que c'est le Dieu soutenu par ta mythologie et que tu me jetteras dans cette catégorie chaque fois que tu le pourras. Et puis, si J'avais *vraiment* une préférence, cela te faciliterait les choses. Alors, tu n'aurais pas à imaginer les choses et à arriver à tes *propres* conclusions. Tu n'aurais qu'à faire ce que Je dis.

Bien sûr, tu n'aurais aucun moyen de savoir ce que je dis, puisque tu ne crois pas que J'aie dit quoi que ce soit depuis des milliers d'années. Dès lors, tu n'as pas d'autre choix que de te fier à ceux qui prétendent enseigner ce que Je disais à l'époque où Je communiquais vraiment. Mais même cela représente un problème puisqu'il y a autant d'enseignants et d'enseignements différents qu'il y a de cheveux sur ta tête. Alors, tu reviens à ton point de départ et tu dois aboutir à tes propres conclusions.

Y a-t-il une manière de sortir de ce labyrinthe – et du cycle de misère qu'il a créé pour la race humaine ? Parviendrons-nous jamais à « y arriver » ?

Il y a une « façon d'en sortir », et vous *allez* « y arriver ». Vous n'avez qu'à *développer vos capacités d'observation*. Vous devez mieux voir ce qui vous rend service. Cela s'appelle l'« évolution ». En fait, vous ne pouvez pas « ne pas y arriver ». Vous ne pouvez échouer. La question n'est pas « si », mais « quand ».

Mais ne manque-t-on pas de temps sur cette planète ?

Oh ! si c'est là votre paramètre – si vous désirez « y arriver » sur *cette planète*, c'est-à-dire alors que cette planète en particulier vous soutient encore –, alors, dans ce contexte, vous feriez bien de vous dépêcher.

Comment pouvons-nous aller plus vite ? Aide-nous !

Je suis en train de vous aider. D'après toi, à quoi sert ce dialogue ?

D'accord, alors, apporte-nous un peu plus d'aide. Selon tes propos, des êtres appartenant à des cultures hautement évoluées sur d'autres planètes abandonnaient également le concept de « nations ». Pourquoi ont-ils fait cela ?

Parce qu'ils ont compris qu'un concept tel que ce que vous appelleriez le « nationalisme » va à l'encontre de leur premier principe directeur : NOUS NE FAISONS TOUS QU'UN.

D'un autre côté, le nationalisme *soutient* notre second principe directeur : LA SURVIE DU PLUS FORT.

Exactement.

Vous vous divisez en nations pour des raisons de survie et de sécurité – et ne produisez que le contraire.

Les EHE refusent de se rassembler en nations. Ils croient en une seule nation. Tu pourrais même dire qu'ils ont formé « une nation unique, sous la conduite de Dieu ».

Ah ! c'est habile. Mais « tous » ont-ils la liberté et la justice ?

Et vous ?

Touché !

L'essentiel, c'est que toutes les races et toutes les espèces soient en évolution. Et l'évolution – l'objectif d'observer ce qui vous sert et d'adapter vos comportements – semble se poursuivre dans une direction tout en s'éloignant d'une autre. Elle continue de se diriger vers l'unité et de s'éloigner de la séparation.

Ce n'est pas étonnant, puisque l'unité est l'ultime vérité et que l'« évolution » n'est qu'un synonyme du « mouvement vers la vérité ».

Je remarque aussi que « le fait d'observer ce qui vous sert et de faire des adaptations de comportement » ressemble curieusement à « la survie du plus fort » – l'un de nos principes directeurs !

C'est vrai, n'est-ce pas ?

Le moment est donc venu d'« observer » que « la survie du plus fort » (soit l'évolution de l'espèce) n'est pas atteinte et que des espèces entières ont été condamnées – se sont vraiment autodétruites – en appelant « principe » un « processus ».

Houp ! Je ne te suis plus.

Le *processus* s'appelle « évolution ». Le « principe » qui guide le processus est ce qui dirige le cours de votre évolution.

Tu as raison. L'évolution *est* la « survie du plus fort ». C'est le processus. Mais ne confonds pas le « processus » avec le « principe ».

Si l'« évolution » et la « survie du plus fort » sont synonymes, et si tu prétends que la « survie du plus fort » est un principe directeur, alors tu dis : « Un principe directeur de l'évolution *est l'évolution.* »

Mais c'est l'affirmation d'une race qui ne sait pas qu'elle peut avoir bien en main le cours de sa propre évolution. C'est l'affirmation d'une espèce qui se croit reléguée au statut d'observatrice de sa propre évolution. Car la plupart des gens croient que l'« évolution » est un processus qui « continue » tout simplement – et non un processus qu'ils dirigent selon certains principes.

Alors, l'espèce annonce : « Nous évoluons selon le principe de... eh bien, l'évolution. » Mais elle ne dit jamais ce qu'EST ce principe, car elle a confondu le processus avec le principe.

L'espèce, par contre, qui a déterminé clairement que l'évolution est un processus – mais un processus sur lequel l'espèce a un contrôle – n'a pas confondu « processus » avec « principe », mais a choisi consciemment un principe qu'elle utilise pour guider et diriger son processus.

Cela s'appelle *l'évolution consciente,* et ton espèce vient d'y arriver.

Wow ! C'est une observation incroyable. Voilà pourquoi tu as donné ce livre à Barbara Marx Hubbard ! Comme je l'ai dit, elle l'a vraiment appelé *Conscious Evolution.*

Bien sûr qu'elle l'a fait. C'est moi qui le lui ai suggéré.

Ah ! j'adore ça ! Alors... j'aimerais revenir à notre « conversation » sur les ET. Comment ces êtres hautement évolués s'organisent-ils, si ce n'est en nations ? Comment se gouvernent-ils ?

Ils n'utilisent pas l'« évolution » comme premier principe directeur d'évolution. Ils ont créé un principe fondé sur l'observation pure. Ils ont tout simplement observé qu'ils ne font tous qu'Un et ont conçu des mécanismes politiques, sociaux, économiques et spirituels qui sous-tendent ce premier principe au lieu de le miner.

À quoi cela « ressemble-t-il » ? En matière de gouvernement, par exemple ?

Quand tu es seul, comment te gouvernes-tu ?

Veux-tu répéter ?

Quand tu es l'unique personne, comment gouvernes-tu ton comportement ? Qui le fait ? Qui, à part toi ?

Personne. Si j'étais seul – quelque part sur une île déserte, par exemple, – personne « à part moi » ne gouvernerait ou ne contrôlerait mes comportements. Je m'alimenterais et m'habillerais selon mon désir et je ferais exactement ce que je veux. Je ne m'habillerais sans doute pas du tout. Je mangerais chaque fois que j'ai faim, et tout ce qui serait bon et me ferait me sentir en santé. Je « ferais » tout ce que j'aime, et ce serait déterminé en partie par mes besoins de survie.

Eh bien, comme d'habitude, tu as toute la sagesse en toi. Je te l'ai déjà dit, tu n'as rien à apprendre, tu n'as qu'à te rappeler.

C'est vraiment ainsi dans les civilisations avancées ? Ils courent nus, cueillent des petits fruits et fabriquent des canots ? On dirait des barbares !

Qui, d'après toi, est plus heureux – et plus près de Dieu ?

On a déjà discuté de ça.

Oui, on l'a fait. C'est la marque d'une culture primitive que d'imaginer que la simplicité est barbare et que la complexité est hautement avancée.

Il est intéressant de voir que ceux qui sont hautement avancés voient que c'est juste le contraire.

Mais le mouvement de toutes les cultures – en effet, le processus de l'évolution même – progresse vers des degrés de plus en plus élevés de complexité.

En un sens, oui. Mais voici la divine dichotomie la plus grande. *La plus grande complexité est la plus grande simplicité.*

Plus un système est « complexe », plus sa conception est simple. En effet, il est absolument élégant dans sa simplicité.

Le maître comprend cela. Voilà pourquoi un être hautement évolué vit dans l'absolue simplicité. Voilà pourquoi tous les systèmes hautement évolués sont également d'une simplicité absolue. Tous les systèmes hautement évolués, qu'ils soient d'ordre gouvernemental, économique, religieux ou du domaine de l'éducation, tous sont d'une simplicité absolument élégante.

Les systèmes gouvernementaux hautement évolués, par exemple, n'impliquent presque *aucun gouvernement*, sinon l'autogouvernement.

Comme si un seul être y participait. Comme si un seul être y était affecté.

Et tel est le cas.

C'est ce que comprennent les cultures hautement évoluées.

Précisément.

Je commence à voir l'ensemble, maintenant.

Bien. Il ne nous reste plus beaucoup de temps.

Tu dois partir ?

Ce livre est en train de devenir très long.

20

Attends ! Arrête ! Tu ne peux pas partir maintenant ! J'ai d'autres questions à propos des ET ! Apparaîtront-ils un jour sur Terre pour « nous sauver » ? Vont-ils nous préserver contre notre propre folie en nous apportant de nouvelles technologies pour équilibrer les pôles de la planète, nettoyer notre atmosphère, harnacher l'énergie de notre soleil, régulariser notre climat et instaurer une meilleure qualité de vie dans notre propre petit nirvana ?

Tu ne veux peut-être pas que cela arrive. Les EHE le savent. Ils reconnaissent que le seul résultat d'une telle intervention serait de vous laisser subjuguer par *eux*, de faire d'eux vos dieux, plutôt que les dieux par qui vous prétendez maintenant être subjugués.

En vérité, vous ne l'êtes par *personne*, et c'est ce que les êtres des cultures hautement avancées veulent vous faire comprendre. Si, par conséquent, ils partageaient certaines technologies avec vous, elles seraient données d'une façon et à un rythme qui vous permettraient de reconnaître vos propres pouvoirs et potentiels, et non ceux des autres.

De même, si des EHE devaient partager avec vous certains de leurs enseignements, ces derniers aussi seraient partagés d'une façon et à un rythme qui vous permettraient de voir des vérités plus grandes et vos propres pouvoirs et potentiels, et non de faire des dieux de vos maîtres.

Trop tard. Nous avons déjà fait cela.

Oui, j'ai remarqué.

Ce qui nous amène à l'un de nos plus grands maîtres, l'homme appelé Jésus. Même ceux qui ne l'ont pas déifié ont reconnu la grandeur de ses enseignements.

Des enseignements qui ont été largement faussés.

Jésus était-il l'un de ces êtres hautement évolués ?

Crois-tu qu'il était hautement évolué ?

Oui. Tout comme le Bouddha, le seigneur Krishna, Moïse, Babaji, Sai Baba et Paramahansa Yogananda, d'ailleurs.

En effet. Et bien d'autres que tu n'as pas mentionnés.

Eh bien, dans le tome 2, tu as « suggéré » que Jésus et ces autres enseignants étaient peut-être des visiteurs de l'« espace » venus partager avec nous les enseignements et la sagesse des EHE. Alors, il est temps de nous raconter la suite : Jésus était-il un « être de l'espace » ?

Vous êtes tous des « êtres de l'espace ».

Qu'est-ce que ça signifie ?

Vous n'êtes pas nés sur cette planète que vous appelez maintenant votre chez-vous.

Ah non ?

Non. L'« étoffe génétique » dont vous êtes faits a été délibérément placée sur votre planète. Elle n'est pas tout simplement « apparue » de façon accidentelle. Les éléments qui ont formé votre vie ne se sont pas combinés tout au long d'un processus de *chance biologique*. Il y avait un plan. Quelque chose de beaucoup plus grand a lieu. T'imagines-tu que le milliard de réactions biochimiques qu'il a fallu pour provoquer la vie telle que vous la connaissez sur votre planète se sont toutes produites à l'aveuglette ? Crois-tu que ce résultat n'est qu'une chaîne fortuite

d'événements aléatoires qui a donné un résultat heureux par hasard ?

Non, bien sûr que non. Je suis d'accord, il y avait un plan derrière tout ça. Le plan de Dieu.

Bien. Car tu as raison. C'était mon idée, mon plan et mon processus.

Tu veux dire que tu es un « être de l'espace » ?

Vers où, traditionnellement, vous êtes-vous tournés quand vous avez imaginé me parler ?

Vers le haut. J'ai regardé en haut.

Pourquoi pas en bas ?

Je ne sais pas. Tout le monde regarde toujours en haut – aux « cieux ».

Là d'où je viens ?

J'imagine, oui.

Cela fait-il de moi un être de l'espace ?

Je ne sais pas. Est-ce le cas ?

Et si Je suis un être de l'espace, cela m'enlève-t-il de ma divinité ?

D'après ce que la plupart d'entre nous disent que tu peux faire, non. J'imagine que non.

Et si Je suis un Dieu, cela réduit-il mes caractéristiques d'être de l'espace ?

Tout dépendrait de nos définitions.

Et si Je ne suis pas du tout un « homme », mais plutôt une Force, une « Énergie » dans l'univers, c'est-à-dire, dans Tout *ce qui existe* ? Et si J'étais Le Collectif ?

Eh bien, c'est en fait ce que tu as prétendu être. Dans ce dialogue, tu as *dit* cela.

En effet. Et le crois-tu ?

Oui, je crois que oui. Du moins dans le sens où je crois que Dieu est *Tout ce qui est.*

Bien. Alors, crois-tu qu'il existe ce que tu appelles des « êtres de l'espace » ?

Tu veux dire des êtres d'autres dimensions ?

Oui.

Oui, je le crois. Je pense que j'ai toujours cru cela. Et tu m'as dit qu'il y en a, alors je le crois sûrement.

Et ces « êtres de l'espace » font-ils partie de « *Tout ce qui est* » ?

Eh bien oui, sûrement.

Et si je suis *Tout ce qui est*, cela ne ferait-il pas de moi un être de l'espace ?

Eh bien, oui... mais d'après cette définition, tu es aussi moi.

Bingo.

Oui, mais tu t'es joyeusement éloigné de ma question. Je t'ai demandé si Jésus était un être de l'espace. Et je crois que tu sais ce que je veux dire : Était-il un être de l'espace, ou est-il né ici, sur Terre ?

Ta question présuppose une fois de plus la logique « ou bien... ou bien... ». Ne pense pas à *cocher une case*. Rejette l'alternative « ou bien... ou bien... » et considère « à la fois... et... ».

Tu veux dire que Jésus est né sur Terre, mais qu'il avait du « sang d'être de l'espace » pour ainsi dire ?

Qui était le père de Jésus ?

Joseph.

Oui, mais qui, dit-on, *l'a conçu* ?

Certaines gens croient que c'était une immaculée conception. Selon eux, la Vierge Marie a reçu la visite d'un archange. Jésus a été « conçu par le Saint-Esprit et est né de la Vierge Marie ».

Crois-tu cela ?

Je ne sais pas ce qu'il faut croire ou non.

Eh bien, si Marie a reçu la visite d'un archange, d'où l'ange serait-il venu d'après toi ?

Du ciel.

As-tu dit « des cieux » ?

J'ai dit : du *ciel*. D'un autre royaume. De Dieu.

Je vois. Et ne sommes-nous pas d'accord sur le fait que Dieu est un être de l'espace ?

Pas exactement. Nous nous entendons pour dire que Dieu est *Tout* et que, puisque les êtres de l'espace font *partie* de « tout », Dieu est un être de l'espace au même sens que Dieu est nous. Nous tous. Dieu est Tout. Dieu est le collectif.

Bien. Alors, cet archange qui a rendu visite à Marie provenait d'un autre royaume. Un royaume céleste.

Oui.

Un royaume profondément enfoui en toi-même, car le ciel est en toi.

Je n'ai pas dit cela.

Bon, alors, un royaume au sein de l'espace intérieur de l'univers.

Non, je ne dirais pas cela non plus, car je ne sais pas ce que cela signifie.

D'où, alors ? Un royaume de l'espace *extérieur* ?

(Longue pause.)

Tu joues avec les mots, à présent.

Je fais de mon mieux. J'emploie certains mots, malgré leurs connotations extrêmement limitées, afin de me rapprocher le plus possible d'une idée, d'un concept des choses, qui, en retour, ne peuvent être décrits avec le vocabulaire restreint de votre langage ni compris dans les limites de votre degré actuel de perception.
Je cherche à l'ouvrir à de nouvelles perceptions en utilisant votre langage d'une nouvelle façon.

Conversations avec Dieu

D'accord. Alors, selon tes propos, Jésus a été engendré par un être hautement évolué venu d'un autre royaume et, par conséquent, était un humain, mais aussi un EHE ?

Beaucoup d'êtres hautement évolués ont foulé le sol de votre planète – et particulièrement aujourd'hui.

Veux-tu nous laisser entendre que des « étrangers sont parmi nous » ?

Je vois que ton travail pour les journaux, les *talk-shows* radio-phoniques et la télévision t'a bien servi.

Que veux-tu dire ?

Tu peux trouver une façon de tout rendre sensationnel. Je n'ai pas affirmé que les EHE étaient des « étrangers » et Je n'ai pas dit non plus que Jésus l'était.

Dieu n'a rien d'un « étranger ». Il n'y a pas d'« étrangers » sur la Terre.

Nous ne faisons tous qu'Un. Si nous ne faisons tous qu'Un, aucune individualisation de nous n'est étrangère à elle-même.

Certaines individualisations de nous – c'est-à-dire, certains individus – se rappellent plus que d'autres. Le processus (se ré-unir à Dieu, ou devenir, une fois de plus, Un avec le Tout, avec le collectif) en est un que vous appelez évolution. Vous êtes tous des êtres en évolution. Quelques-uns parmi vous sont hautement évolués. En d'autres termes, ils se *r-appellent davantage*. Ils savent *qui ils sont vraiment*. Jésus le savait et l'a déclaré.

D'accord, je comprends que nous allons jouer sur les mots à propos de l'affaire Jésus.

Pas du tout. Je vais tout te dire sans détour. L'esprit de cet humain que vous nommez Jésus n'était pas de cette Terre. Cet esprit a tout simplement rempli un corps humain, s'est permis d'apprendre comme un enfant, est devenu un homme et s'est accompli. Il n'est pas le seul à avoir fait cela. *Tous les esprits* ne sont pas « de cette Terre ». *Toutes les âmes* viennent d'un autre royaume, puis entrent dans le corps. Mais toutes ne s'accomplissent pas au cours d'une « vie » particulière. Jésus l'a fait. C'était un être hautement évolué (ce que certains d'entre vous ont appelé un dieu), et il est venu vers vous dans un but, pour une mission.

Pour sauver nos âmes.

En un sens, oui. Mais pas de la damnation éternelle. Rien de semblable à ce que vous avez imaginé. Sa mission était – est – de vous sauver du fait de ne pas savoir et de ne jamais faire l'expérience de *qui vous êtes vraiment*. Son intention était de démontrer cela en vous montrant ce que vous pouviez devenir. Soit, ce que vous *êtes* – si seulement vous voulez l'accepter.

Jésus cherchait à mener par l'exemple. Voilà pourquoi il disait : « Je suis la voie et la vie. Suivez-moi. » Il n'entendait pas que vous le « suiviez » au sens où vous seriez tous devenus ses « disciples », mais au sens où vous *suivriez tous son exemple* et vous uniriez à Dieu. Il disait : « Le Père et Moi ne faisons qu'Un, et vous êtes mes frères. » Il n'aurait pu l'exprimer plus simplement.

Alors, Jésus ne venait pas de Dieu ; il venait de l'espace.

Ton erreur consiste à séparer les deux. Tu continues d'insister pour distinguer ces deux notions, tout comme tu insistes pour créer une séparation et une distinction entre les humains et Dieu. Et Je te dis *qu'il n'y en a aucune*.

Hum ! D'accord. Avant que nous terminions, peux-tu ajouter quelques derniers éléments à propos des êtres des autres mondes ?

Comment s'habillent-ils ? Comment communiquent-ils ? Et s'il te plaît, ne me répète pas que c'est encore là de la curiosité futile. Je crois avoir démontré que nous pourrions apprendre quelque chose.

Très bien. Brièvement, alors.

Dans les cultures hautement évoluées, les êtres ne sentent aucun besoin de s'habiller, sauf lorsqu'ils doivent se couvrir pour se protéger des éléments ou des conditions sur lesquels ils n'ont aucun pouvoir, ou lorsque des ornements servent à indiquer un « rang » ou un honneur.

Un EHE ne comprendrait pas pourquoi vous couvrez entièrement votre corps lorsque vous n'avez pas à le faire – il ne saisirait certainement pas le concept de « honte » ou de « pudeur » – et ne comprendrait pas non plus l'idée de se vêtir pour se rendre « plus joli ». Aux yeux d'un EHE, il ne pourrait y avoir rien de plus beau en soi que le corps nu. Par conséquent, le concept de porter quelque chose par-dessus pour le rendre d'une certaine façon plus agréable ou attrayant lui serait absolument incompréhensible.

Tout aussi incompréhensible serait l'idée de vivre – de passer la plupart de son temps – dans des boîtes... que vous appelez « édifices » et « maisons ». Les EHE vivent dans un environnement naturel et ne demeureraient à l'intérieur d'une boîte que si leur environnement devenait inhospitalier – ce qui arrive rarement, puisque les civilisations hautement évoluées créent, contrôlent et prennent soin de leur environnement.

Les EHE comprennent aussi qu'ils ne font qu'Un avec cet environnement, qu'ils partagent plus que l'espace qui s'y trouve mais aussi une relation de dépendance mutuelle. Un EHE ne comprendrait jamais pourquoi vous feriez du tort ou détruiriez ce qui vous soutient et ne pourrait que conclure que vous ne comprenez pas que c'est votre environnement qui vous soutient ; que vous êtes des êtres ayant des capacités d'observation fort limitées.

Quant à la communication, un EHE utilise d'abord l'aspect de son être que vous appelleriez les sentiments. Les EHE sont conscients de leurs sentiments et de ceux des autres, et personne parmi eux ne tente jamais de les *cacher*. Les EHE estimeraient que cela va à l'encontre du but qu'ils recherchent et trouveraient donc incompréhensible de cacher leurs sentiments pour ensuite se plaindre que personne ne semble les comprendre.

Les sentiments représentent le langage de l'âme, et les êtres hautement évolués savent cela. Dans une société d'EHE, le but de la communication est de se connaître mutuellement dans la vérité. Par conséquent, un EHE ne peut comprendre, et ne comprendrait jamais, le concept humain appelé « mensonge ».

Arriver à ses fins en communiquant une non-vérité serait pour un EHE une victoire si vide de sens qu'elle n'en serait pas une et serait plutôt une défaite atterrante.

Les EHE ne « disent » pas la vérité ; ils *sont* la vérité. Tout leur être vient de « ce qui est » et de « ce qui fonctionne », et ils ont appris il y a longtemps, à une époque antérieure à la mémoire, alors que la communication était encore accomplie au moyen de sons gutturaux, que la non-vérité ne fonctionne pas. Vous n'avez pas encore appris cela dans votre société.

Sur votre planète, une grande part de la société est fondée sur le secret. Nombre d'entre vous croient que c'est ce qui les éloigne des autres, et non ce qu'ils disent aux autres, qui fait en sorte que la vie fonctionne. Ainsi, le secret est devenu votre code social, votre code d'éthique. C'est véritablement votre code secret.

Ce n'est cependant pas vrai de vous tous. Vos cultures anciennes, par exemple, et vos peuples indigènes ne vivent pas selon ce code. Et bien des individus, dans votre société actuelle, ont refusé d'adopter ce comportement.

Mais votre gouvernement fonctionne selon ce code, vos entreprises l'adoptent, et nombre de vos relations le reflètent. Mentir – à propos de grandes et de petites choses – est devenu un fait accepté par tant de gens, qu'ils mentent même à propos du mensonge. Ainsi, vous avez développé un code secret à propos de votre code secret. Comme le fait que l'empereur ne porte pas de vêtements, chacun sait cela, mais

personne n'en parle. Vous essayez même de faire semblant du contraire
– et en cela, vous vous mentez à vous-mêmes.

Tu as déjà fait valoir cet argument.

Dans ce dialogue, je répète les points essentiels, les points prin-
cipaux, que vous devez « saisir » si vous voulez vraiment changer les
choses, comme vous dites vouloir le faire.

Alors, Je dirai ceci : Les différences entre les cultures humaines et
les cultures hautement évoluées résident dans le fait que les êtres
hautement évolués observent pleinement et communiquent sincèrement.

Ils voient « ce qui fonctionne » et énoncent « ce qui est ». C'est là
un autre changement mineur, mais profond, qui améliorerait immensément la vie sur votre planète.

D'ailleurs, il ne s'agit pas d'une question d'ordre morale. Dans une
société d'EHE, il n'y a pas d'« impératifs moraux » et ce serait un
concept tout aussi curieux que le mensonge. Ce qui compte, c'est tout
simplement de savoir ce qui est fonctionnel, ce qui est avantageux.

Les EHE n'ont aucune morale ?

Pas au sens où vous l'entendez. L'idée qu'un groupe conçoive un
ensemble de valeurs selon lequel chaque EHE est censé vivre dérogerait
à sa compréhension de « ce qui fonctionne ». En d'autres termes, chaque
individu est le seul et dernier arbitre de ce qui est et de ce qui n'est pas
approprié pour lui.

La discussion porte toujours sur ce qui *fonctionne* pour une société
d'EHE – ce qui est fonctionnel, à l'avantage de tous – et non sur ce que
les humains appelleraient le « bien » et le « mal ».

Mais n'est-ce pas la même chose ? N'avons-nous pas tout simplement appelé ce qui fonctionne, « le bien », et ce qui ne fonctionne pas pour nous, « le mal » ?

Vous avez rattaché de la culpabilité et de la honte à ces étiquettes – des concepts tout aussi étrangers aux EHE. Et vous avez déclaré « mauvaises » un nombre renversant de choses, non pas parce qu'elles « ne fonctionnent pas », mais tout simplement parce que vous imaginez qu'elles sont « inconvenantes » – parfois, pas même à vos yeux, mais aux « yeux de Dieu ». Vous avez ainsi construit des définitions artificielles de « ce qui fonctionne » et de ce qui ne fonctionne pas – des définitions n'ayant rien à voir avec « ce qui est vraiment ».

L'expression honnête des sentiments, par exemple, est souvent considérée, dans la société humaine, comme une « mauvaise » chose. Un EHE n'arriverait jamais à une telle conclusion, puisque la conscience précise des sentiments facilite la vie dans toute communauté ou grappe. Ainsi, comme Je l'ai dit, un EHE ne dissimulerait jamais ses sentiments, ou ne trouverait jamais « socialement incorrect » de le faire.

Ce serait impossible, en tout cas, car un EHE reçoit des « vibrations » d'autres êtres, ce qui rend leurs sentiments respectifs tout à fait évidents. Tout comme vous pouvez parfois « sentir l'air » lorsque vous entrez dans une pièce, un EHE peut sentir ce que pense et éprouve un autre EHE.

Les paroles réelles – ce que vous appelleriez des « mots » – sont rarement employées. Cette « communication télépathique » se produit entre tous les êtres conscients hautement évolués. On pourrait résumer ainsi : le degré auquel une espèce – ou une relation entre membres de la même espèce – a évolué est démontré selon que les êtres ont besoin ou non d'utiliser les « mots » pour transmettre des sentiments, des désirs ou de l'information.

Et avant que tu poses la question, j'ajouterai que les êtres humains peuvent développer la même capacité et que certains l'ont fait. Il y a des milliers d'années, en fait, c'était normal. Depuis, vous avez régressé jusqu'à recourir de nouveau à des paroles primales – des « bruits », en réalité – pour communiquer. Mais nombre d'entre vous retournent à une forme de communication plus précise et plus élégante exprimant plus de clarté. C'est particulièrement vrai entre êtres chers – ce qui met en évidence une vérité majeure : *l'affection suscite la communication*.

Là où il y a un amour profond, les paroles sont presque inutiles. Mais l'inverse de cet axiome est tout aussi vrai : plus vous avez besoin de mots les uns avec les autres, moins vous devez prendre de temps pour *donner de l'affection* les uns aux autres, car l'affection crée la communication.

En définitive, toute communication réelle se rapporte à la vérité, et la seule réalité véritable est l'amour. Voilà pourquoi, lorsque l'amour est présent, la communication y est elle aussi. Et lorsque la communication est difficile, c'est là un signe que l'amour n'est pas pleinement présent.

Tout cela est exprimé d'une façon magnifique. Je dirais que c'est *communiqué* d'une façon magnifique.

Merci. Pour résumer le modèle de la vie dans une société hautement évoluée, nous pourrions exprimer cela de la manière suivante : les êtres vivent en grappes, ou ce que vous appelleriez de petites communautés volontaires. Ces grappes ne sont pas davantage organisées en villes, en États ou en nations, mais interagissent avec les autres sur une base égalitaire.

Il n'y a aucun gouvernement au sens où vous l'entendez ni aucune loi. On y trouve des conciles, ou conclaves, habituellement constitués d'aînés. Et il y a ce qu'on pourrait appeler, faute de mieux, dans votre langage, des « accords mutuels » réduits à un code triangulaire : *la conscience, l'honnêteté, la responsabilité*.

Il y a longtemps, les êtres hautement évolués ont décidé que c'était ainsi qu'ils choisissaient de vivre ensemble. Ils ont fait ce choix non pas à partir d'une structure morale ou d'une révélation spirituelle qu'un autre être ou groupe a proposée, mais plutôt à partir d'une simple observation de *ce qui est* et de *ce qui fonctionne*.

Et il n'y a vraiment aucune guerre et aucun conflit ?

Non, d'autant plus qu'un EHE partage tout ce qu'il a et vous donnerait tout ce que vous chercheriez à obtenir par la force. Il le fait dans la conscience que tout appartient à tous, de toute façon, et que s'il le désire, il peut toujours créer davantage de ce qu'il a « donné ».

Dans une société d'EHE, il n'y a aucun concept de « propriété » ni de « perte », et ses habitants comprennent qu'ils ne sont pas des êtres physiques, mais des êtres sous une forme physique. Ils savent aussi que tous les êtres proviennent de la même source, et qu'ainsi, *nous ne faisons tous qu'Un.*

Je sais que tu as déjà dit cela... mais même si quelqu'un menaçait un EHE de mort, il n'y aurait aucun conflit ?

Il n'y aurait pas de dispute. Il étendrait tout simplement son corps – il vous le laisserait littéralement. Puis il créerait un autre corps, si tel était son choix, en arrivant à nouveau dans la dimension physique en tant qu'être déjà formé, ou en retournant sous la forme des enfants nouvellement conçus par un couple d'autres êtres amoureux.

C'est, de loin, la méthode préférée de retour dans la dimension physique, car personne n'est plus honorée, dans les sociétés hautement évoluées, que la progéniture nouvellement créée, et les occasions de croissance sont sans égales.

Les EHE n'ont aucune crainte de ce que votre culture appelle la « mort », car ils savent qu'ils vivront toujours et ne songent qu'à la *forme* qu'ils prendront. Habituellement, les EHE peuvent vivre indéfiniment dans un corps physique, car ils ont appris à prendre soin du corps et de l'environnement. Si, pour quelque raison ayant trait aux lois physiques, le corps d'un EHE n'est plus fonctionnel, celui-ci le quitte tout simplement, retournant joyeusement sa matière physique au Tout pour « recyclage ». (Ce que vous entendez par : « Tu es poussière et tu retourneras poussière. »)

Permets-moi de revenir un peu sur tes propos. Tu as affirmé

qu'il n'y avait pas de « lois » comme telles. Mais si quelqu'un ne se comporte pas selon le « code triangulaire », qu'arrive-t-il alors ? *Ka-boom* ?

Non. Pas de « *ka-boom* ». Il n'y a ni « procès » ni « punition », mais une simple observation de « ce qui est » et de « ce qui fonctionne ».

On lui explique soigneusement que « ce qui est » – ce que l'être a fait – est maintenant en désaccord avec « ce qui fonctionne » et que lorsqu'une chose ne convient pas au groupe, elle ne conviendra pas, non plus, à l'individu, car l'individu *est* le groupe, et le groupe est l'individu. Tous les EHE « saisissent » cela très rapidement, habituellement tôt dans ce que vous appelleriez la jeunesse. Ainsi, il est extrêmement rare de découvrir un EHE adulte agissant d'une façon qui produise un « ce qui est » qui n'est pas « ce qui fonctionne ».

Mais s'il le fait ?

On lui permet tout simplement de corriger son erreur. En utilisant le code triangulaire, on lui fait d'abord prendre conscience de tous les résultats reliés à une chose qu'il a pensée, dite ou faite. Puis, on lui permet d'évaluer et de préciser son rôle dans la production de ces résultats. Finalement, on lui donne une occasion d'assumer la responsabilité de ces résultats en mettant en place des mesures correctives, réparatrices ou curatives.

Et s'il refuse de le faire ?

Un être hautement évolué ne refuserait jamais de le faire. C'est inconcevable. Le cas échéant, ce ne serait pas un être hautement évolué, et il se situerait alors à un niveau de conscience tout à fait différent.

Où un EHE apprend-il tout cela ? À l'école ?

Il n'y a pas de « système scolaire » dans une société d'EHE. Seul

existe un *processus* d'éducation par lequel on rappelle aux enfants « ce qui est » et « ce qui fonctionne ». Les enfants sont élevés par les aînés, et non par ceux qui les conçoivent, bien qu'au cours de ce processus, ils ne soient pas nécessairement séparés de leurs « parents », qui peuvent être avec eux chaque fois qu'ils le désirent, et passer autant de temps qu'ils le veulent avec eux.

Dans ce que vous appelez l'« école » (en fait, il faudrait dire le « temps d'apprentissage »), les enfants établissent leur propre « programme », choisissant les habiletés qu'ils veulent acquérir, plutôt que de se faire dire ce qu'ils *devront* apprendre. Ainsi, la motivation est à son plus haut niveau et les habiletés de la vie s'acquièrent rapidement, aisément et joyeusement.

Le code triangulaire (ce ne sont pas vraiment des « règles » codifiées, mais c'est là le meilleur terme qu'on puisse trouver dans vos langues) n'est pas quelque chose qui est « enfoncé » dans la tête d'un jeune EHE, mais constitue des notions acquises – presque par osmose – par le biais des comportements *donnés comme modèles* aux « enfants » par les « adultes ».

À la différence de votre société, dans laquelle les adultes donnent en exemple des comportements contraires de ceux qu'ils veulent que leurs enfants apprennent, les sociétés hautement évoluées comprennent que les enfants répètent les agissements des adultes.

Il ne viendrait jamais à l'esprit des EHE d'installer leurs enfants plusieurs heures durant devant un appareil où défileraient des images de comportements qu'ils aimeraient voir leurs enfants éviter. Aux yeux d'un EHE, une telle décision serait incompréhensible.

Il serait tout aussi incompréhensible – si un EHE faisait une telle chose – de nier ensuite que les images aient quelque rapport que ce soit avec les comportements soudainement aberrants de ses enfants.

Je dirai à nouveau que la différence entre une société d'EHE et une société humaine revient à un élément très simple que nous appellerons l'observation sincère.

Dans les sociétés d'EHE, les êtres reconnaissent tout ce qu'ils voient. Dans les sociétés humaines, plusieurs nient ce qu'ils voient. Ils reconnaissent que la télévision détruit leurs enfants, et l'ignorent. Ils voient la violence et « le fait de perdre » utilisés comme formes de loisir, et nient la contradiction. Ils savent que le tabac nuit au corps, et font semblant du contraire. Ils voient un père ivrogne et abusif, et toute la famille le nie, ne laissant personne en dire un mot.

Ils observent que, durant des milliers d'années, leurs religions ont totalement échoué à changer le comportement des masses, et nient cela aussi. Ils constatent avec clarté que leurs gouvernements font davantage pour opprimer que pour aider, et ils choisissent de l'ignorer.

Ils voient un système de soins de santé qui, en réalité, est un système de soins de maladie qui consacre un dixième de ses ressources à la prévention de la maladie et neuf dixièmes à sa gestion, et nient que la *recherche du profit* empêche tout progrès véritable dans l'éducation des gens sur la façon d'agir, de manger et de vivre favorisant une bonne santé.

Ils nient que le fait de manger la chair d'animaux abattus après avoir été gavés de nourriture chargée de produits chimiques ne fera aucun bien à leur santé, et nient également ce qu'ils voient par la suite.

Ils font bien plus que cela. Ils tentent de poursuivre des animateurs de *talk shows* qui osent même discuter du sujet. Tu sais, un livre merveilleux a été publié, qui explore toute cette problématique avec une profondeur exquise. Il s'intitule *Diet for a New America*, et l'auteur en est John Robbins*.

Les gens vont parcourir ce livre et nier, nier, *nier* encore qu'il ait du sens. Et là est le problème. Une grande partie de votre race vit dans le déni. Les gens nient non seulement les observations douloureusement évidentes de tous ceux qui les entourent, mais aussi leurs propres observations. Ils renient leurs sentiments personnels et, finalement, leur propre vérité.

---

* En français : *Se nourrir sans faire souffrir*. (N.D.T.)

Les êtres hautement évolués – que certains d'entre vous sont en train de devenir – ne nient *rien*. Ils observent « ce qui est ». Ils voient clairement « ce qui fonctionne ». Lorsqu'on utilise ces simples outils, la vie devient simple aussi. « Le processus » est respecté.

Oui, mais comment fonctionne « le processus » ?

Pour répondre à cela, Je dois soulever un point qui l'a déjà été – à plusieurs reprises, en fait – dans ce dialogue. Tout dépend de qui vous croyez être et de ce que vous essayez de faire.

Si votre objectif est de vivre une vie de paix, de joie et d'amour, choisir la violence *ne fonctionne pas*. Cela a déjà été démontré.

Si votre objectif est de vivre en bonne santé et de profiter d'une longévité, le fait de consommer de la chair morte, de fumer des agents cancérigènes et de boire des quantités de liquides qui engourdissent les nerfs et flambent le cerveau *ne fonctionne pas*. Cela a déjà été démontré.

Si votre objectif est d'élever des enfants dépourvus de violence et de rage, le fait de les placer directement, pendant des années, devant des images vives de violence et de rage *ne fonctionne pas*. Cela a déjà été démontré.

Si votre objectif est de prendre soin de la Terre et de bien gérer ses ressources, le fait d'agir comme si ces ressources étaient illimitées *ne fonctionne pas*. Cela a déjà été démontré.

Si votre objectif est de découvrir et de cultiver une relation avec un Dieu aimant afin que la religion puisse faire une différence dans les affaires humaines, alors le fait d'enseigner un dieu de punition et de vengeance terribles *ne fonctionne pas*. Cela, aussi, a déjà été démontré.

Tout est dans le motif. Les objectifs déterminent les résultats. La vie procède de votre intention. Votre intention véritable se révèle dans vos gestes, et vos gestes sont déterminés par votre intention véritable. Comme pour tout dans la vie (et la vie *même*), c'est un cercle.

Les EHE voient *le cercle*. Les humains ne le voient pas.

Les EHE réagissent à *ce qui est* ; les humains l'ignorent.

Les EHE disent la vérité, *toujours*. Les humains mentent trop souvent, à eux-mêmes ainsi qu'aux autres.

Les EHE affirment une chose, puis font *ce qu'ils disent*. Les humains déclarent une chose et en font une autre.

Au fond de vous, vous *savez* qu'une chose est mauvaise – que vous aviez l'intention d'«aller à Seattle», mais que vous êtes à «San Jose». Vous percevez les contradictions dans vos comportements et vous êtes vraiment prêts, maintenant, à les abandonner. Vous voyez clairement ce qui *est* et ce qui *fonctionne,* et vous ne voulez plus soutenir la séparation entre les deux.

Votre race est *en train de s'éveiller*. Le moment de votre accomplissement est à votre portée.

Vous n'avez pas à vous laisser décourager par ce que vous avez entendu ici, car le travail préparatoire à une nouvelle expérience, à une autre réalité, a été établi, et tout cela n'était que des préparatifs. Vous êtes maintenant prêts à franchir la porte.

Ce dialogue, en particulier, était destiné à ouvrir grande cette porte. Mais, d'abord, à la montrer. *Vous voyez ? La voici !* Car la lumière de la vérité montrera à jamais la voie. Et la lumière de la vérité, c'est ce que vous avez reçu ici.

À présent, prenez cette vérité et vivez-la. À présent, entretenez cette vérité et partagez-la. À présent, embrassez cette vérité, et chérissez-la à jamais.

Car, dans ces trois livres – la trilogie *Conversations avec Dieu* –, Je vous ai parlé une fois de plus de *ce qui est*.

Il n'est pas nécessaire de poursuivre. Il n'est pas nécessaire de poser d'autres questions, d'entendre d'autres réponses ni de présenter d'autres observations. Tout ce dont vous avez besoin pour créer la vie que vous désirez, vous l'avez trouvé ici, dans la trilogie qui vous a été présentée jusqu'ici. Il n'est pas nécessaire d'aller plus loin.

Oui, vous avez d'autres questions. Oui, vous avez d'autres «oui, mais si... ». Oui, vous n'avez pas encore «terminé» cette exploration que nous avons appréciée. Car vous n'avez *jamais fini d'explorer*.

Il est clair, alors, que ce livre pourrait se poursuivre indéfiniment. Et ce ne sera pas le cas. Votre *conversation avec Dieu* se poursuivra, mais non ce livre. Car la réponse à toute autre question que vous pourriez poser se trouvera ici, dans cette trilogie désormais complète. Tout ce que nous pouvons faire, à présent, c'est de répéter, de réamplifier, de retourner encore et toujours à la même sagesse. Même cette trilogie constituait un exercice en cette matière. Il n'y a rien de neuf ici ; il s'agit d'un retour à une sagesse ancienne.

Il est bon de retourner. Il est bon de se familiariser à nouveau. Tel est le processus de rappel dont J'ai si souvent parlé. Je l'ai si souvent dit : *Vous n'avez rien à apprendre. Vous n'avez qu'à vous rappeler...*

Alors, relisez souvent cette trilogie ; tournez-vous vers ces pages à maintes reprises.

Lorsque vous aurez une question qui, selon vous, n'aura pas trouvé réponse ici, relisez ces lignes à nouveau. Vous y découvrirez alors la réponse à votre question. Mais si vous sentez vraiment que vous ne la trouvez pas, alors cherchez vos *propres* réponses. Livrez-vous à votre *propre* conversation. Créez votre *propre vérité*.

Ainsi, vous ferez l'expérience de *Qui Vous Êtes Vraiment*.

21

Je ne veux pas que tu partes !

Je ne m'en vais nulle part. Je suis toujours avec toi. *De toutes les façons.*

S'il te plaît, avant d'arrêter, juste quelques autres questions. Quelques questions finales, pour conclure.

Tu comprends, n'est-ce pas, que tu peux te tourner *vers l'intérieur*, n'importe quand, retourner au siège de l'Éternelle Sagesse, et y trouver tes réponses ?

Oui, je comprends, et je suis reconnaissant du fond du cœur que ce soit ainsi, que la vie ait été créée ainsi, d'avoir toujours cette ressource. Mais cela a fonctionné pour moi. Ce dialogue a été un grand cadeau. Puis-je seulement te poser quelques dernières questions ?

Bien sûr.

Notre monde est-il vraiment en danger ? Notre espèce flirte-t-elle avec l'autodestruction – avec une extinction véritable ?

Oui. Et à moins d'envisager cette très réelle possibilité, vous ne pourrez l'éviter. Car ce à quoi vous résistez persiste. Seul ce dont vous prenez conscience peut disparaître.

Rappelle-toi, aussi, mes propos sur le temps et les événements. Tous les événements que tu peux imaginer – en fait, que tu as imaginés – se déroulent maintenant, dans l'éternel instant. C'est *l'instant sacré.* C'est l'instant qui précède ta prise de conscience. C'est ce qui se produit avant que la Lumière arrive à toi. C'est l'instant présent envoyé à toi, créé par toi, avant même que tu le saches ! Tu appelles cela le « présent ». Et *c'est* un « présent ». C'est le cadeau le plus grandiose que Dieu t'ait offert.

Tu as la capacité de déterminer laquelle, parmi toutes les expériences que tu as jamais imaginées, tu choisis de vivre. *Maintenant.*

Tu l'as dit, et Je commence maintenant à le comprendre, même dans les limites de ma perception. Rien de tout cela n'est « réel », n'est-ce pas ?

Non. Tu vis dans une illusion. C'est un grand spectacle de magie. Et tu fais semblant de ne pas connaître les trucs – même si *tu es le magicien.*

Il est important pour toi de te rappeler cela, sinon tu rendras tout très réel.

Mais ce que je vois, sens et touche semble très réel. Si ce n'est pas cela, la « réalité », qu'est-ce donc ?

Garde à l'esprit que ce que tu regardes, tu ne le « vois » pas vraiment.

Ton cerveau n'est pas la source de ton intelligence. Ce n'est qu'un processeur de données. Il absorbe des données par l'intermédiaire de récepteurs appelés sens. Il interprète cette énergie en formation selon ses données antérieures sur le sujet. Il te dit ce qu'il perçoit, et non *ce qui est vraiment*. En te fondant sur ces perceptions, tu *crois savoir la vérité* sur une chose, alors qu'en fait, tu n'en connais pas la moitié. En réalité, tu crées la vérité que tu connais.

Y compris tout ce dialogue avec Toi.

Assurément.

Je crains que cela ne serve d'arguments à ceux qui affirment : « Il ne parle pas à Dieu. Il invente tout ça. »

Réponds-leur gentiment qu'ils pourraient essayer une autre réponse que celles qu'il faut cocher. Ils pensent « ou bien... ou bien... » Ils pourraient tenter de penser « à la fois... et... »

Tu ne peux comprendre Dieu si tu réfléchis dans les limites actuelles de tes valeurs, de tes concepts et de ta pensée. Si tu veux y arriver, tu dois être prêt à accepter que tu as actuellement *des données limitées*, plutôt que d'affirmer que tu sais tout ce qu'il y a à savoir à ce sujet.

J'attire ton attention sur les paroles de Werner Erhard, qui a déclaré que la véritable clarté ne peut venir que lorsque quelqu'un est prêt à remarquer :

Il y a quelque chose que je ne connais pas, et le fait de le connaître pourrait tout changer.

Il est possible que tu sois à la fois « en train de parler à Dieu » et « en train de tout inventer ».

En effet, voici la vérité la plus grandiose : Tu *inventes tout*.

La vie est LE processus par lequel tout est en train d'être créé. Dieu est l'énergie – l'énergie pure, brute – que tu appelles la vie. Cette prise de conscience nous permet d'atteindre à une nouvelle vérité.

Dieu est un processus.

N'as-tu pas affirmé que Dieu était un collectif, que Dieu est le TOUT ?

C'est bien ce que J'ai dit. Et c'est ce qu'est Dieu. Dieu est aussi le processus par lequel Tout est créé, et il fait l'expérience de lui-même. Je t'ai déjà révélé cela.

Oui. Oui. Tu m'as donné cet élément de sagesse alors que j'écrivais un petit livre intitulé *Re-creating Yourself*.

En effet. Et maintenant, Je le répète ici, afin qu'un public beaucoup

plus large puisse le recevoir.
Dieu est un processus.
Dieu n'est pas une personne, ni un endroit ni une chose. Dieu est exactement ce que tu as toujours cru – sans le comprendre.

Veux-tu répéter ?

Tu as toujours cru que Dieu était l'Être suprême.

Oui.

Et tu avais raison. C'est exactement ce que Je suis. UN ÊTRE. Remarque qu'« être » n'est pas une chose, mais un processus.
Je suis l'Être *Suprême.* C'est-à-dire le Suprême... être.
Je ne suis pas le *résultat* d'un processus : Je *suis* le processus même. Je suis le créateur, et Je suis le processus *par lequel Je suis créé.*
Tout ce que tu vois dans les cieux et sur la terre est moi, *on train d'être créé.* Le processus de création n'est jamais terminé. Il n'est jamais complet. Je n'ai jamais « terminé ». Autrement dit, tout est en change-ment perpétuel. Rien n'est arrêté. Rien – *rien* – n'est dépourvu de mou-vement. Tout est énergie, en mouvement. Dans votre sténo terrestre, vous avez appelé cela « É-motion* » !
Vous êtes la plus grande émotion de Dieu !
Lorsque vous regardez une chose, vous ne regardez pas un « objet » statique qui « est posé là » dans le temps et l'espace. Non ! Vous *êtes témoin d'un événement.* Car tout est en mouvement, en changement, en évolution. *Tout.*
Richard Buckminster Fuller disait : « J'ai l'impression d'être un verbe. » Il avait raison.
Dieu est un événement. Vous avez appelé cet événement *la vie.* La vie est un processus. Ce processus, on peut l'examiner attentivement, le

---

* *Motion* = mouvement. *E-motion* = énergie en mouvement. (N.D.T.)

connaître, le prédire. Plus vous observez, plus de connaissance vous avez, et plus vous pouvez prédire.

C'est difficile à avaler, pour moi. On m'a toujours enseigné que Dieu était l'inchangeable. La seule constante. Celui *qui bouge sans bouger*. C'est dans cette impénétrable vérité absolue sur Dieu que j'ai trouvé ma vérité.

Mais *c'est* la vérité ! L'unique vérité inchangeable est la suivante : *Dieu est toujours changeant.* C'est la *vérité* – et tu *n'y peux rien.* La seule chose qui ne change jamais, c'est que tout est toujours en changement.

La vie est changement. Dieu est la vie.
Par conséquent, Dieu est changement.

Mais je veux croire que l'unique chose qui ne change jamais est l'amour que Dieu nous porte.

Mon amour pour vous est *toujours* changeant, car vous êtes toujours changeants, et Je vous adore *tels que vous êtes.* Pour que Je vous aime tels que vous êtes, l'idée que Je me fais de ce qui est « digne d'amour » doit changer tout comme l'idée que vous vous faites de *qui vous êtes.*

Tu veux dire que tu me trouves digne d'amour même si je décide que *qui je suis* est un meurtrier ?

Nous avons déjà fait le tour de cette question.

Je sais, mais je n'arrive pas à bien saisir !

Personne ne fait rien de mauvais, compte tenu de son modèle du monde. Je t'aime toujours – de toutes les manières. Tu ne pourrais être d'aucune « façon » qui m'inciterait à ne pas t'aimer.

Mais tu vas nous punir, non ? Tu vas nous punir avec amour. Tu vas nous envoyer au tourment éternel, avec de l'amour dans ton cœur et la tristesse d'avoir dû le faire.

Non. Je n'ai aucune tristesse, *jamais,* car Je n'ai aucune « obligation » de faire *quoi que ce soit.* Qui m'y « obligerait » ?

Je ne vous punirai pas, bien que vous puissiez choisir de vous punir vous-mêmes, dans cette vie ou dans une autre, jusqu'à ce que vous ne le fassiez plus. Je ne vous punirai pas, car Je n'ai reçu ni tort ni blessure – et parce que vous ne pouvez blesser ni faire de tort à aucune partie de moi, que *vous êtes tous.*

L'un de vous peut choisir de se sentir blessé ou heurté, mais lorsqu'il retournera au royaume éternel, il verra qu'on ne lui a fait aucun tort. Ainsi, il pardonnera à ceux qu'il a imaginés lui faire du tort, car il aura compris le grand plan.

Quel est ce grand plan ?

Te rappelles-tu la parabole de *La Petite Âme et le Soleil,* dans le tome 1 ?

Oui.

Cette parabole a une seconde moitié. La voici :

« Tu peux choisir d'être une partie de Dieu, n'importe laquelle, celle que tu veux, ai-Je dit à la Petite Âme. Tu es l'absolue divinité qui fait l'expérience d'elle-même. De quel aspect de la divinité veux-tu maintenant faire l'expérience ? »

« Tu veux dire que j'ai le choix ? » demanda la Petite Âme. Et J'ai répondu : « Oui. Tu peux faire l'expérience de n'importe quel aspect de la divinité, en toi, en tant que toi et par ton intermédiaire. »

« D'accord, poursuit la Petite Âme, je choisis alors le pardon. Je veux faire l'expérience de moi-même en tant que cet aspect de Dieu appelé pardon complet. »

Alors, ça a créé un petit défi, comme tu peux l'imaginer.

Il n'y avait *personne à qui pardonner*. Tout ce que J'ai créé est Perfection et Amour.

« Personne à qui pardonner ? » demanda la Petite Âme, quelque peu incrédule.

« Personne, répétai-je. Regarde autour de toi. Vois-tu des âmes moins parfaites, moins merveilleuses que toi ? »

Là-dessus, la Petite Âme se retourna et fut surprise de se voir entourée de toutes les Âmes du ciel. Elles étaient venues des régions les plus éloignées du Royaume, car elles avaient entendu dire que la Petite Âme avait une extraordinaire *conversation avec Dieu*.

« Je n'en vois aucune qui soit moins parfaite que moi ! s'exclama la Petite Âme. À qui, alors, devrai-je pardonner ? »

À ce moment même, une autre âme se détacha de la foule. « Tu peux me pardonner », dit cette âme sympathique.

« D'avoir fait quoi ? » demanda la Petite Âme.

« Je viendrai dans ta prochaine vie physique et ferai quelque chose que tu auras à me pardonner », répondit l'Âme sympathique.

« Mais quoi ? Qu'est-ce qu'un être d'une Lumière si parfaite comme toi pourrait faire pour que je veuille lui pardonner ? » voulut demander la Petite Âme.

« Oh ! répondit l'Âme sympathique en souriant, je suis certaine que nous pourrons trouver quelque chose. »

« Mais pourquoi ferais-tu cela ? » La Petite Âme ne pouvait imaginer pourquoi un être d'une telle perfection voudrait ralentir sa vibration au point de pouvoir faire quelque chose de « mauvais ».

« C'est simple, expliqua l'Âme sympathique, je le ferais parce que je t'aime. Tu veux faire l'expérience de toi-même en tant que pardon, n'est-ce pas ? Et puis, tu as fait la même chose pour moi. »

« Vraiment ? » demanda la Petite Âme.

« Bien sûr. Tu ne te rappelles pas ? Nous avons été tout cela, toi et moi. Nous en avons été le haut et le bas, et la gauche et la droite. Nous en avons été l'ici et le là, et le maintenant et le alors. Nous en avons été le grand et le petit, le mâle et la femelle, le bon et le mauvais. Nous avons été *tout cela.*

« Et nous l'avons fait *selon un accord* pour que chacun de nous puisse faire l'expérience de soi en tant que la partie la plus grandiose de Dieu. Car nous avons compris que...

« *Faute de ce que tu n'es pas, ce que tu es, n'est PAS.*

« Faute de "froid", tu ne peux avoir de "chaleur". Faute de "tristesse", tu ne peux te sentir "heureux", faute de "mal", l'expérience que tu appelles "bien" ne peut exister.

Si tu choisis d'être une chose, *quelque chose ou quelqu'un de contraire à cela doit apparaître quelque part dans ton univers* pour rendre cela possible. »

L'Âme sympathique expliqua alors que ces gens sont les anges spéciaux de Dieu, et ces circonstances, les cadeaux de Dieu.

« Je ne demande qu'une chose en retour », déclara l'Âme sympathique.

« N'importe quoi ! *N'importe quoi !* » s'écria la Petite Âme. À présent, elle était excitée à l'idée de savoir qu'elle pouvait faire l'expérience de chaque aspect divin de Dieu. Elle comprenait le plan.

« À l'instant où je te frappe et te châtie, dit l'Âme sympathique, à l'instant où je te fais le pire que tu puisses imaginer – à ce même instant... *rappelle-toi qui je suis vraiment.* »

« Oh ! je n'oublierai pas, promit la Petite Âme. Je te verrai dans la perfection dans laquelle je te tiens maintenant et me rappellerai *qui tu es*, toujours. »

C'est... une histoire extraordinaire, une parabole incroyable.

Et la promesse de la Petite Âme est la promesse que je te fais. Voilà ce qui ne change pas. Mais as-tu, ma Petite Âme, respecté cette promesse avec les autres ?

Non. Je me sens triste de reconnaître que non.

Ne sois pas triste. Sois heureux de remarquer ce qui est vrai, et sois joyeux dans ta décision de vivre une nouvelle vérité.

Car Dieu est une oeuvre en cours, et toi aussi. Et rappelle-toi toujours ceci :

Si tu te voyais comme Dieu te voit, tu sourirais beaucoup.

Alors, va, maintenant, et voyez-vous les uns les autres comme Qui Vous Êtes Vraiment.

Observez. Observez. OBSERVEZ.

Je te l'ai dit – la différence majeure entre toi et les êtres hautement évolués, c'est que ces derniers *observent davantage.*

Si tu veux augmenter la rapidité à laquelle tu évolues, *cherche à observer davantage.*

En soi, c'est une merveilleuse observation.

ET j'aimerais que tu observes à présent que toi aussi tu es un événement. Tu es un être... humain. Tu es un processus. Et tu es, à tout « moment » donné, le produit de ton processus.

Tu es le créateur et le créé. Je te répète ces choses à maintes reprises, dans ces quelques derniers moments de notre rencontre, afin que tu *les entendes*, que tu les comprennes.

À présent, ce processus que nous sommes, toi et moi, est éternel. Il s'est toujours déroulé, se déroule sans cesse et se déroulera encore. Il n'a besoin d'aucune « aide » de ta part pour se dérouler. Il arrive « automatiquement ». Et, lorsqu'il est laissé à lui-même, il se déroule *à la perfection*.

Un autre proverbe a été inséré dans votre culture par Werner Erhard : « La vie se résout dans le processus de la vie même. »

Certains mouvements spirituels l'expriment ainsi : « Abandonne-toi et le Ciel t'aidera*. » C'est une bonne façon de comprendre.

---

* *Let go and let God.*

Si tu abandonnes, tu te seras écarté de la *voie*. La « voie » est le processus appelé la vie même. Voilà pourquoi tous les maîtres ont dit : « Je suis la vie et la voie. » Ils ont compris à la perfection ce que Je viens de dire. Ils *sont* la vie, et ils *sont* la voie – l'événement en cours. Le processus.

Tout ce que la sagesse exige de ta part, c'est de faire confiance au processus. C'est-à-dire *faire confiance à Dieu*. Ou, si tu veux, à *te faire confiance*, puisque tu es Dieu.

Rappelle-toi, nous ne faisons qu'Un.

Comment puis-je « faire confiance au processus » lorsque le « processus » – la vie – m'apporte sans cesse des choses que je n'aime pas ?

Aime les choses que la vie continue de t'apporter !
Sache et comprends que c'est toi qui te les apportes à toi-même.
VOIS LA PERFECTION.

Vois-la en tout, pas seulement dans les choses que tu qualifies de parfaites. Je t'ai soigneusement expliqué, dans cette trilogie, pourquoi les choses se produisent comme elles le font, et comment. Tu n'as pas besoin de relire ces passages – bien que cela peut t'être utile de les relire souvent, jusqu'à ce que tu les comprennes à fond.

S'il te plaît – seulement sur ce point – donne-moi un résumé. S'il te plaît. Comment puis-je « voir la perfection » de quelque chose qui, d'après mon expérience, n'est pas du tout parfait ?

Personne ne peut créer ton expérience de quoi que ce soit.
D'autres êtres peuvent cocréer les circonstances extérieures et les événements de la vie que vous vivez en commun, et *ils le font*, mais la seule chose que personne d'autre ne peut faire, c'est de t'amener à faire l'expérience de *QUOI QUE CE SOIT* sans que tu ne l'aies choisi.

En cela, tu es un être suprême. Et personne – PERSONNE – ne peut te dire « comment *être* ».

Le monde peut te présenter des circonstances, mais toi seul décides du sens de ces circonstances.
Rappelle-toi la vérité que Je t'ai donnée il y a longtemps.
Rien n'a d'importance.

Oui. Je ne suis pas sûr de l'avoir pleinement comprise à l'époque. Cela m'est venu en 1980, au cours d'une expérience de décorporation. Je m'en souviens clairement.

Et que te rappelles-tu ?

Que j'étais confus au départ. Comment se pouvait-il que « rien n'ait d'importance » ? Où serait le monde, où serais-je, moi, si rien n'avait aucune importance ?

Quelle réponse as-tu trouvée à cette très pertinente question ?

J'ai « saisi » que rien n'avait d'importance intrinsèque, en soi et par soi-même, mais que j'ajoutais du sens aux événements et, ainsi, faisais en sorte qu'ils aient de l'importance. J'ai compris cela à un niveau métaphysique très élevé, également, et j'ai ressenti une intuition énorme ayant trait au processus même de la création.

Et l'intuition ?

J'ai « saisi » que tout est énergie et que l'énergie se transformait en « matière » – c'est-à-dire en « choses » et en « événements » physiques – selon mon point de vue. J'ai compris, alors, que « rien n'a d'importance » signifie que rien ne devient matière*, sauf lorsque nous le choisissons. Puis, j'ai oublié cette intuition pendant plus de dix ans, jusqu'à ce que tu me la ramènes à nouveau au cours de ce dialogue.

---

* *Matter* = matière. *To matter* = avoir de l'importance. (N.D.T.)

Tout ce que Je t'ai apporté dans ce dialogue, tu le savais déjà. Je te l'ai donné auparavant, en entier, à travers d'autres êtres que Je t'ai envoyés, ou dont je t'ai apporté les enseignements. Il n'y a rien de neuf ici, et tu n'as rien à apprendre. Tu n'as qu'à te rappeler.

Ta façon de comprendre que « rien n'a d'importance » est riche et profonde, et te sert bien.

Je m'excuse. Je ne peux laisser se terminer ce dialogue sans souligner une contradiction flagrante.

Qui est... ?

À maintes reprises, tu m'as enseigné que ce que nous appelons le « mal » existe afin que nous ayons un contexte à l'intérieur duquel faire l'expérience du « bien ». Selon tes propos, l'expérience de *ce que je suis* ne peut se produire s'il n'y a pas quelque chose que *je ne suis pas*. Autrement dit, pas de « chaleur » sans le « froid », pas de « haut » sans le « bas », et ainsi de suite.

C'est vrai.

Tu as même utilisé ces notions pour m'expliquer comment je pouvais considérer chaque « problème » comme une bénédiction et chaque criminel, comme un ange.

C'est aussi vrai.

Comment se fait-il alors que chaque description de la vie des êtres hautement évolués ne contienne presque aucun « mal » ? Tout ce que tu as décrit, c'est le paradis !

Oh ! Bien. Très bien. Tu penses vraiment tout cela ?

En réalité, c'est Nancy qui a soulevé cette interrogation. Elle m'écoutait lui lire une partie du contenu à voix haute, quand elle a fait ce commentaire : « Je pense que tu dois poser une question là-dessus avant la fin du dialogue. Comment les EHE font-ils l'expérience d'eux-mêmes en tant que *qui ils sont vraiment*, s'ils ont éliminé tout l'aspect négatif de leurs vies ? » J'ai trouvé que c'était là une bonne question. En fait, ça m'a arrêté net. Et je sais ! Tu viens de dire que nous n'avions plus besoin d'aucune question, mais je crois que tu dois répondre à celle-ci.

D'accord. Une réponse pour Nancy, alors. En fait, c'est l'une des meilleures questions contenues dans ce livre.

(Hum !)

Eh bien, c'est vrai... Je suis étonné que tu n'aies pas remarqué cela quand nous avons parlé des EHE. Je suis surpris que tu n'y aies pas songé.

J'y ai songé.

Vraiment ?

Nous ne faisons tous qu'Un, non ? Eh bien, la part de moi qui est Nancy y a songé !

Ah, c'est excellent ! Et, bien entendu, c'est vrai.

Alors, ta réponse ?

Je vais revenir à mon affirmation originale.
Faute de ce que tu n'es pas, ce que tu es n'est pas.
En d'autres termes : faute de froid, tu ne peux connaître l'expérience appelée chaleur. Faute de haut, l'idée de « bas » est un concept vide et insensé.
C'est une vérité de l'univers. En fait, elle explique pourquoi l'univers est comme il *est*, avec son froid et sa chaleur, ses hauts et ses bas, et,

oui, son « bien » et son « mal ».

Mais sache ceci : *Tu es en train de tout inventer.* Tu es en train de décider ce qui est « froid » et ce qui est « chaud », ce qui est « haut » et ce qui est « bas ». (Sors dans l'espace et tu verras disparaître tes définitions !) Tu es en train de décider ce qui est « bien » et ce qui est « mal ». Et tes idées à propos de toutes ces notions ont changé au cours des années – même à travers les saisons. Par une journée d'été, une température de cinq degrés Celsius te semblerait « froide ». Au milieu de l'hiver, cependant, tu dirais : « Ah ! quelle journée chaude ! »

L'univers te fournit tout simplement un *champ d'expérience* – ce qu'on pourrait appeler une *gamme de phénomènes objectifs*. Toi seul décides de l'étiquette à leur accoler.

L'univers est tout un système de phénomènes physiques semblables. Et l'univers est énorme. Vaste. Incommensurablement gigantesque. *Infini,* en fait.

Alors, voici un grand secret : *Il n'est pas nécessaire qu'un état contraire existe juste à côté pour fournir un champ contextuel au sein duquel la réalité que tu choisis pourra être vécue.*

La distance entre les contrastes n'est aucunement pertinente. L'univers entier fournit le champ contextuel au sein duquel existent tous les éléments contrastants et au sein duquel toutes les expériences sont rendues possibles. Voilà le but de l'univers. C'est sa fonction.

Mais si je n'ai jamais fait l'expérience du « froid » en personne et que je constate tout simplement qu'il fait « froid » ailleurs, très loin de moi, comment saurai-je ce qu'est le « froid » ?

Tu as vraiment fait l'expérience du « froid ». Tu as fait l'expérience de *tout*. Si ce n'est pas dans cette vie-ci, c'est dans la précédente. Ou dans l'autre avant. Ou dans l'une des nombreuses autres. Tu as *vraiment* fait l'expérience du « froid ». Et du « grand » et du « petit », et du « haut » et du « bas », et de l'« ici » et du « là », et de chaque élément de contraste qui existe. Et ils sont gravés dans ta mémoire.

Tu n'as pas à en faire à nouveau l'expérience si tu ne le veux pas. Tu n'as qu'à te les rappeler – qu'à savoir qu'ils existent – afin d'invoquer la loi universelle de la relativité.

Vous *tous*. Vous avez tous fait l'expérience de chaque chose. Il en va ainsi de tous les êtres de l'univers, non seulement des humains.

Non seulement avez-vous fait l'expérience de chaque chose, mais vous *êtes* chaque chose. Vous êtes TOUT CELA.

Vous êtes ce dont vous faites maintenant l'expérience. En effet, vous *provoquez* l'expérience.

Je ne suis pas certain de comprendre tout à fait.

Je suis sur le point de te l'expliquer en termes mécaniques. Ce que Je veux t'amener à comprendre, c'est qu'à présent, tu ne fais que te rappeler tout ce que tu es et à choisir la portion dont tu préfères faire l'expérience en cet instant, en cette vie, sur cette planète, sous cette forme physique.

Mon Dieu ! c'est tellement simple à t'entendre !

C'est simple. Tu t'es toi-même séparé du corps de Dieu, du Tout, du collectif, et tu es en train de te rappeler à ce corps. C'est le processus appelé « r-appel ».

En te « r-appelant », tu te redonnes à toi-même toutes les expériences de *qui tu es*. C'est un cycle. Tu le refais sans cesse et tu appelles cela « l'évolution ». Tu dis que tu « évolues ». En réalité, tu tournes* ! Tout comme la Terre tourne autour du Soleil. Tout comme la galaxie tourne autour de son centre.

Tout tourne.

La révolution est le mouvement fondamental de toute vie. L'énergie vitale tourne. C'est ce qu'elle fait. Tu es dans un mouvement vraiment révolutionnaire.

---

* *Evolve* = évoluer. *Re-volve* = tourner. (N.D.T.)

Comment fais-tu cela ? Comment arrives-tu à toujours trouver les mots qui clarifient tout ?

C'est toi qui clarifies. Tu l'as fait en nettoyant ton « récepteur ». Tu as filtré les parasites. Tu es entré dans une nouvelle volonté de connaître. Cette nouvelle volonté va tout changer, pour toi et pour ton espèce. Car dans ta nouvelle volonté, tu es devenu un véritable révolutionnaire – et la plus grande révolution spirituelle de votre planète ne fait que commencer.

Il vaut mieux qu'elle se dépêche. Nous avons besoin d'une tout autre spiritualité, maintenant. Nous sommes en train de créer une incroyable misère tout autour de nous.

C'est que même si tous les êtres vivants ont déjà vécu toutes les expériences contrastantes, certains *ne le savent pas*. Ils ont oublié et ne sont pas encore arrivés à se rappeler intégralement.

Pour les êtres hautement évolués, il en va autrement. Ils n'ont pas besoin d'être directement confrontés à la « négativité », dans leur propre monde, pour savoir à quel point leur civilisation est « positive ». Ils sont « nettement conscients » de *qui ils sont* sans devoir créer de la négativité pour le prouver. Les EHE remarquent tout simplement qui *ils ne sont pas* en l'observant ailleurs dans le champ contextuel.

Votre planète, en fait, constitue l'une de celles vers lesquelles se tournent les êtres hautement évolués qui cherchent un champ contrastant.

Ce faisant, ils se rappellent comment c'était lorsqu'ils ont fait l'expérience de ce dont vous faites à présent l'expérience, et ainsi, ils ont formé un champ de référence continu à travers lequel ils peuvent connaître et comprendre ce dont ils font à présent l'expérience.

Comprends-tu, maintenant, pourquoi les EHE n'ont pas besoin de « mal » ni de « négativité » dans leur propre société ?

Oui. Mais alors, pourquoi en avons-nous besoin dans la nôtre ?

Vous *N'EN AVEZ PAS BESOIN.* C'est ce que je t'ai expliqué tout au long de ce dialogue.

Vous devez *vraiment* vivre dans un champ contextuel dans lequel *ce que vous n'êtes pas* existe, afin de faire l'expérience de *ce que vous êtes.* C'est la Loi universelle, et vous ne pouvez l'éviter. Mais vous vivez dans un tel champ, maintenant. Vous n'avez pas à en créer un. Le champ contextuel dans lequel vous vivez s'appelle l'univers.

Vous n'avez pas à créer un plus petit champ contextuel dans votre propre cour arrière.

Cela signifie que vous pouvez tout de suite transformer la vie sur votre planète et *éliminer tout ce que vous n'êtes pas,* sans mettre en danger, d'aucune façon, votre capacité de connaître et de faire l'expérience de *ce que vous êtes.*

Sensass ! C'est la plus grande révélation de ce livre ! Quelle façon de le terminer ! Alors, je n'ai pas à continuer d'invoquer le *contraire* afin de créer et de faire l'expérience de la prochaine version la plus grandiose de la plus grande vision que j'aie jamais eue de *qui je suis* !

C'est ça. C'est ce que Je te dis depuis le début.

Mais tu ne l'as pas expliqué de cette façon !

Tu ne l'aurais pas compris jusqu'à maintenant.

Tu n'as *pas* à créer le contraire de *qui tu es* et de *ce que tu choisis* pour en faire l'expérience. Tu n'as qu'à observer ce qui a déjà été créé – ailleurs. Tu n'as qu'à te rappeler que cela existe. C'est le fruit de « l'Arbre de la connaissance du bien et du mal » qui, je te l'ai déjà expliqué, n'était pas une malédiction, ni le péché originel, mais ce que Matthew Fox a appelé la *Bénédiction originelle.*

Et pour te rappeler qu'il existe, pour te rappeler que tu en as fait l'expérience avant – tout ce qui est – sous la forme physique... tu n'as qu'à lever les yeux.

Tu veux dire « tourner les yeux vers l'intérieur » ?

Non, Je veux dire *exactement ce que J'ai dit*. LÈVE LES YEUX. Regarde les étoiles. Regarde les cieux. OBSERVE LE CHAMP CONTEXTUEL.
Je te l'ai déjà dit, tout ce que vous avez à faire pour devenir des êtres hautement évolués, c'est augmenter vos *capacités d'observation*. Voir « ce qui est », puis faire « ce qui fonctionne ».

Ainsi, en regardant ailleurs dans l'univers, je peux voir comment les choses se passent ailleurs et je peux utiliser ces éléments contrastants pour me faire une idée de *qui je suis* ici et maintenant.

Oui. Cela s'appelle « se rappeler ».

Eh bien, pas exactement. Cela s'appelle « observer ».

Qu'observes-tu, selon toi ?

La vie sur d'autres planètes. Dans d'autres systèmes solaires, d'autres galaxies. Je suppose que si nous pouvions rassembler suffisamment d'appareils, c'est ce que nous pourrions observer. C'est, j'imagine, ce que les EHE ont la capacité d'observer maintenant, étant donné leur avance technologique. Tu as dit toi-même qu'ils sont en train de *nous* observer, ici, sur Terre. Alors, c'est ce que nous serions en train d'observer.

Mais que seriez-vous en train d'observer, *en réalité* ?

Je ne comprends pas ta question.

Alors, Je vais te donner la réponse.
Vous êtes en train d'observer votre propre passé.

Quoi ? ? ?

Lorsque tu lèves les yeux, tu vois les étoiles – telles qu'elles étaient il y a des centaines, des milliers, des millions d'années-lumière. Ce que tu vois n'est *pas vraiment là*. Tu vois ce qui était là. Tu vois le passé. Et c'est un passé auquel *tu as participé*.

Répète ! ! !

Tu étais là, *en train de faire l'expérience* de ces choses, de faire ces choses.

Moi ?

Ne t'ai-Je pas affirmé que tu avais vécu bien des vies ?

Oui, mais... et si je devais retourner à l'un de ces endroits, à tant d'années-lumière ? Et si j'avais la capacité de m'y rendre vraiment ? D'être là « maintenant », à l'instant même que je suis incapable de « voir » de la Terre avant des centaines d'années-lumière ? Que verrais-je, alors ? Deux « moi » ? Tu veux dire que je me verrais alors moi-même, existant en *deux endroits à la fois* ?

Bien sûr ! Et tu découvrirais ce que Je t'ai dit tout ce temps – que le temps n'existe pas et que tu ne vois pas du tout « le passé » ! Que tout est en train d'arriver MAINTENANT.

Tu es aussi, « maintenant », en train de vivre des vies dans ce qui, en temps terrestre, serait ton futur. C'est la distance entre tes nombreux « Soi » qui « te » permet de faire l'expérience d'identités distinctes et de « moments dans le temps ».

Ainsi, le « passé » que tu te r-appelles et le futur que tu verrais constituent le « maintenant » qui EST tout simplement.

Ouf ! C'est incroyable.

Oui, et c'est aussi vrai à un autre niveau. C'est comme Je te l'ai déjà dit : *il n'y a qu'Un de nous*. Alors, quand tu lèves les yeux vers les étoiles, tu vois ce que tu appellerais NOTRE PASSÉ.

Je ne peux pas te suivre !

Accroche-toi. J'ai autre chose à ajouter.

Tu es *toujours* en train de voir ce que, selon tes termes, tu qualifierais de « passé », même quand tu regardes ce qui est droit devant toi.

Moi ?

Il est impossible de voir le présent. Le présent « surgit », puis se transforme en un jaillissement de lumière formé par l'énergie qui se disperse, et cette lumière atteint tes récepteurs, tes yeux, mais il lui faut du temps pour y arriver.

Durant tout le temps que la lumière met à t'atteindre, la vie *continue, avance*. L'événement suivant est en train de se produire pendant que la lumière du dernier événement est en train de t'atteindre.

Le jaillissement d'énergie parvient à tes yeux, et tes récepteurs envoient ce signal à ton cerveau, qui interprète les données et te dit ce que tu vois. Mais ce n'est pas du tout ce qui se trouve maintenant devant toi. C'est ce que tu *crois* voir. En d'autres termes, tu penses à ce que tu as vu en te disant ce qui est et en décidant comment tu vas le nommer, alors que ce qui est en train d'arriver « maintenant » précède ton processus, et l'attend.

Pour simplifier : *Je suis toujours à un pas devant toi.*

Mon Dieu, c'est *incroyable !*

Maintenant, *écoute*. Plus tu mets de *distance* entre toi-même et le lieu physique de tout événement, plus *cet événement recule dans le « passé »*. Situe-toi à quelques années-lumière plus loin, et tu verras que tu es en train de regarder ce qui s'est passé il y a très très longtemps.

Mais ce n'est *pas* arrivé « il y a longtemps ». Seule la distance physique a créé l'illusion du « temps » et t'a permis de faire l'expérience de toi-même comme étant à la fois « ici, maintenant », alors que tu es « là-bas » !

Un jour, tu constateras que ce que tu appelles le temps et l'espace représentent *la même notion.*

Et *tu verras que tout est en train d'arriver ici, maintenant.*

C'est... c'est... fou. Je veux dire : je ne sais pas quoi penser de tout ça.

Quand tu comprendras ce que Je t'ai dit, tu comprendras aussi que *rien de ce que tu vois n'est réel.* Tu perçois l'image de ce qui a jadis été un événement, mais même cette image, ce jaillissement d'énergie, est quelque chose que tu interprètes. Et ta vision personnelle de cette image s'appelle ton « image-ination ».

Et tu peux utiliser ton imagination pour *tout* créer. Car – et voici le plus grand secret de tous – ton imagination *fonctionne dans les deux sens.*

Pardon ?

Non seulement tu *interprètes* l'énergie, mais tu *la crées* aussi. L'imagination est une fonction de ton esprit, qui est le tiers de ton être divisé en trois parties. Dans ton esprit, tu imagines une chose, et elle commence à prendre une forme physique. Plus tu l'imagines longtemps (et plus tu y ajoutes de l'intensité), plus cette forme devient physique, jusqu'à ce que l'énergie croissante que tu lui as donnée jaillisse littéralement dans la lumière en projetant une image d'elle-même dans ce que tu appelles ta réalité.

Alors, tu « vois » l'image et, une fois de plus, tu « décides ce qu'elle est ». Ainsi, le cycle continue. C'est ce que J'ai appelé le processus.

C'est ce que TU ES. TU ES ce processus.

C'est ce que Dieu EST. Dieu EST ce processus.

C'est ce que J'entendais lorsque J'ai dit que tu es *à la fois le Créateur et le Créé.*

J'ai maintenant tout rassemblé pour toi. Nous sommes en train de conclure ce dialogue, et Je t'ai expliqué la mécanique de l'univers, le secret de toute vie.

Je suis... renversé. Je suis... sidéré. Maintenant, je veux trouver un moyen d'appliquer tout cela dans ma vie quotidienne.

Tu *es* en train de le faire. Tu ne peux t'en empêcher. C'est ce qui est en train de se passer. Il s'agit uniquement de voir si tu l'appliqueras *consciemment ou inconsciemment*, si tu es l'effet du processus, ou si tu en es la cause. En tout, sois *la cause*.

Les enfants comprennent cela parfaitement. Demande à l'un d'eux : « Pourquoi as-tu fait ça ? » et il te répondra : « Juste parce que*. »

C'est là l'unique raison de faire quoi que ce soit.

C'est ahurissant ! C'est une course ahurissante vers une conclusion ahurissante de cet ahurissant dialogue.

La manière la plus significative dont tu pourrais employer consciemment ta *nouvelle intelligence* serait d'être la *cause* de ton expérience, et non son effet. Et sache que tu n'as pas à créer le contraire de *qui tu es* dans ton espace personnel ou ton expérience propre afin de savoir *qui tu es* et *qui tu choisis d'être,* et d'en faire l'expérience.

Armé de cette connaissance, tu peux changer ta vie et transformer ton monde.

Et c'est la vérité que Je suis venu partager avec vous tous.

Ouf ! Terrible ! Je l'ai. *Je l'ai !*

Bien. Maintenant, sache que trois principes de sagesse fondamentaux traversent tout ce dialogue. Les voici :
1. Nous ne faisons tous qu'Un.
2. Il y en a assez.
3. Nous n'avons rien à faire.

* *Just because* = *be cause* = sois la cause. (N.D.T.)

Si vous décidiez « nous ne faisons tous qu'Un », vous cesseriez de vous traiter mutuellement comme vous le faites.

Si vous décidiez « il y en a assez », vous partageriez tout avec tout le monde.

Si vous décidiez « nous n'avons rien à faire », vous cesseriez d'essayer d'utiliser « le fait d'accomplir » comme solution à vos problèmes et passeriez plutôt à un état d'être permettant de faire disparaître votre expérience de ces « problèmes » et ainsi évaporer les conditions mêmes de cette expérience.

C'est peut-être la vérité la plus importante de toutes que vous ayez à comprendre à ce stade de votre évolution, et c'est un bon moment pour terminer ce dialogue. Rappelle-toi toujours cela, et fais-en ton mantra :

Je n'ai rien à posséder, je n'ai rien à faire, et rien que je doive être, sinon ce que je suis maintenant.

Cela ne signifie aucunement qu'il faut éliminer « avoir » et « faire » de ta vie. Cela veut dire que ce que tu possèdes ou fais jaillira de ton être – au lieu de t'y mener.

Lorsque tu agis à partir du « bonheur », tu fais certaines choses parce que tu es heureux – par opposition au vieux paradigme selon lequel tu faisais des choses qui, tu l'espérais, te rendraient heureux.

Lorsque tu viens de la « sagesse », tu accomplis certaines choses parce que tu es sage, et non parce que tu essaies d'atteindre à la sagesse.

Lorsque tu viens de « l'amour », tu fais certaines choses parce que tu es amour, et non parce que tu veux recevoir de l'amour.

Tout change, tout fait volte-face, quand tu viens du « fait d'être » plutôt que de chercher à « être ». Tu ne peux pas « faire » ton chemin vers « l'être ». Si tu essaies d'« être » heureux, d'être sage, d'être amour – ou d'être Dieu –, tu ne peux « y arriver » par le fait d'accomplir. Et pourtant, il est vrai que tu accompliras des choses merveilleuses à partir du moment où tu « y arriveras ».

Voici la divine dichotomie. La façon d'« y arriver », c'est d'« être là ». *Sois seulement où tu choisis d'arriver !* C'est aussi simple que cela.

Il n'y a rien à faire. Tu veux être heureux ? *Sois heureux.* Tu veux être sage ? *Sois sage.* Tu veux être amour ? *Sois amour.*
De toute façon, c'est *qui tu es.*
Tu es mon bien-aimé.

Oh ! Je viens d'en perdre le souffle ! Tu as une façon si extraordinaire d'énoncer les choses.

C'est la vérité qui est éloquente. La vérité a une élégance qui réveille le coeur en sursaut.

C'est ce qu'ont fait ces *Conversations avec Dieu.* Elles ont touché le coeur de la race humaine, et l'ont réveillé.

Maintenant, elles t'amènent à des questions cruciales ; des questions que l'humanité entière doit se poser : « Pouvez-vous, et allez-vous, créer un nouveau récit culturel ? Pouvez-vous, et allez-vous, créer un nouveau premier mythe culturel sur lequel tous les autres mythes seront fondés ? La race humaine est-elle intrinsèquement bonne, ou intrinsèquement mauvaise ? »

Voilà le carrefour auquel vous êtes arrivés. L'avenir de la race humaine dépend de la direction que vous voulez prendre.

Si vous et votre société croyez que vous êtes intrinsèquement bons, vous prendrez des décisions et créerez des lois qui confirmeront la vie et qui seront constructives. Si vous et votre société croyez que vous êtes intrinsèquement mauvais, vous prendrez des décisions et créerez des lois qui nieront la vie et qui seront destructives.

Les lois qui mettent l'emphase sur la vie sont des lois vous permettant d'être, de faire et d'avoir ce que vous voulez. Les lois qui nient la vie sont des lois vous empêchant d'être, d'accomplir et d'avoir ce que vous voulez.

Ceux qui croient au péché originel et au fait que la nature inhérente de l'homme est le *mal* prétendent que Dieu a créé des lois qui vous empêchent de réaliser ce que vous voulez – et font la promotion de lois (en nombre infini) cherchant à faire de même.

Ceux qui croient à la Bénédiction originelle et au fait que la nature inhérente de l'homme est *bonne* proclament que Dieu a créé les lois naturelles qui vous permettent de faire comme vous voulez – et font la promotion de lois humaines qui cherchent à faire de même.

Quel est votre point de vue sur la race humaine ? Et sur vous-mêmes ? Abandonnés à vos propres procédés, vous estimez-vous capables d'assumer la confiance des autres ? En tout ? ET les autres ? De quelle façon les jugez-vous ? Jusqu'à ce qu'ils se révèlent à vous d'une façon ou d'une autre, quelles sont vos présuppositions fondamentales ?

Maintenant répondez à cela : Vos présuppositions encouragent-elles votre société à échouer, ou à faire une percée ?

Je considère mon être comme étant digne de confiance. Je ne l'ai jamais fait auparavant, mais maintenant, oui. Je suis devenu digne de confiance parce que j'ai modifié mes idées sur le genre de personne que je suis. Aussi, je sais exactement ce que Dieu veut et ce que Dieu ne veut pas. J'ai compris tout à fait *qui tu es.*

Ces *Conversations avec Dieu* ont joué un rôle immense dans ce changement, en le rendant possible. Dès lors, je vois dans la société ce que je vois en moi-même – non pas quelque chose qui échoue, mais quelque chose qui fait une percée. Je contemple une culture humaine qui, enfin, s'éveille à son héritage divin, consciente de son divin dessein et de plus en plus consciente de son Soi divin.

Si tel est ce que tu vois, c'est ce que tu vas créer. Jadis, tu étais perdu, et maintenant, tu t'es retrouvé. Tu étais aveugle, mais aujourd'hui, tu vois. Et cette grâce a été vraiment étonnante.

Tu t'es parfois séparé de moi dans ton coeur, mais maintenant, Nous sommes à nouveau réunis et pouvons l'être à jamais. Car ce que tu as rassemblé, personne d'autre que toi ne peut le réduire en morceaux.

Rappelle-toi ceci : Tu es toujours une partie de Dieu, car tu n'es jamais séparé de Dieu.

C'est la vérité de ton être. Nous sommes entiers. Maintenant, tu connais toute la vérité.

Cette vérité a été une nourriture pour l'âme affamée. Prends-la, et nourris-toi d'elle. Le monde a été assoiffé de cette joie. Prends-la, et apaise ta soif. Fais-le en souvenir de moi.

Car la vérité est le corps, et la joie le sang, de Dieu, qui est amour.

Vérité.

Joie.

Amour.

Voilà trois qualités interchangeables. L'une mène aux autres, et peu importe dans quel ordre elles apparaissent, toutes mènent à moi. *Toutes sont moi.*

Je termine ce dialogue comme il a commencé. Comme avec la vie même, le cercle est complet. Ici, tu a reçu de la vérité, de la joie et de l'amour. Ici, tu as reçu les réponses aux plus grands mystères de la vie. Une seule question subsiste. C'est la question par laquelle nous avons commencé.

Et cette question n'est pas : «À qui Je parle ?» mais «Qui écoute ?»

Merci. Merci de t'être adressé à nous tous. Nous t'avons entendu, et nous écouterons. Je t'aime. Et alors que ce dialogue se termine, je suis vraiment rempli de vérité, de joie et d'amour. Je suis rempli de toi. Je sens mon unité avec Dieu.

Ce lieu d'unité est le ciel.

Tu y es, maintenant.

Tu n'en as jamais été absent, car tu n'es jamais séparé de moi.

C'est ce que Je voudrais te faire savoir. C'est ce que j'aimerais que tu retires, enfin, de cette conversation.

Et voici mon message, le message que j'aimerais laisser au monde :

Mes enfants, qui êtes aux cieux, votre nom est sanctifié. Votre règne est arrivé et votre volonté est faite, sur la Terre comme au ciel.

Vous recevez aujourd'hui votre pain quotidien, et vous recevez le pardon pour vos dettes et vos offenses, tout comme vous avez pardonné à ceux qui vous ont offensés.

Ne menez pas votre Soi en tentation, mais délivrez votre Soi des maux que vous avez créés.

Car à vous le royaume, le pouvoir et la gloire, à jamais.

Amen.

Et amen.

Va, maintenant, et transforme ton monde. Va, maintenant, et sois ton Soi le plus élevé. Tu comprends, maintenant, tout ce que tu as besoin de comprendre. Tu sais, maintenant, tout ce que tu as besoin de savoir. Tu es, maintenant, tout ce que tu as besoin d'être.

Tu n'as jamais été rien de moins. Tu ne le savais tout simplement pas. Tu ne te rappelais pas.

Maintenant, tu te souviens. Cherche à porter ce souvenir. Cherche à le partager avec tous ceux dont tu touches la vie. Car ta destinée est plus grandiose que tu ne pourrais jamais l'imaginer.

Tu es venu dans la pièce pour guérir la pièce. Tu es venu dans l'espace pour guérir l'espace.

Tu n'as pas d'autre raison d'être ici.

Et sache ceci : Je t'aime. Mon amour est toujours tien, à la fois maintenant et à jamais.

Je suis avec toi, toujours.

De toutes les façons.

Au revoir. Merci pour ce dialogue. Merci, mille fois *merci* Dieu.

Et toi, ma merveilleuse création. Merci. Car tu as redonné à Dieu une voix – et une place dans ton coeur. Et c'est tout ce qu'aucun de nous a jamais vraiment voulu.

Nous sommes ensemble à nouveau. Et c'est très bien.

En conclusion...

Comme vous pouvez l'imaginer, cette expérience a été extraordinaire pour moi. L'accouchement de cette trilogie a nécessité six ans – dont quatre pour le dernier volume. J'ai fait de mon mieux afin de ne pas m'interposer et de laisser le processus opérer ses merveilles. Je crois qu'en gros, j'ai réussi, mais je reconnais d'emblée ne pas avoir été un filtre parfait. Une partie de ce qui est arrivé par mon intermédiaire est sans doute faussée. Il serait donc erroné de prendre à la lettre cet écrit sur des questions spirituelles – ni aucun autre, d'ailleurs. Je tiens à décourager quiconque aurait cette intention. Ne rajoutez rien à ce qu'il y a ici. Par contre, *n'en enlevez rien, non plus*.

Ce message est important. Il pourrait transformer le monde. Bien des vies ont déjà été changées par le contenu de *CAD*. Maintenant traduit en vingt-quatre langues, et depuis des mois sur les listes de best-sellers du monde entier, il s'est retrouvé entre les mains de millions de personnes. Des groupes d'étude de CAD se sont même formés spontanément dans plus de cent cinquante villes, et ce nombre augmente chaque mois. Au moment où j'écris ces lignes, nous recevons de quatre à six cents lettres par semaine de gens qui ont été si profondément touchés par l'intuition, la sagesse et la vérité de ces écrits qu'ils ont eu envie de m'écrire personnellement.

Afin de gérer l'effet d'entraînement suscité par cette réaction renversante, Nancy et moi avons créé une fondation à but non lucratif qui publie un bulletin mensuel contenant des réponses aux questions des lecteurs et de l'information sur des conférences, des retraites et d'autres outils d'enseignement de *CAD*. Si vous voulez rester en contact avec l'énergie de ce message et contribuer à sa diffusion, vous abonner à ce bulletin représente une merveilleuse façon de le faire. Un pourcentage des redevances est prélevé sur chaque abonnement et versé dans notre fonds de bourses, qui permet à ceux qui n'en auraient pas les moyens autrement, de participer gratuitement à nos programmes ou de recevoir notre bulletin. Pour un abonnement d'un an, faites parvenir 35 $US (45 $US pour les abonnements provenant de l'extérieur des États-Unis) à l'adresse suivante :

Newsletter Subscription
c/o ReCreation
The Foundation for Personal Growth
and Spiritual Understanding
Postal Drawer 3547
Central Point, OR 97502
Telephone: 541-734-7222
E-mail: recreating@aol.com

Si vous désirez vraiment développer davantage le message que vous avez trouvé dans ces pages, vous pouvez commencer par lire d'autres ouvrages importants sur les sujets couverts par cette trilogie. À partir d'une suggestion reçue dans ce dialogue, j'ai cherché puis découvert des livres que je vous recommande maintenant avec enthousiasme. J'en ai monté une courte liste – mais puissante – que j'ai intitulée *Huit livres qui peuvent changer le monde.*

Je ne fais pas que recommander ces livres, je vous demande personnellement de les lire. Pourquoi ? Parce que je crois que les habitants de la Terre sont à la veille d'entrer dans une époque extraordinaire. Au cours des quelques années qui viennent, des décisions seront prises qui établiront notre trajectoire et notre direction durant des décennies. Les choix qui se présentent maintenant à la communauté humaine sont énormes, et les choix de demain seront encore plus décisifs, à mesure que nos options deviendront de plus en plus limitées.

Nous jouerons tous un rôle dans la prise de ces décisions, qui ne seront pas laissées à d'autres. Nous *sommes* les autres. Les décisions dont je parle ne pourront être prises, et ne le seront par aucune structure de pouvoir politique ni par l'élite d'influence ou les entreprises géantes. Elles seront prises dans les cœurs et dans les foyers d'individus et de familles du monde entier.

Qu'enseignerons-nous à nos enfants ? Où dépenserons-nous notre argent ? Lesquels de nos rêves et aspirations, volontés et désirs seront nos buts les plus élevés, nos priorités ? Comment traiterons-nous notre environnement ? Quelle sera la meilleure façon de rester en santé, et comment améliorerons-nous notre régime alimentaire ? Que demanderons-nous à nos leaders – et qu'exigerons-nous ? Comment jugerons-nous du bon déroulement de la vie ? Quelle sera notre mesure du succès ? Comment apprendrons-nous à aimer ? L'influence combinée de ces choix très personnels créera ce que le scientifique et écrivain Rupert Sheldrake nomme un « champ morphique » – une « résonance » qui donne le ton à la vie à une échelle mondiale.

Il est donc important – crucial, en fait – que le rôle de chaque individu soit un rôle *conscient*. Nos choix ne peuvent être faits dans le vide. Et même si nombre d'entre nous se croient bien informés (et, franchement, parce que certains d'entre nous ne le sont pas), je crois qu'il y aura pour chacun un profond avantage à lire ces livres, sinon je ne prendrais pas le temps de vous les signaler.

De nombreux titres sont merveilleux, et de toute évidence, cette liste pourrait être beaucoup plus longue. Ce sont là mes choix personnels, certains livres sont écrits par des gens que j'ai fini par connaître, d'autres par des gens que je n'ai jamais rencontrés, mais chaque livre est très puissant, significatif et important. J'espère que vous lirez ces *Huit livres qui peuvent changer le monde*.

1. *The Healing of America**, par Marianne Williamson. Un livre de feu rempli d'intuitions passionnées et de solutions courageuses, qui fournit une nourriture riche à quiconque réfléchit sérieusement à notre nature et à notre objectif en tant qu'individus, en tant que pays et en tant qu'espèce. Dernier ouvrage d'une femme d'un courage et d'un engagement social peu communs, ce

---

* Selon les informations disponibles en février 1999, ces livres ne sont pas traduits en français

livre s'adresse avec force à ceux et celles qui cherchent un nouveau monde.

2. *The Last Hours of Ancient Sunlight*, par Thom Hartmann [en voie de traduction]. Un livre qui vous ébranlera, vous réveillera... et vous mettra peut-être même en colère. Chose certaine, il ne vous laissera pas indifférent. Vous serez incapable de refaire de la même manière l'expérience de votre vie et de la vie sur cette planète – et ce sera bon pour vous et la planète. Un livre qui secoue. Lecture facile, urgente et puissante.

3. *Conscious Evolution – Awakening the Power of Our Social Potential*, par Barbara Marx Hubbard [à paraître en français aux Éditions Ariane en février 2000]. Un document d'une envergure et d'une vision renversantes – éloquent, irrésistible et sage dans sa description de nos origines et de notre avenir en tant qu'espèce –, il nous emporte vers un niveau inconnu de nos possibilités. Un appel inspirant à notre moi supérieur, au moment où nous sommes tout près de cocréer le nouveau millénaire.

4. *Reworking Success**, par Robert Theobald, l'un des dix futuristes les plus importants et les plus marquants de notre siècle. Un petit livre dont le message est immense : si nous ne choisissons pas ce que nous appelons « gagner », dans cette culture, la culture même n'en a pas pour longtemps. Nos vieilles idées sur ce qui est « bon » pour nous sont en train de nous tuer.

5. *The Celestine Vision - Vision des Andes*, par James Redfield. Présente une carte d'un avenir nouveau et possible, une voie vers un merveilleux futur, si nous voulons bien l'emprunter. Les vérités les plus simples et les plus profondes sont placées droit devant nous pour servir d'outils dans la création de la vie dont nous rêvons tous depuis si longtemps. Soudain, le rêve est à portée de la main.

6. *The Politics of Meaning**, par Michael Lerner. Pragmatique, mais grandement stimulant, c'est là un éloquent plaidoyer en faveur de l'équilibre mental, de la compassion et de l'amour simple et humain, en politique, en économie et dans le monde des affaires. Contient des idées frappantes et des visions magnifiques sur la façon dont le monde pourrait fonctionner, si nous pouvions

seulement amener la structure de pouvoir à s'en soucier vraiment – avec des suggestions sur la manière dont nous pourrions y arriver.

7. *The Future of Love*, par Daphne Rose Kingma [à paraître en français aux Éditions Ariane à l'automne 1999]. Une éblouissante exploration d'une nouvelle façon de nous aimer – qui reconnaît le pouvoir de l'âme dans les relations intimes. D'une intuition profonde et d'une fraîcheur audacieuse, ce livre s'écarte résolument de la tradition et aborde la possibilité de dire oui au désir sincère et grandiose de notre être : aimer pleinement.

8. *Diet for a New America - Se nourrir sans faire souffrir*, par John Robbins. Un traitement hautement efficace d'un sujet simple : la nourriture. C'est une révélation. Les poisons que nous absorbons et la qualité médiocre de nos substances nutritives, tout cela est exploré d'après une approche qui changera à jamais notre façon de considérer ce que nous ingurgitons. Ce livre renverse l'idée préconçue selon laquelle il est bon de consommer la chair d'animaux morts et présente des preuves étonnantes des bienfaits du végétarisme sur l'économie et la santé.

Tous ces livres offrent un plan d'action pour l'avenir. La similitude de leurs affirmations est souvent renversante. Il est difficile de croire que ces écrivains ne se sont pas réunis pour s'entendre sur ce qu'ils allaient rédiger et sur la façon dont ils allaient énoncer leurs idées. Tel n'a pas été le cas, bien entendu, et cet étonnement de ma part souligne le degré de *synchronicité*.

La vision de ces huit auteurs est si claire, si excitante, et offre un point de vue de la société civilisée si incroyablement meilleur que notre réalité quotidienne actuelle, que votre cœur chantera d'exaltation et que vous voudrez immédiatement savoir comment vous pourriez contribuer à faire avancer le choses. Heureusement pour nous tous, Marianne, Thom, Barbara, Robert, James, Michael, Daphne et John ont avancé des solutions précises et solides. Tous ces livres sont bourrés d'idées sur ce que *vous pouvez faire, maintenant*, pour améliorer les choses et pour créer des changements à long terme dans notre monde.

J'aimerais également vous faire connaître trois organisations qui sont actuellement engagées activement et vigoureusement dans le travail auquel nous appelle la trilogie *Conversations avec Dieu* ainsi qu'une campagne de citoyens de la base qui vise à soulever le monde. Vous voudrez peut-être explorer davantage ces groupes afin de voir si vos idées s'accordent à leur philosophie et si ces individus ont déjà mis en place un mécanisme grâce auquel vos propres choix et visions peuvent se réaliser.

Dans le domaine de la spiritualité : *The Emissaries.*
Voici une association de gens de plusieurs pays dont l'intérêt principal est de coordonner efficacement, en tenant compte de la façon dont la vie fonctionne réellement, toutes sortes d'aspects de l'expérience quotidienne et de chercher à révéler le caractère divin dans la vie pratique. Selon ce groupe, lorsque cela sera fait de manière cohérente et de concert avec d'autres groupes ou individus, la révélation collective qui résultera du caractère divin résonnera dans l'humanité, suscitant un réveil et un retour à l'identité véritable.

Le terme descriptif « émissaire de la Lumière divine » fait référence à quiconque exprime avec cohérence un esprit stable, sincère et affectueux. Il implique l'acceptation de la responsabilité d'affronter et d'abandonner les attitudes et les idées préconçues qui limitent la libération du potentiel spirituel inhérent.

Bien sûr, des milliers de gens n'ont jamais encore entendu parler des Émissaires, dont la présence, là où ils se trouvent, est véritablement radieuse et réjouissante. C'est d'ailleurs dans cette mesure qu'ils sont des Émissaires de la Lumière divine et que leur vie est empreinte d'autorité et de la puissance. Au moyen d'une association bénévole et d'activités telles que des cours par correspondance, des séminaires, l'harmonisation et des rencontres hebdomadaires, les Émissaires fournissent un contexte continu de partage du travail spirituel et créatif. On peut les rejoindre à l'adresse suivante :

The Emissaries
5569 North County Road, #29
Loveland, Colorado 80538
Telephone: 970-679-4200
E-mail: sunrise@emnet.org

Dans le domaine de la politique : *The Natural Law Party.*
Fondé en 1992 pour combler un vide dans la structure politique des
États-Unis, le Natural Law Party s'est maintenant établi dans
plusieurs pays du monde. D'après ce parti, pour poursuivre le
progrès humain et nous développer en tant que communauté
planétaire, nous devons renforcer notre alliance avec la « loi
naturelle » décrite comme étant « les lois de la nature – des
principes méthodiques gouvernant la vie dans l'univers physique ».

Selon le physicien John Hagelin, candidat du Natural Law
Party à la présidence des États-Unis lors des dernières élections :
« Il est hélas vrai que nombre de nos institutions, technologies
modernes et modèles de comportement dérogent de plus en plus
aux lois de la nature. Nos médicaments entraînant de dangereux
effets secondaires, nos pesticides chimiques, nos engrais et nos
espèces génétiquement manipulées, et même certaines de nos
institutions financières, sèment les germes d'épidémies futures,
d'une guerre des classes et de désastres écologiques. » Bien
entendu, *Conversations avec Dieu* reprend maintes et maintes fois
ces mêmes propos.

Le Natural Law Party offre une plate-forme politique qui
permet d'affronter ces problèmes. Voici ses coordonnées aux
États-Unis :

The Natural Law Party
1946 Mansion Drive
P.O. Box 1900
Fairfield, IA 52556
Telephone: 515-472-2040
Web site: www.natural-law.org

Dans le domaine de l'activisme spirituel-politique aux États-Unis : *The American Renaissance Alliance.*

Voilà une organisation que je dirige conjointement avec l'écrivaine, conférencière et visionnaire Marianne Williamson, qui fait remarquer qu'« avec la montée de l'esprit monte aussi en nous notre désir de rendre service au monde. Les processus démocratiques peuvent nous y aider, en nous donnant l'occasion d'exprimer nos valeurs spirituelles dans le domaine politique. » L'amour, la compassion, la paix et la justice seront à l'avant-plan du paysage politique mondial lorsqu'un nombre suffisant de gens décideront de les y placer. Aux États-Unis, l'American Renaissance Alliance fournit un contexte organisé de recherche philosophique et d'action politique, en rassemblant des gens qui partagent le souci de servir le bien commun. Notre but vise à harnacher la puissance spirituelle qui est au cœur de la démocratie américaine, en témoignant de façon puissante de l'amour de Dieu en nous tous.

Marianne et moi envisageons que, dans les villes à travers les États-Unis, deux personnes ou plus se réunissent afin de prier pour la paix et de travailler pour la justice. Comme l'écrit Marianne dans notre brochure : « Dévouée à l'idée que la force de l'âme est plus puissante que la force brute, l'Alliance proclame activement une vision d'une Amérique délivrée des griffes de l'avidité, enracinée dans la paix, et en évolution vers un amour encore plus grand. Nous croyons aussi que c'est là notre destinée en tant qu'espèce planétaire et nous soutiendrons les organisations similaires qui se créent dans le monde.

« L'American Renaissance Alliance n'est pas une organisation politique traditionnelle orientée vers les problèmes. Nous pressentons que *les problèmes ne sont pas le problème.* La vaste majorité des problèmes de l'Amérique proviennent d'une source sousjacente : le désengagement de la moyenne des gens du processus politique de leur pays. La même chose est vraie dans le monde entier. »

À mon avis, le message de *Conversations avec Dieu* renferme non seulement une invitation explicite, mais aussi un appel à l'action. J'espère qu'il sera entendu partout. Aux États-Unis, où j'habite, Marianne Williamson et moi espérons que notre American Renaissance Alliance fournira un modèle qui pourra être reproduit à l'échelle planétaire. Encore une fois, comme l'affirme Marianne, c'est « un modèle d'organisation non partisane affirmant l'importance politique de valeurs conservatrices et gauchistes nobles. Bref, nous cherchons à amener les gens à faire en sorte que leur âme consacre toute son énergie au monde qui l'entoure. »

Si vous désirez de l'information sur le travail que nous effectuons, Marianne et moi, autour d'une politique holistique et de ses principes en action, et si vous désirez vous joindre à nous, veuillez prendre contact avec :

The American Renaissance Alliance
P.O. Box 15712
Washington, D. C. 20003
Telephone: 202-544-1219
Web site: www.renaissancealliance.org

Finalement, vous n'avez pu rater les nombreuses références, dans cette troisième tranche de la trilogie *CAD*, à « ce qui fonctionne ». Dans ce dialogue, l'argument à l'effet que les êtres hautement évolués observent de façon cohérente « ce qui est » et « ce qui fonctionne » a été maintes fois soulevé.

Dans notre société, on cultive des efforts marqués pour examiner de plus près les programmes et les projets qui concernent déjà un grand nombre de difficultés que nous affrontons. Parmi ceux que je connais particulièrement, il y a la campagne For Positive Solutions, une initiative destinée à permettre la construction d'une nouvelle civilisation fondée sur ce qui fonctionne déjà.

Le but de cette campagne est de chercher, cartographier, relier et communiquer ces percées, et d'encourager leur reproduction. Lorsqu'elles seront adaptées à un plus grand nombre de gens et adoptées par eux, nous épargnerons des milliards de dollars et améliorerons la qualité de vie de millions de gens. Je travaille en rapport étroit avec cette campagne et, grâce à elle, j'espère établir un soutien pour que les gens apportent le meilleur de ce qui fonctionne dans leur communauté et créent des projets qui contribueront à guérir et à faire évoluer notre monde.

La directrice de la campagne For Positive Solutions est Eleanor Mulloney LeCain, qui travaille avec la futuriste Barbara Marx Hubbard, Nancy Carroll et Patricia Ellsberg. La campagne constitue un projet de la fondation à but non lucratif de Barbara. Les individus, les groupes, les organisations et les institutions sont invités à déposer sur son site Web des projets qui fonctionnent, ce qui représente pour tous une façon de partager ce qu'ils connaissent et d'apprendre des succès des autres. Vous pouvez visiter ce site Web au http://www.cocreation.org.

Vous pouvez également former un petit groupe dans votre communauté, votre église, votre organisation, ou avec vos amis, et entamer ainsi le processus de synergie et de cocréation. Posez-vous ces questions : 1. Qu'est-ce que je veux créer maintenant ? Qu'est-ce qui me fait vibrer ? 2. Quels sont mes besoins ? Où se situe mon blocage devant l'étape suivante ? 3. Quelles ressources ai-je le désir de partager librement avec d'autres ? 4. Qu'est-ce que je connais qui fonctionne déjà, dans ma propre vie, au travail et dans le monde ? Puis, déposez vos projets, et d'autres que vous connaissez et qui fonctionnent, sur le site Web.

On peut obtenir d'autres renseignements sur cette initiative en s'adressant à :

The Foundation for Conscious Evolution
P.O. Box 6397
San Rafael, CA 94903-0397
Telephone: 415-454-8191
E-mail address: fce@peaceroom.org

J'espère que cette information vous a été utile. Mon objectif était de vous permettre de démarrer, si vous le choisissez, en activant le message de *CAD*. Je sais que vous ne serez pas tous d'accord avec l'ensemble des auteurs et organisations que je viens de mentionner. C'est correct ainsi. S'ils ne font que nous amener à nous arrêter pour réfléchir, ils nous auront rendu un merveilleux service.

Maintenant, alors que nous mettons fin à ce dialogue en trois volumes, je veux vous remercier. Merci d'avoir toléré la libre circulation des idées apparues par mon intermédiaire. Je suis certain que tous ne sont pas d'accord avec tout ce qui est écrit ici. Encore une fois, ça va. En fait, c'est même *préférable*. Je n'aime pas tellement qu'on avale des idées sans nuances, tout d'un bloc. Et le plus grand message de *Conversations avec Dieu* est le suivant : nous pouvons, chacun de nous, mener notre propre dialogue avec la déité, toucher notre propre sagesse intérieure et trouver notre propre vérité intérieure. Là se trouve la vérité. Là repose la chance. Là s'accomplit l'ultime dessein de la vie.

Vous et moi avons une chance, à présent, de nous recréer à nouveau dans la prochaine version la plus grandiose de la plus grande vision que nous ayons jamais entretenue à propos de Qui Nous Sommes. Nous avons une chance de changer nos vies et de transformer véritablement le monde.

George Bernard Shaw n'est-il pas le premier à avoir dit : « Il y a ceux qui voient le monde tel qu'il est et qui demandent *pourquoi* ? Et il y a ceux qui voient le monde tel qu'il pourrait être et qui demandent *pourquoi pas* ? » Aujourd'hui, alors que vous et moi terminons ensemble ce périple à travers la trilogie *CAD*, je vous invite à embrasser votre vision la plus élevée de vous-même et du monde, et à demander : *Pourquoi pas* ?

Soyez tous bénis.

Neale Donald Walsch